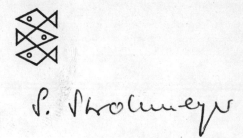

S. Strohmeyr

D1489628

Liebes- und Gefühlserfahrungen unterschiedlichster Menschen, die diesem sie verwirrenden Rausch gar nicht oder nur schwer widerstehen können, und die Wirkung ihres Verhaltens auf andere hat Stefan Zweig mit großer sprachlicher Suggestivkraft geschildert. Zentrales Thema dieses Bandes ist die Steigerung von langsam erwachenden Gefühlen zu unerwarteten Leidenschaften. Sind Handlung und Zeichnung der Figuren in der frühesten Schaffensperiode Zweigs eher noch von einem empfindungsvollen Psychologisieren bestimmt, so gewinnt die Charakterisierung mit dem Wachsen seiner eigenen Erfahrung an Kontur, der erzählerische Zugriff wird energischer und die Handlungsführung straffer. Er distanziert sich zunehmend vom eigenen Empfinden und gestaltet immer mehr frei erdachte Beziehungen und Situationen, wenn dabei auch gelegentlich unmittelbares Erleben wie von selbst mit einfließt. Die hier gewählte Ordnung entspricht, ohne streng chronologisch zu sein, dieser Entwicklung.

Stefan Zweig wurde am 28. November 1881 in Wien geboren, lebte von 1919 bis 1935 in Salzburg, emigrierte von dort nach England und 1940 nach Brasilien. Früh als Übersetzer Verlaines, Baudelaires, und vor allem Verhaerens hervorgetreten, veröffentlichte er 1901 seine ersten Gedichte unter dem Titel ›Silberne Saiten‹. Sein episches Werk machte ihn ebenso berühmt wie seine historischen Miniaturen und die biographischen Arbeiten. 1944 erschienen seine Erinnerungen, das von einer vergangenen Zeit erzählende Werk ›Die Welt von Gestern‹. Im Februar 1942 schied er in Petrópolis, Brasilien, freiwillig aus dem Leben.

Alle lieferbaren Titel von Stefan Zweig sind in der Anzeige (letzte Seite) aufgeführt.

Stefan Zweig

Verwirrung der Gefühle

Erzählungen

Fischer Taschenbuch Verlag

Herausgegeben und
mit einer Nachbemerkung versehen
von Knut Beck

138.–145. Tausend: November 1994

Ungekürzte Ausgabe
Veröffentlicht im Fischer Taschenbuch Verlag GmbH,
Frankfurt am Main, Oktober 1984

Lizenzausgabe mit freundlicher Genehmigung
der S. Fischer Verlag GmbH, Frankfurt am Main
Copyright für diese Zusammenstellung
© S. Fischer Verlag GmbH, Frankfurt am Main
Gesamtherstellung: Clausen & Bosse, Leck
Printed in Germany
ISBN 3-596-25790-5

Gedruckt auf chlor- und säurefreiem Papier

Inhalt

Der Stern über dem Walde

Franz Carl Ginzkey
in herzlicher Gesinnung

Einmal, als sich der schlanke und sehr soignierte Kellner
François beim Servieren über die Schulter der schönen
polnischen Gräfin Ostrowska herabneigte, geschah etwas Seltsames. Nur eine Sekunde währte es und war kein
Zucken und kein Erschrecken, keine Regung und Bewegung. Und doch war es eine jener Sekunden, in die tausende Stunden und Tage voll Jubel und Qual gebannt
sind, gleichwie der großen dunkelrauschenden Eichen
wilde Wucht mit all ihren wiegenden Zweigen und
schaukelnden Kronen in einem einzigen verflatternden
Samenstäubchen geborgen ist. Nichts Äußerliches geschah in dieser Sekunde. François, der geschmeidige
Kellner des großen Rivierahotels beugte sich tiefer hinab,
um die Platte dem suchenden Messer der Gräfin besser
zurecht zu legen. Doch sein Gesicht ruhte diesen Moment knapp über der weichgelockten duftenden Welle
ihres Hauptes, und als er instinktiv das devot gesenkte
Auge aufschlug, sah sein taumelnder Blick, in wie milder
und weißleuchtender Linie ihr Nacken sich aus dieser
dunklen Flut in das dunkelrote bauschende Kleid verlor.
Wie Purpurflammen schlug es in ihm auf. Und leise
klirrte das Messer an die unmerklich erzitternde Platte.
Obzwar er aber in dieser Sekunde alle Folgenschwere
dieser jähen Bezauberung ahnte, meisterte er gewandt
seine Erregung und bediente mit der kühlen und ein wenig galanten Verve eines geschmackvollen Garçons weiter. Er reichte die Platte mit geruhigem Gange dem steten Tischgenossen der Gräfin, einem älteren, mit ruhiger

Grazie begabten Aristokraten, der mit fein akzentuierter Betonung und einem kristallenen Französisch gleichgültige Dinge erzählte. Dann trat er ohne Blick und Gebärde von dem Tisch zurück.

Diese Minuten waren der Beginn eines sehr seltsamen und hingebungsvollen Verlorenseins, einer so taumelnden und trunkenen Empfindung, daß ihr das gewichtige und stolze Wort Liebe beinahe übel ansteht. Es war jene hündisch treue und begehrungslose Liebe, wie sie die Menschen sonst inmitten ihres Lebens gar nicht kennen, wie sie nur ganz junge und ganz alte Leute haben. Eine Liebe ohne Besonnensein, die nicht denkt, sondern nur träumt. Er vergaß ganz jene ungerechte und doch unauslöschliche Mißachtung, die selbst kluge und bedächtige Leute gegen Menschen im Kellnerfracke bezeugen, er sann nicht nach Möglichkeiten und Zufällen, sondern nährte in seinem Blute diese seltsame Neigung, bis ihre geheime Innigkeit sich aller Bespottung und Bemänglung entrang. Seine Zärtlichkeit war nicht die der heimlich zwinkernden und lauernden Blicke, die jäh losbrechende Kühnheit verwegener Gebärden, die sinnlose Brünstigkeit lechzender Lippen und zitternder Hände, sie war ein stilles Mühen, ein Walten jener kleinen Dienste, die um so erhabener und heiliger in ihrer Demut sind, als sie wissend unbemerkt bleiben. Er strich nach dem Souper über die zerknüllten Tischtuchfalten vor ihrem Platze mit so zärtlichen und kosenden Fingern, wie man wohl liebe und weichruhende Frauenhände streichelt; er rückte alle Dinge ihrer Nähe mit hingebungsvoller Symmetrie zusammen, als ob er sie zu einem Feste bereite. Die Gläser, die ihre Lippen berührt hatten, trug er sich sorgsam in sein enges dumpfes Dachlukenzimmer und ließ sie im perlenden Mondlicht nächtlich auffunkeln wie köstliches Geschmeide. Stets war er aus irgendeinem Winkel der geheime Behorcher ihres Schreitens und Wandelns. Er trank ihre Sprache so wie man einen süßen und duftberauschenden Wein wollüstig auf der Zunge wiegt, und fing die einzelnen Worte und Befehle gierig wie Kinder den fliegenden Spielball. So trug seine trunkene Seele in sein armes und gleichgültiges Leben einen wechselnden und reichen Glanz. Nie kam ihm die weise Torheit, das ganze Ereignis in die kalten, vernichtenden Worte der Tatsächlichkeit zu kleiden, daß der armselige Kellner François eine exotische, ewig unerreichbare Gräfin liebte. Denn er empfand sie gar nicht als Wirklichkeit, sondern als etwas sehr Hohes, sehr Fernes, das nur mehr mit seinem Abglanz des Lebens reichte. Er liebte den herrischen Stolz ihrer Befehle, den gebietenden Winkel ihrer schwarzen, sich fast berührenden Augenbrauen, die wilde Falte um den schmalen Mund, die sichere Grazie ihrer Gebärden. Unterwürfigkeit schien ihm Selbstverständlichkeit, und die demütigende Nähe niederen Dienstes empfand er als Glück, weil er ihr zu danke so oft in den zauberischen Kreis treten durfte, der sie umfing.

So ward in dem Leben eines einfachen Menschen plötzlich ein Traum wach, gleich einer edlen und sorgfältig gezüchteten Gartenblüte, die an einer Straße blüht, wo sonst der Wanderstaub alle Keime zertritt. Es war der Taumel eines schlichten Menschen, ein zauberischer und narkotischer Traum inmitten eines kalten, gleichtönigen Lebens. Und Träume solcher Menschen sind wie die ruderlosen Boote, die ziellos in schaukelnder Wollust auf stillen, spiegelnden Wassern treiben, bis plötzlich ihr Kiel mit jähem Ruck an ein unbekanntes Ufer stößt.

Die Wirklichkeit ist aber stärker und robuster als alle Träume. Eines Abends sagte ihm der feiste Waadtländer Portier im Vorübergehn: »Die Ostrowska fährt morgen mit dem Acht-Uhr-Zug.« Und dann noch ein paar andre gleichgültige Namen, die er überhörte. Denn ein wirres

Brausen und Wirbeln war aus diesen Worten in seinem Hirne geworden. Ein paar Mal fuhr er sich mechanisch mit den Fingern über die gepreßte Stirn, als wollte er eine drückende Schicht wegschieben, die dort lagerte und das Verständnis umdämmerte. Er machte ein paar Schritte; es war ein Taumeln. Unsicher und erschreckt glitt er an einem hohen goldgerahmten Spiegel vorbei, aus dem ihm ein fahles und fremdes Gesicht kreidig entgegenstarrte. Die Gedanken wollten nicht kommen, sie waren gleichsam festgemauert hinter einer dunklen nebligen Wand. Fast unbewußt tastete er am Geländer die breite Treppe in den umdämmerten Garten hinab, wo die hohen Pinien-Bäume einsam standen wie finstere Gedanken. Noch ein paar Schritte wankte seine unruhige Gestalt, gleich dem niederen und taumelnden Flug eines großen dunklen Nachtvogels, dann sank er auf eine Bank, den Kopf an die kühle Lehne gepreßt. Es war ganz still dort. Rückwärts zwischen den runden Sträuchern funkelte das Meer. Weiche und zitternde Lichter glühten dort leise, und in der Stille verlor sich der eintönig murmelnde Singsang fernplätschernder Brandungsquellen.

Und plötzlich war alles klar, ganz klar. So schmerzklar, daß er fast ein Lächeln fand. Es war einfach alles zu Ende. Die Gräfin Ostrowska fährt nach Hause, und der Kellner François bleibt auf seinem Posten. War dies denn so seltsam? Gingen nicht alle die Fremden fort, die kamen, nach zwei, nach drei, nach vier Wochen? Wie töricht, das nicht überdacht zu haben. Es war ja alles so klar, zum Lachen, zum Weinen klar. Und die Gedanken schwirrten und schwirrten. Morgen abend, mit dem Acht-Uhr-Zug nach Warschau. Nach Warschau – Stunden und Stunden durch Wälder und Täler, über Hügel und Berge, über Steppen und Flüsse und durch brausende Städte. Warschau! Wie weit das war! Er konnte es sich gar nicht ausdenken, aber im tiefsten fühlen, dieses stolze und drohende, harte und ferne Wort: Warschau. Und er ...

Eine Sekunde flatterte noch eine kleine träumerische Hoffnung auf. Er konnte ja nachfahren. Und dort sich verdingen als Diener, als Schreiber, als Fuhrknecht, als Sklave; als frierender Bettler dort auf der Straße stehn, aber nur nicht so furchtbar ferne sein, den Atem derselben Stadt nur atmen, sie manchmal vielleicht vorüberbrausen sehen, nur ihren Schatten sehen, ihr Kleid und ihr dunkles Haar. Schon zuckten eilfertige Träumereien empor. Aber die Stunde war hart und unerbittlich. Er sah das Unerreichbare nackt und klar. Er rechnete: hundert oder zweihundert Francs Ersparnisse im besten Falle. Das reichte kaum die Hälfte des Weges. Und was dann? Wie durch einen zerrissenen Schleier sah er auf einmal sein Leben, fühlte, wie arm, wie kläglich, wie häßlich es jetzt werden mußte. Öde leere Kellnerjahre, zermartert von törichter Sehnsucht, diese Lächerlichkeit sollte seine Zukunft sein. Wie ein Schauder kam es über ihn. Und plötzlich liefen alle Gedankenketten stürmisch und unabwendbar zusammen. Es gab nur eine Möglichkeit. –

Leise schwankten die Wipfel in einer unmerklichen Brise. Eine finstere schwarze Nacht stand drohend vor ihm. Da erhob er sich sicher und gelassen von seiner Bank und schritt über den knirschenden Kies zu dem großen, in weißem Schweigen schlafenden Hause empor. Bei ihren Fenstern blieb er stehen. Sie waren blind und ohne ein funkelndes Lichterzeichen, daran sich träumerische Sehnsucht hätte entzünden können. Nun ging sein Blut in ruhigen Schlägen, und er schritt wie einer, den nichts mehr verwirrt und betrügt. In seinem Zimmer warf er sich ohne jede Erregung auf das Bett und schlief dumpfen traumlosen Schlaf bis zum rufenden Morgenzeichen.

Am nächsten Tage war sein Gebaren gänzlich in den Grenzen sorgfältig gezirkelter Überlegung und erzwungener Ruhe. Mit kühler Gleichgültigkeit erledigte er seine Pflichten, und seine Gebärden hatten eine so sichere und sorglose Gewalt, daß niemand hinter der trügerischen Maske den herben Entschluß hätte ahnen können. Kurz vor der Stunde des Diners eilte er mit seinen kleinen Ersparnissen in das vornehmste Blumengeschäft und kaufte erlesene Blumen, die ihn in ihrer farbigen Pracht wie Worte anmuteten: feuergolden glühende Tulpen, die wie eine Leidenschaft waren, weiße breitgekränzte Chrysanthemen, die wie lichte und exotische Träume anmuteten, schmale Orchideen, die schlanken Bilder der Sehnsucht und ein paar stolze betörende Rosen. Und dann erstand er eine prächtige Vase aus opalisierendem funkelndem Glase. Die paar Francs, die ihm noch blieben, schenkte er im Vorübergehen einem Bettelkinde mit rascher und sorgloser Gebärde. Und eilte zurück. Die Vase mit den Blumen stellte er mit wehmütiger Feierlichkeit vor das Kuvert der Gräfin, das er nun zum letzten Male mit einer voluptuösen und langsamen Peinlichkeit bereitete.

Dann kam das Diner. Er servierte wie immer: kühl, lautlos und geschickt, ohne aufzuschauen. Nur zum Ende umfing er ihre ganze biegsame, stolze Gestalt mit einem unendlichen Blicke, von dem sie nie wußte. Und nie erschien sie ihm so schön wie in diesem letzten wunschlosen Blick. Dann trat er ruhig, ohne Abschied und Gebärde vom Tische zurück und ging aus dem Saal. Wie ein Gast, vor dem sich die Bedienten beugen und neigen, schritt er durch die Gänge und über die vornehme Empfangstreppe hinab der Straße zu: man hätte fühlen müssen, daß er mit diesem Augenblick seine Vergangenheit verließ. Vor dem Hotel blieb er eine Sekunde unschlüssig stehen: dann wandte er sich den blinkenden

Villen und breiten Gärten entlang einem Wege zu, weiter, immer weiter wandelnd in seinem nachdenklichen Promenadeschritt, ohne zu wissen, wohin.

Bis zum Abend irrte er so unstet in träumerischem Verlorensein. Er sann über nichts mehr nach. Nicht über Vergangenes und nicht über das Unabwendbare. Er spielte nicht mehr mit dem Todesgedanken, so wie man wohl noch in den letzten Augenblicken den funkelnden, mit tiefem Auge drohenden Revolver prüfend in der wägenden Hand hebt und wieder senkt. Längst hatte er sich das Urteil gesprochen. Nur Bilder kamen noch, in flüchtigem Fluge, gleich ziehenden Schwalben. Zuerst die Jugendtage bis zu einer verhängnisvollen Schulstunde, da ihn ein törichtes Abenteuer aus einer verführerisch wirkenden Zukunft jählings in das Gewirre der Welt stieß. Dann die rastlosen Fahrten, Mühen um den Taglohn, Versuche, die immer wieder mißglückten, bis die große finstere Welle, die man Schicksal nennt, seinen Stolz zerbrach und ihn an einen unwürdigen Posten warf. Viele farbige Erinnerungen wirbelten vorüber. Und schließlich glänzte noch die sanfte Spiegelung dieser letzten Tage aus den wachen Träumen; und jählings stießen sie wieder das dunkle Tor der Wirklichkeit auf, das er durchschreiten mußte. Er besann sich, daß er noch heute sterben wollte.

Eine Weile sann er über die vielen Wege nach, die zum Tode führen, und wägte ihre Bitterkeit und Behendigkeit gegeneinander ab. Bis ihn plötzlich ein Gedanke durchzuckte. Aus trüben Sinnen fiel ihm jäh ein finsteres Symbol ein: so wie sie unwissend und vernichtend über sein Schicksal hinweggebraust war, so sollte sie auch seinen Körper zermalmen. Sie selbst sollte es vollbringen. Sie selbst ihr Werk vollenden. Und nun hasteten die Gedanken mit unheimlicher Sicherheit. In einer knappen Stun-

de, um acht Uhr ging der Expreß ab, der sie ihm ent-
führte. Dem wollte er sich unter die Räder werfen, sich
zerstampfen lassen von der gleichen stürmenden Gewalt,
die ihm die Frau seiner Träume entriß. Unter ihren Füßen
wollte er verbluten. Die Gedanken stürmten und stürmten gleichsam jubelnd einander nach. Er wußte auch den
Ort. Weiter oben am Waldhang, wo die rauschenden
Wipfel den letzten Blick auf die nahe Bucht verdunkelten. Er sah auf die Uhr: fast schlugen die Sekunden und
sein hämmerndes Blut den gleichen Takt. Es war schon
Zeit, sich auf den Weg zu machen. Nun kam mit einem
Male Elastizität und Zielsicherheit in seine schlaffen
Schritte, jener harte eilige Takt, der das Träumen im Vor-
wärtswandeln ertötet. Unruhig stürmte er in die däm-
mernde Pracht des südlichen Abends der Stelle zu, wo
zwischen den fernen bewaldeten Hügeln der Himmel
eingebettet war als purpurner Streif. Und er eilte vorwärts, bis er an das Geleise kam, das mit seinen beiden
silbernen Linien vor ihm aufglänzte und seinen Weg geleitete. Und sie führten ihn in gewundenem Zuge auf-
wärts durch die tiefen duftenden Tale, deren dunstige
Schleier das matte Mondlicht durchsilberte, sie lenkten
ihn im steigenden Gange in das Hügelland, wo man sah,
wie ferne das weite nachtschwarze Meer mit seinen funkelnden Strandlichtern aufglänzte. Und sie zeigten ihm
endlich den tiefen, unruhig rauschenden Wald, der das
Geleise in seinen sinkenden Schatten begrub.

Es war schon spät, als er nun schweratmend am
dunklen Hange des Waldes stand. Schauerlich und
schwarz reihten sich die Bäume um ihn. Nur hoch oben
in den durchschimmernden Kronen spann ein fahles zit-
terndes Mondlicht in den Zweigen, die stöhnten, wenn
sie die leise Nachtbrise in die Arme nahm. Manchmal
zuckten seltsame Rufe ferner Nachtvögel in diese dumpfe
Stille. Die Gedanken erstarrten ihm ganz in dieser ban-

genden Einsamkeit. Er wartete nur, wartete und starrte, ob nicht unten an der Kurve der ersten ansteigenden Serpentine das rote Licht des Zuges auftauchen wollte. Manchmal sah er wieder nervös auf die Uhr und zählte die Sekunden. Dann horchte er wieder nach dem fernen Schrei der Lokomotive. Aber es war eine Täuschung. Ganz still wurde es wieder. Die Zeit schien erstarrt zu sein.

Endlich glänzte fern unten das Licht. Er fühlte in dieser Sekunde einen Stoß im Herzen, wußte aber nicht, ob es Furcht oder Jubel war. Mit jäher Gebärde warf er sich hin auf die Schienen. Zuerst fühlte er einen Augenblick nur die wohlige Kühle der Eisenstreifen an seiner Schläfe. Dann horchte er. Der Zug war noch weit. Minuten mochten es wohl dauern. Noch hörte man nichts außer dem flüsternden Rauschen der Bäume im Wind. Wirr sprangen die Gedanken. Und plötzlich einer, der blieb und sich wie ein schmerzhafter Pfeil in sein Herz bohrte: daß er um ihretwillen starb und sie es nie ahnen würde. Daß nicht eine einzige leise Welle seines aufschäumenden Lebens die ihre berührt hatte. Daß sie nie wissen würde, daß ein fremdes Leben an ihrem gehangen, an ihrem zerschmettert sei.

Ganz leise keuchte von ferne durch die atemstille Luft der rhythmische Gang der steigenden Maschine. Aber der Gedanke brannte unvermindert weiter und folterte die letzten Minuten des Sterbenden. Näher und näher ratterte der Zug. Und da schlug er noch einmal die Augen auf. Über ihm war ein schweigender blauschwarzer Himmel und ein paar rauschende Kronen. Und über dem Walde ein weißer blinkender Stern. Ein einsamer Stern über dem Walde . . . Schon begannen die Schienen unter seinem Kopfe leise zu schwingen und zu singen. Aber der Gedanke brannte wie Feuer in seinem Herzen und in dem Blicke, der alle Glut und Verzweiflung seiner Liebe faßte.

Alle Sehnsucht und diese letzte schmerzliche Frage fluteten über in den weißen leuchtenden Stern, der mild auf ihn niedersah. Näher und näher schmetterte der Zug. Und der Sterbende umfing noch einmal mit einem letzten unsagbaren Blick den funkelnden Stern, den Stern über dem Walde. Dann schloß er die Augen. Die Schienen zitterten und wankten, näher und näher stampfte der ratternde Gang des fliegenden Zuges, daß der Wald dröhnte wie von großen hämmernden Glokken. Die Erde schien zu taumeln. Noch ein betäubendes sausendes Schwirren, ein wirbelndes Getöse, dann ein schriller Pfiff, der ängstlich tierische Schrei der Dampfpfeife und das gelle Stöhnen einer vergeblichen Bremse . . .

Die schöne Gräfin Ostrowska hatte im Zug ein eigenes reserviertes Coupé. Seit der Abfahrt las sie einen französischen Roman, sanft gewiegt von der schaukelnden Bewegung des Wagens. Die Luft des engen Raumes war schwül und getränkt von dem drückenden Dufte vieler welkender Blumen. Schon nickten von den prächtigen Abschiedskörben die weißen Fliedertrauben müde herab wie überreife Früchte, erschlafft hingen die Blüten an den Stengeln, und die schweren und breiten Kelche der Rosen schienen zu welken in der heißen Wolke der berauschenden Düfte. Erstickende Schwüle wärmte diese schweren Duftwellen, die träge niederdrückten, selbst in der sausenden Eile des Zuges.

Plötzlich ließ sie mit matten Fingern das Buch sinken. Sie wußte selbst nicht, warum. Ein geheimes Gefühl war es, das sie aufriß. Sie fühlte einen dumpfen schmerzlichen Druck. Ein jäher, unverständlicher beklemmender Schmerz umpreßte ihr Herz. Sie glaubte ersticken zu müssen in dem schwülen betäubenden Dunst der Blumen. Und dieser ängstigende Schmerz wich nicht, sie fühlte jede Schwingung der sausenden Räder, das blinde Vorwärtsstampfen marterte sie unsäglich. Eine plötzliche Sehnsucht packte sie, den eilenden Schwung des Zuges hemmen zu können, ihn zurückzureißen von dem dunklen Schmerz, dem er entgegenstürmte. Nie hatte sie in ihrem Leben eine ähnliche Angst vor etwas Furchtbarem, Unsichtbarem, Grausamem ihr Herz umklemmen gefühlt, als in diesen Sekunden unverständlichen Schmerzes und unbegreiflicher Angst. Und immer wilder wurde dieses unsagbare Gefühl, immer enger der Druck um die Kehle. Wie ein Gebet stöhnte in ihr der Gedanke, daß der Zug anhalten möge.

Da plötzlich ein schriller Signalpfiff, der wilde warnende Schrei der Lokomotive und das klägliche knirschende Stöhnen der Bremse. Und verlangsamt der Rhythmus der fliegenden Räder, langsamer und langsamer, dann ein ratterndes Stammeln und ein stockender Stoß ...

Mühsam tappt sie zum Fenster, um die kühle Luft zu trinken. Die Scheibe rasselt nieder. Draußen schwarze, stürmende Gestalten ... fliegende Worte von wechselnden Stimmen: ein Selbstmörder ... Unter den Rädern ... Tot ... Auf freiem Feld ...

Sie zuckt zusammen. Instinktiv trifft ihr Blick den hohen schweigenden Himmel und drüben die schwarzen rauschenden Bäume. Und über ihnen ein einsamer Stern über dem Walde. Sie fühlt seinen Blick wie eine funkelnde Träne. Sie sieht ihn an und spürt jählings eine Traurigkeit, wie sie sie nie gekannt. Eine Traurigkeit voll Glut und Sehnsucht, wie sie in ihrem eigenen Leben nie war ...

Langsam rattert der Zug weiter. Sie lehnt in der Ecke und spürt leise Tränen über die Wangen tropfen. Die dumpfe Angst ist gewichen, sie fühlt nur noch einen tiefen seltsamen Schmerz, dessen Spur sie vergebens nach-

sinnt. Einen Schmerz, wie ihn verschreckte Kinder haben, wenn sie in finsterer undurchdringlicher Nacht
plötzlich erwachen und fühlen, daß sie ganz einsam
sind ...

Die Liebe der Erika Ewald

Camill Hoffmann
in inniger Freundschaft

> . . . Aber das ist die Geschichte aller jungen
> Mädchen, dieser sanften Dulderinnen. Sie sa-
> gen nie, daß sie leiden. Die Frauen sind zum
> Dulden geschaffen. Es ist gewiß so ihr
> Schicksal, sie erfahren es früh und sind dar-
> über so wenig erstaunt, daß sie noch immer
> sagen, das Übel sei nicht da, wenn es längst
> gekommen . . .
>
> *Barbey d'Aurévilly*

Erika Ewald trat langsam ein, mit dem vorsichtig-leisen
Gang einer Zuspätkommenden. Der Vater und die
Schwester saßen schon beim Abendessen; beim Geräusch
der Türe blickten sie auf, um der Eintretenden flüchtig
zuzunicken, dann klang nur wieder das Klingen der Teller und das Klappern der Messer durch den matterhellten
Raum. Gesprochen wurde selten, nur hie und da fiel ein
Wort, und das flatterte wie ein aufgeworfenes Blatt haltlos in der Luft, um dann ermattet zu Boden zu sinken. Sie
hatten sich alle wenig zu sagen. Die Schwester war un-
scheinbar und häßlich; eine jahrelange Erfahrung, stets
überhört oder bespöttelt zu werden, hatte ihr jene alt-
jüngferliche stumpfe Resignation gegeben, die jeden Tag
mit einem Lächeln scheiden sieht. Den Vater hatte eine
langjährige gleichfarbige Bureautätigkeit der Welt ent-
fremdet, und insbesondere seit dem Tode seiner Frau umfing ihn jene harte Verstimmung und trotzige Schweigsamkeit, mit der alte Leute gerne ihre physischen Leiden
verbergen.

Auch Erika schwieg meistens an diesen eintönigen Abenden. Sie fühlte es, daß sich gegen die graue Stimmung, die sich wie dicke drohende Wetterwolken über diese Stunden legte, nicht ankämpfen lasse. Und dann war sie zu müde dazu. Die quälende Tagesarbeit, die sie von Stunde zu Stunde hetzte und sie zwang, Disharmonien, tastende Akkorde, unmusikalische Brutalitäten mit rastloser Sanftmut zu ertragen, löste in ihr ein dumpfes Ruhebedürfnis aus, ein wortloses Verströmen aller Empfindungen, die die Gewalt des Tages überwuchert hatte. Sie liebte es, in diesen wachen Träumen sich selbst anzuvertrauen, weil ihr eine fast überreizte Schamhaftigkeit nie gestattete, anderen nur eine Andeutung ihrer seelischen Erlebnisse zu geben, ob auch ihre Seele unter dem Drucke ihrer ungesprochenen Worte bebte, wie ein überreifer Obstbaumzweig unter der Last seiner Früchte schwankt. Und nur ein leichter, ganz unmerklich feiner Zug um die schmalen blassen Lippen verriet, daß Kampf und Ringen in ihr war und eine unbändige Sehnsucht, die sich nicht von Worten tragen lassen wollte und nur manchmal ein wildes Beben um den festgeschlossenen Mund legte wie von jähem Schluchzen.

Das Abendessen war bald zu Ende. Der Vater erhob sich, sagte kurz einen Gutenachtgruß und ging in sein Zimmer, um sich die Pfeife anzuzünden. Das war so jeden Tag in diesem Hause, wo auch die gleichgültigste Tätigkeit zu starrer Gewohnheit versteinerte. Und auch Jeanette, ihre Schwester holte sich wie immer ihr Nähzeug her und begann beim Lampenlicht, stark vorgebeugt wegen ihrer Kurzsichtigkeit, mechanisch zu stikken.

Erika ging in ihr Zimmer und begann sich langsam zu entkleiden. Es war diesmal noch sehr früh. Sonst pflegte sie bis tief in die Nacht hinein zu lesen, oder sie lehnte in einem süßen Gefühle am Fenster und blickte hoch von oben über die hellen mondscheinbeleuchteten Dächer, die sich in lichter Silberflut badeten. Sie hatte da nie klare, zielstrebende Gedanken, nur das unbestimmte Gefühl einer Liebe für das Schimmernde, Blitzende und doch so sanft Verströmende des Mondlichtes, das die Tausende von Scheiben blank spiegelte, hinter denen sich die Geheimnisse des Lebens bargen. Aber heute empfand sie eine sanfte Mattigkeit, eine selige Schwere, die sich sehnt, von milden, warm anschmiegenden Decken getragen zu werden. Eine. Schläfrigkeit, die nichts anderes ist als Sehnsucht nach süßen, seligen Träumen, rann durch alle Glieder wie ein sacht erkaltendes, betäubendes Gift. Sie raffte sich auf, warf beinahe mit Hast die letzten Kleidungsstücke von sich, verlöschte die Kerze. Einen Augenblick noch – und dann dehnte sie sich im Bette ...

Wie ein hurtiges Schattenspiel tanzten noch einmal die seligen Erinnerungen des Tages vorbei. Sie war heute bei ihm gewesen. ... Gemeinsam hatten sie wieder geprobt zu ihrem Konzert, wo ihr Spiel seine Geige begleiten sollte. Und dann spielte er ihr vor – Chopin, die Ballade ohne Worte. Und dann die sanften lieben Worte, die er ihr sagte, die vielen lieben Worte!

Die Bilder eilten immer rascher vorbei, sie führten sie wieder nach Hause zu sich selbst, um rasch wieder hinwegzuirren in die Vergangenheit, zu dem Tag, da sie ihn zuerst kennengelernt hatte. Und bald stürmten sie heraus über die Enge der Zeit und des Erlebens und wurden immer wilder und bunter. Noch hörte Erika, wie ihre Schwester nebenan zu Bette ging. Und ein toller merkwürdiger Gedanke kam ihr, ob er sie wohl auch zu sich gebeten hätte. Ein frohes übermütiges Lächeln wollte sich noch matt auf ihre Lippen schleichen, aber sie war schon zu schlaftrunken. Und einige Minuten später trug sie ein sicherer Schlaf zu seligen Träumen.

Beim Erwachen fand sie eine Ansichtskarte auf dem Bette. Nur ein paar Worte waren darauf, mit fester energischer Schrift hingeworfen, Worte, wie man sie auch an Fremde verschenkt. Aber Erika empfand sie als Gabe und Glück, weil er sie geschrieben hatte; ihr war es gegeben, aus dem Geringfügigen und Unscheinbaren die Ahnungen der wirklichen Fülle sich zu erschließen. Und so sollte ihr diese Liebe nicht nur wie ein milder Glanz werden, der jedes Wesen umleuchtet und erhellt, sondern so tief sollte dieses verklärende Gefühl sich verlieren, daß es wie ein Schimmer wurde, der in innigem Durchglühen von innen emporzuwachsen schien aus allem Leblosen und Unbeseelten. Schon von früher Jugend auf hatte das dunkle Gefühl ihres Ängstlichseins und ihrer zurückhaltenden Einsamkeit sie gelehrt, die Dinge nicht als kalt und leblos zu betrachten, sondern als verschwiegene Freunde, die Geheimnisse und Zärtlichkeiten dem anvertrauen, der auf sie hört. Bücher und Bilder, Landschaften und Musikstücke sprachen zu ihr, der das dichterische Vermögen des Kindes geblieben war, in bemalten Körpern, unbeseelten Dingen frohbewegte bunte Wirklichkeit zu sehen. Und das waren ihre einsamen Feste und Seligkeiten, ehe die Liebe zu ihr gekommen war.

So wurden ihr auch die wenigen schwarzen Schriftzüge auf dem Blatte Ereignis. Sie las die Worte so wie er sie zu sprechen pflegte, mit der weichen und musikalischen Betonung seiner Stimme, sie suchte in ihren Namen den heimlich-süßen Reiz zu legen, den nur die Sprache der Zärtlichkeit geben kann. Und sie horchte in den wenigen Sätzen, die ihrer Angehörigen wegen in kühler, fast respektvoller Form gehalten waren, den verborgen klingenden Unterton der Liebe und buchstabierte sich so langsam und traumverloren durch die Zeilen, daß sie beinahe ihren Inhalt wieder vergessen hätte. Und der war nicht so unwichtig. Sie möchte ihm doch mitteilen, ob ihr geplanter Sonntagsausflug zustande käme. Und noch ein paar unwichtige Worte wegen ihres gemeinsamen Auftretens in einem längst besprochenen Konzert. Dann ein freundlicher Gruß und eine hastige Unterschrift. Aber sie las die Zeilen immer wieder und wieder, weil sie in ihnen die starke und drängende Empfindung zu hören glaubte, die doch nur der Widerklang ihrer eigenen war.

Es war noch nicht lange her, daß diese Liebe zu Erika Ewald gekommen war und den ersten Glanz in ihr blasses gleichgültiges Mädchendasein getragen hatte. Und ihre Geschichte war still und alltäglich.

In einer Gesellschaft hatten sie sich kennengelernt. Sie gab dort Klavierstunden, aber ihre diskrete und feine Art gewann ihr so sehr die Liebe des ganzen Hauses, daß sie nur mehr als Freundin betrachtet wurde. Und er war dort zu einer Veranstaltung geladen, sozusagen als *pièce de résistance*, denn sein Ruf als Geigenvirtuose war trotz seiner Jugend ein ganz ungewöhnlicher.

Die Umstände erwiesen sich selbst als bereitwillig, um ihre Verständigung zu unterstützen. Er wurde gebeten zu spielen, und es ergab sich als fast selbstverständlich, daß sie die Begleitung übernehmen sollte. Und da wurde er zuerst auf sie aufmerksam, denn sie ging mit soviel Verständnis auf seine Intentionen ein, daß er sogleich die Feinheit und Innigkeit ihres Wesens ahnte. Und noch mitten im stürmischen Applaus, der ihrem Vortrag folgte, machte er ihr den Vorschlag, ein bißchen zusammen zu plaudern. Sie nickte leise, ganz unmerklich leise.

Aber es kam nicht dazu. Man gab sie beide nicht so rasch frei, er konnte nur ab und zu mit einem verstohlenen Blicke ihre überschlanke biegsame Gestalt messen und einen schüchtern-staunenden Gruß ihrer dunklen Augen auffangen. Ihre Worte gingen unter in Gewöhnlichkeiten und Höflichkeiten, mit denen man sie überhäufte. Dann kamen wieder neue Menschen und hunderterlei Ablenkungen anderer Art, daß sie beinahe an die Verabredung vergaß. Aber als alles vorüber war und sie sich empfahl, stand er plötzlich neben ihr und fragte sie mit seiner sanften zurückhaltenden Stimme, ob er sie nach Hause geleiten dürfe. Einen Augenblick war sie hilflos; dann lehnte sie mit so ungeschickten Worten seine Mühe ab, daß er seinen Willen schließlich leicht durchsetzen konnte.

Sie wohnte ziemlich weit draußen in der Vorstadt, und es war ein langer Weg in der mondhellen klaren Winternacht. Eine Zeitlang blieb ein Stillschweigen zwischen ihnen; es war dies keine Unbehilflichkeit, sondern nur die unbestimmte Furcht, die feiner durchbildete Leute haben, eine Unterhaltung mit Banalitäten zu beginnen. Dann begann er zu sprechen. Von dem Musikstück, das sie gemeinsam gespielt hatten, und von der Kunst überhaupt. Aber das war nur ein Anfang. Nur ein Weg zu ihrer Seele. Denn er wußte, daß alle, die in der Kunst ihre letzten Schätze so königlich verschwendeten, die ihr volles Gefühl in die musikalische Schönheit legten, im Leben ernst und verschlossen waren und sich nur dem Verstehenden offenbarten. Und sie gab ihm auch wirklich in ihren Ansichten über Schaffen und Reproduzieren viel von ihren geheimen psychischen Erlebnissen, vieles, das sie noch keinem anvertraute, und manches, das ihr selbst bisher noch nicht zum Bewußtsein gekommen war. Später konnte sie es selbst nicht begreifen, wieso sie ihre stete, fast ängstliche Zurückhaltung damals überwunden hatte, später, als er ihr näher getreten war, ihr Freund und Vertrauter wurde. Denn an jenem Abend erschien ihr ein Künstler, ein Schaffender noch wie ein Gewaltiger, der nie in das Leben tritt, sondern in Fernen lebt, unnahbar und überragend, ein Verstehender und Gütiger, dem man nichts verschweigen darf. Bisher waren nur schlichte Leute in ihren Kreis getreten, Menschen, die sich zerlegen und berechnen ließen, wie eine Schulaufgabe, vorurteilsvolle und konservative Ketzerrichter, denen sie sich fremd fühlte, und die sie beinahe fürchtete. Und dann: es war eine stille und helle Nacht gewesen. Und wenn man in solchen schweigenden Nächten zu zweit geht, von niemandem gehört und gestört, und sich die dunklen Schatten der Häuser über die Worte senken und die Stimmen ohne Nachhall in der Stille verwehen, da ist man so vertrauensvoll, als ob man zu sich selbst spräche. Da wachen Gedanken aus den Tiefen auf, die in der bunten Unrast des Tages ungehört untergehen und denen erst die Stille des Abends sanfte Schwingen gibt; und die Gedanken werden zu Worten, fast ohne daß man es will.

Der lange Gang in der einsamen Winternacht hatte sie einander nahe gebracht. Als sie sich zum Abschied die Hände reichten, blieben ihre blassen kühlen Finger lange hilflos in seiner starken Hand liegen wie vergessen. Und sie gingen wie alte Freunde voneinander.

Sie begegneten sich noch oft in diesem Winter. Zuerst war es ein günstiger Zufall, der aber bald Verabredung wurde. Ihn reizte dieses interessante Mädchen mit allen ihren Eigenarten und Seltsamkeiten, er bewunderte die vornehme Zurückhaltung ihrer Seele, die sich nur ihm offenbarte und sich zagend zu seinen Füßen warf wie ein erschrecktes Kind. Er liebte ihre tausendfachen Feinheiten, die schlichte Gewalt des Empfindens, die jeder Schönheit willenlos entgegenpulste und doch vor fremden Augen sich bergen wollte, um sich die reine Innigkeit des Genusses nicht zu stören. Aber diese zarten und innigen Empfindungen, die er so voll und hinreißend bei jemandem mitempfinden konnte, waren ihm selbst fremd. Schon von Jugend auf, noch ein halbes Kind, war er zu sehr von Frauen als Künstler verhätschelt und verführt worden, um in einer vergeistigten Liebe Befriedigung zu finden; er empfand zu wenig feminin, zu wenig jünglinghaft, weil die ganze unverständige wunschlose Süße der Gymnasiastenliebe sich nie in sein frühreifes Leben eingeschlichen hatte. Temperamentvoll und blasiert zugleich liebte er mit jenem schroffen Begehren, das der letzten sinnlichen Erfüllung zustrebt, um dort zu verbluten. Und er kannte sich selbst und verachtete sich wegen jeder Schwäche, die ihn überwältigte, er empfand jede dieser raschen Befriedigungen mit Ekel, ohne sich wehren zu können, denn Leidenschaftlichkeit und Sinnlichkeit durchbebten sein Leben wie seine Kunst. Auch die Meisterschaft seines Spieles wurzelte in dieser festen, temperamentvollen Männlichkeit; die letzten verhauchenden Nuancen, die wie leise Atemzüge einer schlummernden Melancholie sind, mußten seiner energischen und doch zigeunerhaft-süßen Bogenführung entgehen. Eine leise Furcht stand immer versteckt hinter der pakkenden Gewalt, mit der er zu überwältigen wußte.

Und so furchtsam und ergeben war auch ihre Liebe zu ihm. Sie liebte in seiner Person alle ihre Traumgestalten, die in den langen Jahren des Alleinseins eine gewisse Wirklichkeit gewonnen hatten, sie verehrte den Künstler, der sich in seinem Wesen verkörperte, weil sie den mädchenhaften Glauben hatte, daß ein Künstler auch in seiner Lebensführung die priesterliche Würde verwirklichen müsse. Manchmal sah sie ihn mit einem fremden und unsinnigen Blick an wie ein seltsames Bild, in dem man vertraute Züge empfinden will, und ihr Anvertrauen war wie zu einem Beichtiger. Sie dachte nicht an das Leben, weil sie es nie gekannt hatte, sondern es erlebt hatte wie einen haltlosen Traum. Darum fehlte ihr auch jede Angst und jedes Bangen vor der Zukunft, sie glaubte an ein sanftes und seliges Weiterklingen dieser unsinnlichen verehrenden Liebe, die sie zuversichtlich machte mit ihrer künstlerischen Schönheit und innigen Reinheit.

Manchmal überraschte sie sich dabei, daß sie gar nicht das Bedürfnis hatte zu sprechen, wenn sie bei ihm war. Er spielte oder schwieg, und sie saß und träumte und fühlte nur, wie ihre Träume immer heller und lichter wurden, wenn er sprach oder sie anblickte. Das war alles verklungen, kein irrer Lärm drang mehr vom Tage herüber, nur Stille, Schweigen und silberne Feiertagsglokken tief im Herzen. Und ein sehnsüchtiges Zärtlichkeitsbedürfnis, ein Erwarten von lieben und leisen Worten, die sie doch eigentlich fürchtete, bebte dann in ihr. Sie ahnte, wie sie ganz in seinem Banne stand, wie er sie mit seiner Kunst beherrschen konnte, Schmerzen und Jubel geben mit seinen lockenden Tönen; sie fühlte sich wehrlos seinem Spiel gegenüber, und so unsäglich arm, weil sie nichts geben konnte und nur empfing, mit offenen zitternden Händen bei ihm bettelte.

Es war eine unabänderliche Gewohnheit geworden, daß sie mehrmals in der Woche zu ihm kam. Zuerst waren es Proben zu einem gemeinsamen Konzert, aber bald konnten sie die wenigen Stunden gar nicht mehr entbehren. Sie ahnte gar nicht die Gefahr, die in der wachsenden Intimität ihrer Freundschaft lag, sondern ließ die letzte Zurückhaltung ihrer Seele vor ihm fallen und offenbarte ihm ihre verborgensten Geheimnisse als ihrem einzigen Freunde. Sie merkte es oft gar nicht in ihrem heißen, fast visionären Erzählen, wie er ihre Hände in wachsender Erregung umspannte und manchmal die Lippen brennend zu ihren Fingern herabsenkte, während er ihr zu Füßen lag und zuhörte. Und sie erkannte auch nicht, wie er manchmal in den drängendsten und verlangendsten Tönen seiner Geige nur zu ihr sprach, weil sie in der

Musik immer sich selbst suchte und ihre Träume. Ein Verstehen und eine Erlösung war ihr diese Zeit für das viele, das sie bisher nicht laut zu sagen wagte, und noch nicht mehr. Sie wußte nur, daß eine solche stille Stunde viel Glanz hineinbrachte in ihren öden, arbeitsvollen Tag und einen lichten Schein in ihre Nächte. Und mehr wollte sie nicht als still sein und selig sein; sie verlangte nur einen reichen Frieden, in den sie flüchten konnte, wie zu einem Altar.

Aber sie hütete sich wohl, ihr Glück offen zu zeigen; ihre Lippen bargen oft ein Lächeln reinster Seligkeit mit so herbverschlossener Gewalt vor den Leuten und vor ihrer Familie, als sei es ein aufquellendes Weinen. Denn sie wollte ihre Erlebnisse bewahren vor fremden Blicken wie ein Kunstwerk mit hunderterlei flüchtigen Zusammenhängen, das in plumpen Fingern mit einem bangen Aufschrei zerbricht. Und sie baute kühle und abgenutzte Alltagsworte um ihr Glück und um ihr Leben, so daß es durch viele Hände gehen konnte, ohne verkannt zu werden und in wertlose Scherben zu zerbrechen.

Am Samstag abend vor dem Ausfluge besuchte sie ihn wieder. Als sie anklopfte, fühlte sie wieder jene merkwürdige Bangigkeit wie immer, wenn sie zu ihm ging, und die sich immer mehr steigerte, bis er selbst mit ihr war. Aber sie mußte nicht lange warten. Er öffnete rasch, geleitete sie in sein Studienzimmer, nahm ihr mit vorsichtiger Galanterie die Frühlingsjacke ab und streifte respektvoll mit den Lippen ihre schöne feingeäderte Hand. Und dann setzten sie sich zusammen auf ein kleines dunkles Samtsofa, das bei seinem Schreibtisch stand.

Es war schon düster im Zimmer. Draußen am Himmel verfolgten sich graue Wolken hastig im Abendwind, und ihre Schatten trübten unruhig das matte Dämmerlicht. Er fragte, ob er anzünden solle. Sie verneinte. Das matte süße Licht, das nicht mehr erkennen und nur ahnen läßt, war ihr so lieb mit seiner sanften Melancholie. Sie saß ganz still. Man konnte noch die geschmackvolle Einrichtung des Zimmers deutlich wahrnehmen, den prächtigen Schreibtisch mit einer Bronzestatue, rechts einen geschnitzten Geigenständer, dessen Silhouette sich scharf von dem grauen Stück Himmel abhob, das durch die Scheiben gleichgültig hereinblickte. Irgendwo tickte eine Uhr mit schwerem abgemessenem Schlag, als sei es der harte Schritt der mitleidslosen Zeit. Sonst war es still. Nur ein paar bläuliche Rauchstreifen von seiner vergessenen Zigarette stiegen ebenmäßig in das Dunkel. Und durch das geöffnete Fenster kam ein lauer Frühlingswind zu ihnen herein.

Sie plauderten. Zuerst war es ein Lächeln und Erzählen, aber ihre Worte wurden immer schwerer im drohenden Dunkel. Er sprach von einer neuen Komposition, einem Liebeslied, das sich an ein paar schlichte wehmütige Volksliedstrophen anschmiegte, die er einmal in einem Dorfe gehört hatte. Ein paar Mädchen waren es gewesen, die von der Arbeit kamen, ihre Stimmen klangen weit von ferne, daß er die Worte nicht mehr verstand und nur die leise, schweratmende Sehnsucht der Weise hörte. Und gestern war die Melodie wieder in ihm erwacht, spät am Abend, und war ihm ein Lied geworden.

Sie sagte nichts, sondern sah ihn nur an. Und er verstand ihre Bitte. Schweigend trat er zum Fenster hin und nahm seine Geige. Ganz leise begann sein Lied.

Hinter ihm ward es langsam wieder hell. Die Abendwolken waren in Brand geraten und glühten in purpurnem Glanz. Das Zimmer begann widerzuleuchten von dem hellen Schein, der allmählich düsterer und gesättigter wurde.

Er spielte das einsame Lied mit wundervoller Gewalt, er verlor sich selbst in seinen Tönen. Und er verlor sein

Lied und behielt nur die unendlich sehnsüchtige fremde Volksmelodie, die in allen seinen Variationen immer wieder dasselbe stammelte, weinte und jauchzte. Er dachte an nichts mehr, seine Gedanken waren fern und verwirrt, nur das strömende Gefühl seiner Seele formte mehr die Töne und gab sich ihnen zu eigen. Das enge dunkle Zimmer überflutete von Schönheit . . . Die roten Wolken waren schon schwere, schwarze Schatten geworden, und er spielte noch immer. Längst hatte er schon vergessen, daß er dieses Lied nur ihr als Huldigung spielte; seine ganze Leidenschaft, die Liebe zu allen Frauen der Welt, zum Inbegriff des Schönen wachte in den Saiten auf, die in seliger Inbrunst erschauerten. Immer wieder fand er eine neue Steigerung und eine wildere Gewalt, aber nie die verklärende Erfüllung, es blieb auch im rasendsten Aufschwung immer nur Sehnsucht, stöhnende und jauchzende Sehnsucht. Und er spielte immer weiter, wie einem bestimmten Akkord zu, einer abschließenden Auflösung entgegen, die er nicht finden konnte.

Plötzlich brach er jählings ab. . . . Erika war mit einem dumpfen hysterischen Schluchzen auf dem Sofa zusammengebrochen, von dem sie sich in ihrer Ekstase erhoben hatte, wie angelockt von den Tönen. Ihre schwachen reizbaren Nerven unterlagen stets dem Zauber einer Gefühlsmusik; sie konnte weinen bei wehmütigen Melodien. Und dieses Lied mit seiner drängenden, aufpeitschenden Erwartung hatte in ihr alle Gefühle erregt, ihre Nerven in eine furchtbare atemlose Spannung versetzt. Wie einen Schmerz empfand sie die Wucht dieser niedergehaltenen Sehnsucht, sie hatte ein Gefühl, als ob sie aufschreien müßte unter dieser engenden Qual, aber sie vermochte es nicht. Nur in einem jähen Weinkrampfe löste sich ihre gesteigerte physische Erregung.

Er kniete bei ihr nieder und suchte sie zu beruhigen. Er küßte ihr leise die Hand. Aber sie bebte noch immer, und manchmal lief ein Zucken über ihre Finger wie von einem elektrischen Schlage. Er sprach ihr freundlich zu. Sie hörte nicht. Da wurde er immer inniger und küßte mit heißen Worten ihre Finger, ihre Hand und küßte ihren bebenden Mund, der unbewußt unter seinen Lippen erschauerte. Seine Küsse wurden immer drängender, dazwischen stieß er zärtliche Liebesworte hervor und umfaßte sie immer stürmischer und verlangender.

Mit einem Male fuhr sie aus ihrem Halbtraum und stieß ihn beinahe mit Heftigkeit zurück. Er stand erschrocken und unsicher auf. Einen Augenblick blieb sie noch stumm, wie um sich an alles zu besinnen; dann stammelte sie mit unruhigem Blick und gebrochener Stimme, er möge ihr verzeihen, sie habe öfters so nervöse Anfälle, und die Musik habe sie erregt.

Einen Augenblick blieb ein peinliches Schweigen. Er wagte nichts zu antworten, weil er fürchtete, eine niedrige Rolle gespielt zu haben.

Sie fügte noch hinzu, sie müsse jetzt gehen, es sei schon höchste Zeit, man würde sie zu Hause schon längst erwarten. Und zugleich nahm sie ihre Jacke. Ihre Stimme schien ihm kühl und fast frostig.

Er wollte etwas sprechen, aber es kam ihm alles so lächerlich vor nach den Worten, die er ihr noch eben in seiner leidenschaftlichen Trunkenheit gesagt hatte. Stumm und respektvoll geleitete er sie zur Türe. Erst wie er ihr die Hand zum Abschied küßte, fragte er zögernd: »Und morgen?«

»Wie wir verabredet haben. Ich denke doch?«

»Selbstverständlich.«

Er war freudig berührt, daß sie über sein Benehmen ohne ein Wort hinwegging, und bewunderte ihre feine Zurückhaltung, die ihm vergab, ohne es merken zu lassen. Ein flüchtiges Abschiedswort sagten sie sich noch, dann fiel die Türe dumpf ins Schloß.

Der Sonntagmorgen war ein wenig trübe und melancholisch gewesen. Ein schwerer Frühnebel legte sein dichtmaschiges graues Netz über die Stadt und ließ wie durch feine Ritzen ein leises Regenstieben auf die Straße niederzittern. Aber bald begann es in dem dunklen Netz zu funkeln, als ob sich eine schwere goldene Königskrone darin gefangen hätte, die immer schimmernder und heller wurde. Und schließlich zerriß das trübe Gewebe unter der lichten Last, und eine frische Frühlingssonne leuchtete herab und spiegelte tausendfältig ihr junges Antlitz in den blanken Scheiben und nassen Dächern, in den glitzernden Wassertümpeln, den sanft erglühenden Kirchturmkuppeln und in den heiteren Blicken der auslugenden Leute.

Nachmittags war schon helles Sonntagstreiben in den Straßen. Die vorüberrasselnden Wagen klapperten eine frohe Melodie, aber die Spatzen wollten noch lauter sein und schrien um die Wette von den Telegraphendrähten herab, und dazwischen schrillten die Signale der Straßenbahn in hellem Durcheinander. Eine breite Menschenflut drängte sich auf den Hauptstraßen gegen die Peripherie zu wie ein dunkles Meer, aber ein lichtes schimmerndes Blitzen war darin von weißen Frühlingskleidern und hellen Farben, die sich zum ersten Male wieder ins Freie wagten. Und über dem allen lag Sonne, ein warme lichtflutende Frühlingssonne mit einem blinkenden Leuchten.

Erika freute sich im Dahinschreiten, wie leicht und beseligt sie an seinem Arm ging. Am liebsten hätte sie getanzt oder getollt wie ein Kind. Und ganz kindlich und mädchenhaft war sie in ihrem einfachen glatten Kleide und dem aufgesteckten Haar, das sonst tief und schwer wie eine wetterschwere Wolke über der Stirne drohte. Und ihr Übermut war so überquellend und echt, daß er auch seinen Ernst bald ins Wanken brachte.

Sie hatten ihren ursprünglichen Beschluß, in den Prater zu gehen, bald aufgegeben, denn sie fürchteten den grellen stimmenlauten Sonntagstrubel, der in die feierliche Stille des prächtigen Parkes bricht. Ihr Prater, das waren die breiten wohlgepflegten Alleen mit den uralten Kastanienbäumen, die weiten schweifenden Auen, die in dunklen Waldungen enden und die hellen Wiesen, die sich in sattem Glanze sonnen und nichts mehr von der Millionenstadt wissen, die in unmittelbarer Nähe atmet und stöhnt. Aber am Feiertag verliert sich dieser Zauber und verbirgt sich vor den überströmenden Scharen.

Er schlug vor, gegen Döbling zu zu gehen, aber weit hinter den eigentlichen netten Ort mit seinen freundlichen weißen Häuschen, die so kokett aus der dunklen Umhüllung schmucker Gärten herausblitzen. Er wußte dort ein paar stille und stimmungsvolle Wege, die durch schmale akazienblütenbeschneite Alleen sanft in die weiten Felder hinüberführen. Und die gingen sie auch heute. Sie kamen in den stillen Ort mit seinem fast ländlichen Sonntagsfrieden, der sie auf ihrem ganzen Spaziergange wie ein milder unfaßbarer Duft begleitete. Manchmal sahen sie sich an und fühlten, wie reich ihr Schweigen war, wie es die ganze selige Empfindung des vollströmenden Frühlings trug und mehrte.

Die Felder waren noch niedrig und grün. Aber der segensschwere Duft der warmen spendenden Erde kam zu ihnen wie ein verheißungsvoller Gruß. Ferne lag der Kahlenberg und der Leopoldsberg mit seinem uralten Kirchlein, von dem die Wand steil abfiel bis zur Donau hinab. Und dazwischen viel reiches Land, meist noch braun und unbestellt und voll gewärtiger Saat. Aber dazwischen schon viereckige Flächen mit gelber werdender Frucht, die sich eckig und unvermittelt vom dunklen Erdreich abhoben, wie abgerissene und zerschlissene Fetzen auf dem gebräunten kraftvollen Körper eines arbeitsharten Werkmannes. Und wie ein blauer Bogen darüber ein heiterer Frühlingshimmel gespannt, in den die flinken Schwalben mit zwitscherndem Jubel hineinsegelten.

Als sie durch eine alte breite Akazienallee kamen, erzählte er ihr, daß dies Beethovens Lieblingsgang gewesen sei, auf dem er im Spazierengehen viele seiner tiefsten Schöpfungen zuerst empfunden habe. Der Name stimmte sie beide ernst und feierlich. Sie dachten an seine Musik, die ihnen ihr Leben in vielen begnadeten Stunden reicher und inniger gemacht hatte. Alles schien ihnen bedeutender und größer, da sie an ihn dachten: sie empfanden die Majestät der Landschaft, deren fröhliche Heiterkeit sie nur vorher geschaut, und der schwere satte Duft der sonneglühenden fruchtschwellenden Erde gab ihnen das geheimste Symbol des Frühlings.

Ihr Weg ging weiter durch die Felder. Erika ließ im Vorübergehen das unreife Korn durch ihre Finger rauschen, aber sie fühlte es gar nicht, wenn ab und zu ein Halm unter ihrer Hand zerknickte. Das Schweigen zwischen ihnen gab ihr seltsame und tiefe Gedanken, in die sie sich träumend verlor. Es waren milde und heimliche Liebesgefühle in ihr erwacht, aber sie dachte nicht an ihn, der ihr zur Seite ging, sondern an alles, das um sie war und lebte, an das Korn, das sich leise im Winde wiegte und an die Menschen, denen es Arbeit und Glück schenkte; sie dachte an die Schwalben, die sich am Himmel hoch verfolgten, und an die Stadt, die fern unten in einer grauen Dunstkapuze eingehüllt herüberschaute, sie fühlte wieder die allumfassende Gewalt des Frühlings in sich wie ein Kind, das mit frohen Sprüngen zum ersten Male jubelnd in das mildströmende Sonnenlicht hinausstürmt.

Sie gingen lange in den Wiesen und Feldern. Inzwischen neigte sich der Nachmittag seinem Ende zu. Es war noch nicht Abend, aber das scharfe Licht ging allmählich in eine weiche verhauchende Mattigkeit über, die sein Nahen verkündigte, und in der Luft zitterte ein leiser blaßrosa Ton. Erika war ein wenig müde geworden und, um sich auszurasten und ein wenig auch aus Neugier, gingen sie in ein kleines Wirtshaus am Wege, aus dem ihnen fröhliche Stimmen in buntem Durcheinander entgegenklangen. Im Garten setzten sie sich nieder; an den Nachbartischen saßen Familien aus der Vorstadt, bessere Leute mit gemütlichen Mienen und lauten ungezwungenen Stimmen, die den Sonntag nach Wiener Art mit einem Ausflug feierten. Rückwärts in einer Laube waren ein paar Musikanten, drei oder vier Leute, die am Wochentag in der Stadt bettelnd herumzogen und nur des Sonntags ein Dach über sich hatten. Aber sie spielten die alten abgeleierten Volksweisen recht gut, und wenn sie einen besonders flotten und populären ›Schlager‹ begannen, so fielen bald alle Stimmen ein und sangen die Melodie aus voller Kehle mit. Auch die Frauen stimmten ein, niemand genierte sich, alles war hier Gemütlichkeit und behäbige Zufriedenheit.

Erika lächelte ihm über den Tisch zu, aber ganz verstohlen, daß sich niemand beleidigt fühlte. Ihr gefielen diese schlichten unkomplizierten Leute mit den einfachen Empfindungen und Trieben, die sich nicht verbergen konnten. Und ihr gefiel die behaglich-ländliche Stimmung, die kein fremder Einschlag trübte.

Der Wirt, ein breiter, gutmütiger Mann kam mit jovialem Lächeln zum Tisch her. Er hatte in seinem Gast einen vornehmeren Mann bemerkt, den er selbst bedienen wollte. Er fragte, ob er ihm Wein bringen dürfe, und als das bejaht wurde, erkundigte er sich, ob das Fräulein Braut auch etwas wünsche.

Erika wurde blutrot und wußte ihm im ersten Augenblicke nichts zu antworten. Dann nickte sie nur verwirrt mit dem Kopf. Ihr ›Bräutigam‹ saß gegenüber, und obwohl sie ihn nicht ansah, fühlte sie seinen lächelnden

Blick, der sich an ihrer Verwirrung weidete. Sie schämte sich eigentlich, wie ungeschickt sie sich benahm einer naturgemäßen Verwechslung halber, aber sie wurde das peinliche Gefühl nicht mehr los. Und mit einem Male war ihr die Stimmung verdorben, jetzt fühlte sie erst, wie abgehackt und maschinenmäßig die Leute ihre Lieder abdudelten, jetzt erst hörte sie das häßliche Brüllen und Poltern der Bierbässe, die in toller Freude mitjohlten. Am liebsten wäre sie weggegangen.

Aber da begann der Geiger ein paar seltsame Takte. Mit weichen süßen Strichen spielte er einen alten Walzer von Johánn Strauß, und die andern stimmten schmiegsam in die weiche, liebe Melodie ein. Erika fühlte wieder erstaunt, was für zwingende Macht die Musik über ihre Seele habe, denn mit einem Male war eine Leichtigkeit in ihr und ein Wiegen und Schweben. Und die Süßigkeit der Melodie ließ sie fremde Versworte mitsingen, ganz leise mitsummen, ohne daß sie es recht wußte. Sie spürte nur, daß wieder alles gut und froh sei, und das Blühen des Frühlings fühlte sie wieder und ihr eigenes tanzendes Herz.

Als der Walzer zu Ende war, stand er auf und ging. Sie folgte ihm gern, denn sie verstand sofort seine Absicht, sich die packende Gewalt der Melodie und ihre sonnige Innigkeit nicht durch einen öden Gassenhauer zerstören zu lassen. Und sie gingen den schönen Weg gegen die Stadt zu wieder zurück.

Die Sonne war schon gesunken, nur hinter den Kanten der Berge, durch die goldumglühten Bäume sickerten feine Lichtbäche von seltsam rosiger Färbung hinab ins Tal. Es war ein wundersamer Anblick. Ein rötliches Leuchten stand am Himmel wie von einem fernen Brande, und tief unten über der Stadt wölbte sich der Dunst in der intensiven Strahlenfärbung wie ein purpurner Ball. Und alle Geräusche verklangen im Abend in sanfter Harmonie: der ferne Gesang von heimkehrenden Ausflüglern, begleitet von einer Harmonika, das immer lauter werdende helle Gezirp der Grillen und das unbestimmte Sausen und Rauschen und Raunen, das in allen Blättern lebte, in allen Ästen wisperte und selbst in der Luft zu surren schien.

Plötzlich, ganz unvermittelt, fielen ein paar Worte von ihm in ihr feierliches, fast andächtiges Schweigen hinein: »Erika, das war doch komisch, wie Sie der Wirt meine Braut nannte.«

Und dann ein Lachen, ein mühseliges gezwungenes Lachen.

Erika fuhr aus ihrer Träumerei. Was wollte er damit? Sie fühlte, daß er ein Gespräch beginnen, erzwingen wollte. Sie hatte Furcht, eine dumme, sinnlose dunkle Angst. Sie gab keine Antwort.

»Nicht, das war doch komisch? Und wie Sie rot geworden sind!«

Sie sah hinüber, um seinen Gesichtsausdruck zu betrachten. Wollte er sie verspotten? – Nein! Er war ganz ernst und sah sie gar nicht an. Er hatte es absichtslos gesagt. Aber er wollte eine Antwort haben. Jetzt fühlte sie erst, wie gezwungen er das gesagt hatte; wie um einen Anfang zu machen. Es war ihr so bange, und sie wußte nicht, warum. Aber etwas mußte sie sagen, er wartete ja darauf.

»Mir war es weniger komisch als peinlich. Ich bin nun einmal so, daß ich Scherze nicht recht verstehen kann.« Sie sagte es hart und abschließend, fast wie gereizt.

Dann stellte sich wieder ein Schweigen zwischen beide. Aber es war keine selige Stille vereinten Genießens mehr, wie früher, kein sympathetisches Ahnen und Erfassen der ungeborenen Empfindung, sondern ein schweres und dunkles Schweigen, das ein Verschweigen war von irgend etwas Drohendem und Drängendem.

Und sie hatte plötzlich Angst vor ihrer Liebe, daß sie auch so schmerzhaft und verzehrend werden sollte wie jedes Glück, das ihr begegnet war, wie die wehmütigen und leisen Bücher, über denen sie weinte, und die doch ihr liebstes waren und wie die brennenden Wellen der Tonfluten in ›Tristan und Isolde‹, die ihr höchste Seligkeit bedeuteten und sie doch quälten wie ein Schmerz. Das Schweigen drückte sie immer mehr und mehr und wurde wie ein dunkler, schwerer Nebel, der sich schmerzhaft auf ihre Augen legte. Allmählich befreite sie sich erst aus ihrer Bangigkeit. Sie wollte ein Ende machen, ihn klar und offen fragen.

»Mir ist so, als wollten Sie mir etwas verschweigen. Was ist Ihnen?«

Einen Moment blieb er ruhig. Dann sah er sie an mit dunklen, unbeweglichen Augensternen. Er überlegte und sah sie nochmals an, tiefer und sicherer, und seine Stimme klang seltsam voll und melodisch.

»Ich habe es lange nicht gewußt. Seit kurzem weiß ich es erst. Ich – sehne mich nach Ihnen.«

Erika erbebte. Sie hatte die Augen zu Boden gerichtet, aber sie spürte, daß er sie ansehe, tief, fragend, durchdringend. Sie dachte nun an das letzte Mal, wie sie bei ihm war und er sie geküßt hatte. Sie hatte ihm damals nichts gesagt, aber ihr Herz war ungestüm erwacht, sie wußte nicht, ob in Zorn oder Scham. Und das Bangen hatte sie erfaßt, das sie sonst spürte, wenn er so glühende und leidenschaftliche Lieder spielte, jenes selige Grauen mit Abgründen und Seligkeiten ohne Ende. Was sollte jetzt kommen? O Gott, o Gott! ... Sie fühlte, daß er weitersprechen würde und sehnte sich darnach und fürchtete sich doch. Sie wollte es nicht hören. Sie wollte die Felder sehen, ja, den Abend, den herrlichen Abend. Nur nichts hören, nichts hören. Nur die Stadt ansehen mit ihrem dunkeln Nebel, die Stadt und die Felder. Und die Wolken da oben. ... Die Wolken, wie sie rasch am Himmel segelten! Ganz wenige waren noch oben. Eins ... zwei ... drei ... vier ... fünf ... ja, fünf Wolken ... Nein! Nur vier waren es! ... Vier ...

Aber da begann er zu sprechen.

»Ich habe lange Angst gehabt vor meiner Leidenschaft, Erika! Ich habe immer geahnt, daß sie kommen werde, und habe es nie glauben wollen. Nun ist sie da. Ich weiß es, seitdem Sie das letzte Mal bei mir waren, seit gestern.«

Einen Moment schwieg er und holte Atem aus tiefster Brust.

»Und – das macht mich traurig, unendlich traurig. Ich weiß, daß ich Sie nicht heiraten kann, ich weiß, es würde mich meine Kunst kosten. Das kann kein Fremder verstehen – Sie werden es verstehen, meine liebe, liebe Erika. Nur ein Künstler kann das verstehen, und Sie haben eine reiche, unendlich reiche Künstlerseele. Und Sie sind auch klug. Wir können nicht mehr weiter so zusammen verkehren ... es muß ein Ende gemacht werden ...«

Er hielt inne. Erika fühlte, daß er noch nicht zu Ende war. Am liebsten wäre sie vor ihm bettelnd hingesunken und hätte ihn gebeten, jetzt nicht weiterzusprechen. – Sie wollte jetzt nichts hören, nichts verstehen. – Nein, sie wollte nicht ... Und angstvoll begann sie wieder die Wolken zu zählen ...

Aber die waren schon weg. ... Nein, dort war noch eine ... Eine, die letzte, rosig überhaucht wie ein stolzer Schwan, der den dunklen Strom hinabsegelt. ... Wieso fiel ihr das Bild ein? Sie wußte es nicht ... Ihre Gedanken wurden immer wirrer. Sie fühlte nur, daß sie bloß an die Wolke denken wollte ... Die zog jetzt fort, ja sie zog fort über den Berg hin ... Sie spürte, wie ihr ganzes Herz an ihr hing, wie sie sie am liebsten mit ausgestreckten Händen gehalten hätte, aber sie ging . . . sie lief, lief schneller, immer schneller. . . . Und jetzt – jetzt war sie verschwunden . . . Und Erika hörte nun wieder klar und unabänderlich seine Worte, unter denen ihr Herz in blinder Angst erbebte.

»Ich weiß nicht, ob du mich so kennst. Ich glaube nicht, ich meine immer, daß du mich überschätzt. Ich bin kein großer Mensch, ich bin keiner von denen, die . . . die über dem Leben stehen in ihrer sicheren Selbstgenügsamkeit. Ich wollte, ich wäre so, aber ich bin es nicht. Ich klebe am Leben, ich bin nicht eben viel mehr als einer, der das begehrt, was er liebt. Ich bin nur so, wie alle Männer sind, ich verehre nicht nur die Frau, wenn ich sie liebe, ich . . . verlange sie auch . . . Und . . . mit Fremden will ich dich nicht betrügen. Ich will nicht, daß du mich verachtest. Du bist mir zu lieb dazu . . .«

Erika war blaß geworden. Nun erst verstand sie, was er meinte, und sie wunderte sich, daß sie nicht früher daran gedacht. Mit einem Male war sie wieder ruhig geworden. Es war alles gekommen, wie es kommen mußte.

Sie wollte ablehnend sprechen, aber sie vermochte es nicht. Das sanfte ›du‹ seiner Rede hatte sie eigentümlich überwältigt mit seiner liebevollen Innigkeit. Sie verspürte wieder, wie sie ihn liebte; das Bewußtsein kam ihr plötzlich, wie ein vergessenes Wort, das wiederkehrt. Und sie fühlte auch, wie schwer sie ihn verlieren könnte, wie viel geheime Kräfte sie mit ihm verbanden. Wie ein Traum war ihr alles . . .

Er sprach weiter, und seine Stimme wurde mild wie eine Liebkosung. Sie fühlte seine Hand in ihren zärtlichen Fingern.

»Ich weiß nicht, ob du mich geliebt hast, ob du mich so geliebt hast, wie ich dich jetzt. Mit der letzten Hingabe und mit dem grenzenlosen Vergessen an alle Kleinlichkeiten, mit jener heiligsten Liebe, die nur schenken und nichts verweigern kann. Und ich glaube nur an die Liebe, die Opfer bringt um ihrer selbst willen . . . Aber nun ist alles zu Ende. Und ich habe dich darum nicht minder lieb . . .«

Erika war wie von einem Rausch befangen. Ein sanfter Schauer überlief sie. Sie wußte nur, daß sie ihn verlieren sollte und nicht konnte. Und daß sie hoch über dem Leben stand. Alles war so fern, so weit. Abendstille lag über den Tälern und sanfte Feierlichkeit, die Stadt war fern und ihr Gebrause und alles, was an Wirklichkeit erinnerte. Sie fühlte sich in sonnigen Höhen, weit, weit oben über alle Häßlichkeit und Kleinlichkeit mit ihrer opferfreudigen, freien und spendenden Liebe, mit ihrer seligen Macht des Glückverschenkens. Keine Gedanken, kein kluges, rechnendes Besinnen war mehr in ihr, nur Gefühle, jauchzende, überströmende Gefühle, wie sie sie nie gespürt. Die Stimmung überwältigte sie und ihr eigenstes Wollen. Und so sagte sie leise und schlicht:

»Ich habe niemanden auf der Welt als dich. Und dich will ich glücklich machen.«

Alle Scham war von ihr gewichen, wie sie zu ihm sprach. Sie wußte nur, daß sie mit einem Worte viel, viel Glück verschenken konnte und sah nur seine leuchtenden Augen und ihren dankbaren Glanz.

Und er beugte sich nieder und küßte mit stiller Ehrfurcht ihren Mund.

»Ich habe nie an dir gezweifelt.«

Und dann gingen sie den Weg hinab, der Stadt, nach Hause zu.

Langsam kamen sie wieder in die dunkle, tagesmüde Stadt, und es war Erika, als stiege sie von den leuchtenden Firnen eines seligen Traumes ins harte, kalte und unerbittliche Leben nieder. Mit fremden und ängstlichen

Blicken trat sie in die nebelfeuchten Vorstadtgassen, die vom häßlichen und aufdringlichen Lärm und Dunst erfüllt waren; und ein Gefühl schmerzhafter Öde senkte sich auf sie herab. Sie fühlte sich bedrückt von den rauchigen Häusern, die sich dunkel über ihr zueinander drängten, ein finsteres Symbol des Alltagslebens, das sich mit rücksichtsloser, drohender Gewalt in ihr Schicksal preßte, um es zu zermalmen.

Sie erschrak beinahe, als er sie plötzlich mit einem Liebeswort ansprach, und sie erstaunte, daß sie die zärtlichen Minuten und ihr Versprechen beinahe vergessen hatte. Wie fremd ihr alles hier plötzlich geworden war in dieser dumpfen, beengenden Umgebung, was ihr früher die jähe Impulsivkraft einer Rauschstimmung entlockt hatte. Sie sah ihn an, ganz vorsichtig von der Seite. Seine Stirne war kraftvoll gefaltet, und um den Mund lag die Ruhe eines Selbstsicheren, alles war unbeugsame und selbstgefällige Männlichkeit in seinem Gesichtsausdruck. Nirgends die sanfte Melancholie, die sonst seine Kräfte in eine schöne Harmonie bannte, nur triumphierende Härte, die vielleicht eine lauernde Sinnlichkeit war. Langsam wandte Erika den Blick. – Noch nie war er ihr so fremd und so ferne gewesen wie in diesem Augenblick.

Und plötzlich hatte sie Angst, tolle, unbändige Angst! Mit einem Male wachten tausend erschreckte Stimmen in ihr auf, die warnten und lärmten und sich selbst überschrien. Was sollte jetzt kommen? Sie fühlte es nur dunkel, denn sie wagte es nicht auszudenken. Alles empörte sich in ihr gegen das Versprechen, das ihr eine Minute der Schwäche entrissen hatte, und ihre heiße Scham brannte wie eine Wunde. Sie war nie sinnlich gewesen, das spürte sie nun in allen Tiefen ihres Herzens, sie hatte kein Begehren nach einem Manne, nur Abscheu vor der brutalen, zwingenden Macht. Nur Ekel empfand sie in diesem Augenblick, und alles verfinsterte sich vor ihren Blicken und bekam eine häßliche und niedrige Bedeutung; der leise Armdruck, den sie fühlte, die Liebespaare, die im Nebel auftauchten und sich wieder verloren, jeder zufällige Blick, der sie im Vorübergehen traf. Deutlich und zornig klopfte ihr Blut an den schmerzenden Schläfen.

Mit einem Male ward ihr die tiefe Schmerzlichkeit ihrer Liebe bewußt, die unter den Enttäuschungen bebte, wie unter züchtigenden Schlägen. Was immer geschehen war, mußte wieder Erlebnis werden. Die Sinnlichkeit des Mannes mordete die sanfte Liebe des Mädchens und ihre heiligsten Schauer. Das Glück, das wie schimmernde Abendwolken über dem Dunkel gegangen, war nun zerbrochen, und die Nacht begann aufzusteigen, schwarz und schwer mit drohender, leidvoller Stille und unbarmherzigem Schweigen. . . .

Ihre Füße wollten kaum weiter. Sie merkte, daß er den Weg gegen seine Wohnung nahm, und dieses Bewußtsein betäubte sie. Sie wollte ihm alles sagen: wie ihre Liebe ganz anders sei als die seine, wie sie nur das Versprechen gegeben im Banne einer Stimmung, der ihr nervöses Empfinden unterlegen, und wie sich alles in ihr aufbäume gegen diese vorbesprochene Liebesszene. Aber die Worte fanden keine Laute, nur finstere und drängende Empfindungen, die ihre Seele quälten und marterten, ohne sie zu befreien. Dunkle und bange Erinnerungen streiften sie wie mit schwarzschattenden Schwingen. Und eine kam immer wieder, eine seltsame und doch so alltägliche Geschichte von einem Mädchen, die mit ihr zur Schule gegangen war. Die hatte sich einem Manne hingegeben, und als er sie verließ, aus Rache und Zorn einem andern und dann wiederum andern – sie wußte selbst nicht mehr, warum. Und Erika erschauerte immer, wenn sie an dieses Mädchen dachte, durch deren Leben die Liebe gegangen war wie ein dunkler Wettersturm; und das gewaltsame Widerstreben in ihr war mehr als die erste Scham eines unbefleckten Mädchens, das vor dem unbekannten Geschehen bangt, es war die schöne Schwäche einer zarten und schwächlich-scheuen Seele, die das laute Leben fürchtet und seine brutale Häßlichkeit.

Aber das Schweigen blieb kalt und scheidend zwischen den beiden, die nebeneinander hergingen, Arm in Arm. Gern wollte Erika den ihren losmachen, aber es war, als hätten ihre Glieder jede Bewegungsfähigkeit verloren, nur die Füße schoben sich in traumhafter Gleichförmigkeit nach vorwärts. Und ihre Gedanken wurden immer wirrer und schossen durcheinander wie glühende Pfeile, die sich mit feinen brennenden Widerhaken in ihrem Gehirn festbohrten. Und darüber legte sich immer dichter die schwarze Wolke der kraftlosen Furcht und der verzweifelten Ergebung. Ein Gebet wagte sich immer wieder auf ihre Lippen, daß jetzt plötzlich alles vorbei sein sollte, ein großes, dunkles, schmerzloses Nichts, ein Nichtfühlen und Nichtmehrdenkenmüssen, ein Aufhören, jäh und unvermittelt, wie das Erwachen, das aus einem bösen Traum befreit . . .

Plötzlich blieb er stehen.

Sie fuhr auf und erschrak. Sie waren vor dem Hause, in dem er wohnte. Eine Minute blieb ihr Herz ohne Schlag, ruhig, ganz unbeweglich. Aber dann begann es wieder zu pochen, hastig und wild, mit hämmernder Angst und steigender Schnelligkeit.

Er sagte ihr ein paar Worte, liebe süße Worte. Sie hatte ihn beinahe wieder gern in diesem Augenblick, so herzlich und feinfühlig sprach er zu ihr. Aber als er ihren Arm fester erfaßte und ihren widerstandslosen Körper mit sanfter Zärtlichkeit drängte, da kam wieder die alte dunkle Angst, und sie war betäubender und furchtbarer denn je. Es war ihr so, als müßte plötzlich in ihr die Stimme freigebunden werden und laut ihn betteln und bitten, daß er sie freigebe, aber ihre Kehle blieb stumm und verschlossen. Halb bewußtlos ging sie an seinem Arm durch das große, düstere Tor, jenen Schmerz des Unabwendbaren in der Seele, der so tief ist, daß man ihn nicht mehr als Leid empfindet.

Eine dunkle Wendeltreppe gingen sie hinauf. Sie fühlte die kalte, muffige Kellerluft und sah die gelben, zitternden Gaslichter, die im kühlen Hauche bebten. Jede Stufe spürte sie, alle diese Bilder glitten an ihr vorüber, wie die Vorstellungen knapp vor dem Einschlafen, flüchtig und doch scharf, tief eindringend und doch wieder verfliegend im nächsten Augenblicke.

Nun standen sie in einem Gang. Sie wußte es, vor seiner Tür ...

Er ging voraus und ließ ihren Arm.

»Einen Augenblick, Erika, ich will nur Licht machen.«

Sie hörte seine Stimme von innen, wie er hineinging und dort ein Licht anzündete. Der Augenblick gab ihr Mut und Erwachen. Die Furcht kam plötzlich über sie wie ein Fieberschauer, der die krampfhafte Starre löste. Und blitzschnell stürmte sie wieder die Treppe hinab, ohne in ihrer wahnsinnigen Eile auf die Stufen zu achten, rasch, nur rasch vorwärts. Ihr war noch, als ob sie seine Stimme von oben hörte, aber sie wollte gar nicht mehr zur Besinnung kommen, sondern lief und lief, ohne innezuhalten, immer vorwärts. Eine wilde Angst war in ihr erwacht, daß er ihr nachfolgen könne, und eine Angst vor ihr selbst, sie möchte zu ihm zurückkehren. Und erst, als sie mehrere Straßen weit war und plötzlich sich in einer fremden Gegend sah, blieb sie mit einem tiefen Seufzer stehen, um dann langsam der Richtung ihrer Wohnung zuzuschreiten.

Es gibt leere, inhaltslose Stunden, die Schicksal in sich bergen. Sie steigen auf wie dunkle gleichgültige Wolken, die kommen, um sich wieder zu verlieren, aber sie bleiben hartnäckig und trotzig. Und wie ein schwarzer, steigender Rauch lösen sie sich auf, werden ferner und breiter, bis sie schließlich mit mattem, schwermütigem Grau unbeweglich über dem Leben schweben, ein Schatten, der sich unabwendbar und eifersüchtig an die Minute heftet und immer wieder seine drohende Faust erhebt.

Erika lag auf dem Sofa in ihrem dunkel heimlichen Zimmer, den Kopf in die Kissen gepreßt und weinte. Sie fand keine Tränen, aber sie spürte sie in sich verfließen, heiß, quellend und anklagend, und manchmal lief der jähe Schauer eines Schluchzens über ihren Körper. Sie fühlte, wie ihr diese schmerzvollen Minuten Erlebnis wurden, wie mit der ersten großen Enttäuschung sich das Leid tief in ihre Seele einsog, die sich ihm ahnungslos erschloß. Eigentlich bebte der Triumph in ihrem Herzen, daß ihr die Flucht gelungen war, noch im letzten entscheidenden Augenblicke, aber es wollte keine helle, blinkende Freude und kein Jubel werden, sondern blieb stumm wie ein Schmerz. Denn es gibt Naturen, in denen alle großen Ereignisse und alle überragenden Geschehnisse mit der allgemeinen Erschütterung der Seele auch die vorklingende dumpfe Saite einer verborgenen Schmerzlichkeit und innigen Melancholie anschlagen, deren Klingen so laut und drängend wird, daß alle anderen Stimmungen sich selbstlos in ihr auflösen. Und so war die Erika Ewald. Sie trauerte um ihre Liebe, die jung und schön gewesen war, wie ein spielendes Kind, das sich im Leben verliert. Und Scham war in ihr, heiße brennende Scham, daß sie entflohen war wie ein stummes hilfloses Wesen, statt ehrlich zu sein und zu ihm zu sprechen, kühl und mit herbem Stolz, dem er sich hätte fügen müssen. Und sie dachte an ihn und ihre Liebe mit einem so seligen Schmerz und einer heißen Ängstlichkeit, und alle Bilder kamen wieder und wirrten durcheinander, aber sie waren nicht mehr hell und froh, sondern dunkel beschattet von der Wehmut der Erinnerung.

Draußen ging eine Türe. Sie erschrak jäh und unvermittelt. Ängstlich horchte sie jedem Geräusch und suchte sich jede leise Klangerregung zu deuten in einem unbestimmten Gedanken, den sie nicht recht zu denken wagte.

Da trat ihre Schwester ein.

Erika war verwirrt. Sie erstaunte, daß sie nicht daran, nicht an das Nächstliegende gedacht hatte, daß ihre Schwester kommen müsse, und sie spürte wieder mit einem merkwürdigen Gefühle, wie fremd, wie ungeheuer fern ihr doch alle diese Leute waren, mit denen sie lebte.

Die Schwester begann sie über den Nachmittag zu fragen. Erika antwortete ungeschickt, und wie sie merkte, daß sie unsicher sei, wurde sie hart und ungerecht. Man sollte sie nicht immer mit Fragen belästigen, sie kümmere sich auch um niemanden. Und außerdem habe sie jetzt Kopfschmerzen und wolle Ruhe haben.

Die Schwester erwiderte nichts, sondern ging aus dem Zimmer. Mit einem Male fühlte Erika, wie ungerecht sie gewesen war. Und Mitleid empfand sie mit diesem stillen, schicksalsergebenen Wesen, das nichts erlebte und auch nicht bat darum, das nichts besaß vom Leben, nicht einmal einen reichen, adelnden Schmerz, wie sie selbst.

Das brachte sie wieder zu ihren Gedanken zurück. Und die zogen heran und verloren sich in der Ferne, schwere, schwarzbeschwingte Boote, die sich durch die dunkle Flut gerungen ohne Lärm und Rauschen, ohne Färbung und tiefeinschneidende Spur, nur von unbekannten und unsichtbaren treibenden Gewalten gesendet und gelenkt. Aber ihre trübe Stimmung zitterte in Erikas

Seele fortschwingend dahin und löste sich nach dunkel-schweren Stunden in einer Müdigkeit, der sie sich willen-los ergab.

Die nächsten Tage brachten für Erika nur Harren und Bangen. Im geheimen wartete sie auf einen Brief, eine Nachricht von seiner Hand; sie sehnte sich selbst nach einem Schreiben mit harten, unbarmherzigen Vorwürfen und zornigen Worten. Denn sie wollte einen Abschluß haben, ein Ende, das sich über die Vergangenheit legte und ihr das geheime Hinübertreten in ihre kommenden Tage verwehren sollte. Oder es sollte ein Brief sein mit milden, verstehenden Worten, die zu ihrer Seele gingen und sie wieder zurückführten in den Reigen der seligen Stunden, aus dem sie geschieden.

Aber keine Botschaft kam, kein Zeichen stellte sich zwischen sie und die quälende Ungewißheit. Denn Erika war noch viel zu sehr im Banne ihrer Empfindungen und Erregungen, um zu wissen, ob ihre Liebe zu ihm noch lebte oder ob sie schon gestorben war oder sich am Ende im Umwandlungszustande neuer Phasen befand, von denen sie noch nichts ahnte. Sie spürte nur die Unruhe und Verworrenheit in sich, die fortwährende Spannung, die sich nicht lösen wollte und in ihr gereizte und häß-liche Stimmungen erweckte. Nervös und mit Kopf-schmerzen ging sie in die Stunden, die ihr furchtbarer wurden als je, weil sie alles Falsche und Unharmonische viel schärfer spürte. Und jedes Geräusch irritierte sie, die Außenwelt wurde ihr unerträglich in ihrem lauten Hasten und Drängen, und selbst die eigenen Gedanken verloren ihre sanfte, wohltuende Traumhaftigkeit und bekamen harte einschneidende Spitzen. In jedem Dinge verbarg sich ihr eine geheime Feindseligkeit und eine trot-zige Absicht, die sie verletzen wollte. Die ganze Welt, die sie umschloß, schien ihr nur mehr ein großes, dunkles

Gefängnis mit tausend verborgenen Marterwerkzeugen und erblindeten Scheiben, die dem Lichte den Eingang verwehrten.

Und diese Tage waren ihr unerträglich lang und wollten kein Ende nehmen. Erika saß beim Fenster und wartete auf den Abend, der ihr ein wenig Frieden brachte mit der sanften Milderung aller Kontraste. Wenn die Sonne sich langsam hinter den Dächern zu senken begann, und immer matter und mehr abgedunkelt die Widerscheine nachzitterten, wurde alles in ihr stiller und ruhiger. Dann fühlte sie auch, daß ihr ganzes Denken und Fühlen jetzt anders und fremder werden wollte, daß neue Geschehnisse und neue Gefühle vor der Pforte ihres Lebens standen und lärmten und Einlaß begehrten. Aber sie achtete ihrer nicht, denn sie glaubte, die Regungen, die in ihr wuchsen und sich formten, seien nur die letzten verscheidenden Zuckungen ihrer sterbenden Liebe . . .

So gingen zwei Wochen dahin, ohne daß Erika eine Nachricht von ihm empfangen hätte. Alles schien vorüber zu sein und vergessen. Ihre Traurigkeit und Unbeständigkeit verlor sich noch nicht, aber sie befreite sich von ihrer häßlichen, gereizten Form und fand verfeinerten und durchgeistigten Ausdruck. Die schmerzlichen Empfindungen lösten sich leise und lind in schwermütigen Liedern, Melodien mit tiefen, verhaltenen Mollklängen und melancholisch wehklingenden Akkorden. Manche Abende spielte sie so ohne Gedanken, sich in sanfter Abirrung vom eigentlichen Motive zu selbstgeschaffenen Verbindungen hinwendend, immer leiser und leiser werdend, wie die Geschichte ihrer so leidvollen Liebe, die nun langsam in Vergangenheit verrinnen wollte.

Auch begann sie wieder zu lesen. Jene herrlichen Bücher wurden ihr wieder nahe, denen die Schwermut entströmt wie ein schwerer betäubender Duft aus seltsam dunklen und melancholischen Blüten. Die Marie Grubbe kam ihr wieder zur Hand, der das harte Leben eine heilige und tiefsinnige Liebe zerstört, und die unglückliche Madame Bovary, die nicht entsagen wollte und ihr schlichtes Glück verstieß. Und das unsägliche rührende Tagebuch der Maria Bashkirtscheff las sie, zu der die große Liebe nie gekommen war, ob ihr auch ein reiches und sehnsuchtsvolles Künstlerherz erwartungsvoll die Hände entgegenhielt. Und ihre gequälte Seele tauchte in diesem fremden Schmerze unter, um den eigenen zu verlieren und zu vergessen, aber manchmal kam ein Erschrecken über sie, in dem Furcht sich dem Stolze verschwisterte; denn Worte kamen ihren Blicken entgegen, die auch in ihrem eigenen Leben standen, und deren schicksalsschweren Sinn sie verstand. Und nun fühlte sie, wie ihre Geschichte nicht Ungerechtigkeit und Haß des Lebens verkündigte, sondern nur schmerzlich war, weil ihr der frohe Tänzerschritt eines lachenden unbedeutenden Temperamentes fehlte, der rasch vergessend die dunklen, aber geheimnisreichen Abgründe des Schmerzes überspringt. Nur ihre Einsamkeit senkte sich noch drückend auf sie herab. Niemand stand ihr nahe. Eine sonderbare Scham, sich mit ihren Tiefen und geheimen Schönheiten einem Fremden zu geben, hatte sie von allen Freundinnen abgewandt; und ihr fehlte auch der seligvertrauende Glaube der Frommen, der zu einem Gotte spricht und ihm die verschwiegensten Geständnisse zu eigen gibt. Der Schmerz, der von ihr ausging, floß wieder in ihre Seele zurück, und dieses unaufhörliche Sichselbstanvertrauen und Zergliedern gab ihr schließlich eine dumpfe Müdigkeit und hoffnungslose Trägheit, die nicht mehr mit dem Schicksal ringen wollte und mit seinen verborgenen Gewalten.

Sonderbare Gedanken überkamen sie, wenn sie vom

Fenster auf die Gasse herabsah. Sie sah Leute in wildem Durcheinander, Liebespaare, die in seliger Versunkenheit vorübergingen, dann wieder hastende Burschen, vorbeischießende Radfahrer, rasch dahinrollende Wagen mit schwirrenden Rädern, Bilder des Tages und der Gewöhnlichkeit. Aber ihr war alles das so fremd. Wie von ferne, aus einer anderen Welt schaute sie zu, als könnte sie nicht verstehen, warum diese Wesen so eilten und drängten und vorbeistürmten, wenn alle Ziele so klein und verächtlich waren. Als ob es etwas Reicheres und Seligeres geben könne als den großen Frieden, in dessen Bann alle Leidenschaften schlafen und alle Sehnsüchte; der doch wie eine wunderwirkende Quelle war, in deren milder und geheimkräftiger Flut sich alles Kranke und Häßliche ablöste, wie eine lästige Schicht. Und wozu dann alle die Kämpfe und Überwindungen? Und wozu die heiße nimmermüde Sehnsucht, die niemanden zurückweichen läßt?

So dachte die Erika Ewald manchmal und lächelte über das Leben. Denn sie wußte nicht, daß auch der Glaube an diesen großen Frieden nur eine Sehnsucht ist, das innigste und unvergänglichste Begehren, das uns nicht zu uns selbst gelangen läßt. Sie glaubte ihre Liebe überwunden zu haben und dachte ihrer, wie man eines Toten gedenkt. Die Erinnerungen bekamen milde, versöhnliche Farben, vergessene Episoden tauchten wieder auf, und zwischen Wirklichkeit und sanfter Träumerei liefen geheime, verbindende Fäden hin und her, bis sie sich unlöslich verwirrt hatten. Denn sie träumte von ihrem Erlebnis wie von einem eigenartigen und schönen Roman, den man vor langem gelesen; seine Gestalten treten langsam wieder heran und sprechen die Worte, die bekannt sind und doch so ferne, alle Räume werden wieder sichtbar, wie erleuchtet von einem plötzlichen aufblitzenden Licht, alles ist wieder wie einst. Und Erika dichtete sich in ihren

Gedanken, die sich am Abend berauschten, immer wieder neue Abschlüsse dazu, aber sie fand keinen rechten, denn sie wollte ein mildes und versöhnliches Ende voll Hoheit und reifer Entsagung, mit kühlem freundschaftlichem Händereichen und tiefem Verstehen. Langsam gaben ihr diese romantischen Träume den innigen Glauben, daß auch er jetzt ihrer harre und in tausend seligen Schmerzen gedenke, und diese Idee, die sich in ihr allmählich zu einer unbeugsamen Tatsache verdichtete, ließ das Vertrauen immer sicherer sich entfalten, daß alles noch gut werden müsse und daß eine versöhnende, abschließende Konsonanz die seltsam bewegte Melodie ihrer Liebe erlösen müsse.

Nach langen, langen Tagen wagte sich jetzt manchmal ein Lächeln über ihre Lippen, wenn sie ihrer Liebe gedachte mit all ihren bitteren Wunden, die nun vernarben wollten. Denn sie wußte noch nicht, daß ein tiefer Schmerz wie ein finsterer Gebirgsbach ist, der sich unterirdisch, mit unruhvollem Schweigen durch das Gestein wühlt und in ohnmächtigem Zorne lange an ungebahnten Pforten pocht und pocht. Aber einmal zersprengt er die Wand und stürmt mit haltlosem Jubel vernichtend und kraftvergeudend in die blühenden Tale hinab, die sich in heiterem, ahnungslosem Vertrauen gewiegt ...
Es sollte alles anders kommen, als es Erika geträumt. Noch einmal trat die Liebe in ihr Leben, aber sie war anders geworden; nicht mehr so still und mädchenhaft nahte sie mit milden, segnenden Geschenken, sondern wie ein Frühlingssturm, wie eine heiße, begehrende Frau, die brennende Lippen hat und die tiefrote Rose der Leidenschaft im dunklen Haare trägt. Denn die Sinnlichkeit der Männer ist nicht wie die der Frauen; bei jenen glüht sie vom Anbeginn, von den Jahren der ersten Reife, aber zu manchen Mädchen kommt sie vorerst in tausend Verhüllungen und Gestalten. Sie schleicht sich als

Schwärmerei ein und als selige Träumerei, als Eitelkeit und ästhetisches Genießen, aber einmal kommt ein Tag, da wirft sie alle Masken von sich und zerreißt die bergenden Hüllen.

Eines Tages war Erika alles bewußt geworden. Kein lautes Ereignis hatte ihr die Erkenntnis abgezwungen und auch kein Zufall. Vielleicht war es ein Traum gewesen mit verwirrenden Lockungen oder ein Buch mit heimlich verführender Gewalt, vielleicht eine ferne Melodie, die sie plötzlich verstanden oder ein fremdes, blühendes Glück – es war ihr nie klar geworden. Sie wußte nur plötzlich, daß sie sich wieder nach ihm sehnte, aber nicht nach gültigen Worten und schweigenden Stunden, sondern nach seinen kraftvollen Armen und nach den heißen Lippen, die einstmals verlangend auf den ihren gebrannt, ohne daß diese ihre stummen, bettelnden Worte verstanden. Vergebens widerstrebte ihre mädchenhafte Scham diesem Bewußtsein; sie suchte der früheren Tage zu gedenken, die nie auch nur ein schwacher Hauch schwüler Sinnlichkeit durchzittert, sie suchte sich vorzulügen, daß diese Liebe schon längst tot und begraben sei, indem sie jenes Abends gedachte, da sie aus seinem Hause mit innerlichem Abscheu geflüchtet. Aber dann kamen Nächte, da sie ihr Blut brennen fühlte von glühendem Begehren und ihre Lippen in die kühlen Kissen sich einknirschen mußten, damit sie nicht stöhnten und seinen Namen hinausschrien in die stumme, mitleidslose Nacht. Und da wagte sie sich nicht länger zu täuschen, und die Erkenntnis machte sie erbeben.

Nun wußte sie auch, daß die dumpfen Wallungen, die sie in allen diesen Tagen empfunden, nicht das Absterben ihrer schönen und hellen Liebe bedeutet hatten, sondern das langsame Keimen dieser drängenden Gewalten, die nun ihre Seele durchwühlten. Und mit sonderbarer Scheu dachte sie dieser Neigung, die so schlicht und alltäglich gewesen war, und der doch unablässig neue Schmerzen entsprossen, die feindlichen Kinder eines dunklen Geschickes. In dieser Leidenschaft, welche wie ein später Herbst gekommen war, der seine Früchte in die leeren, fröstelnden Felder wirft, einte sich die Kraft der Unberührtheit mit der Fülle der unverbrauchten Jugendtage, die nie unter den drängenden Krisen des Blutes gelitten. Eine stürmische, siegende Gewalt war in ihr, gegen die es kein Widerstreben gab und kein Verweigern, weil sie über alle Schranken sprang und die letzte Überlegung ertötete.

Erika ahnte noch nicht, wie schwach sie gegen diese jähe Leidenschaft war. Sie fühlte nur das Verlangen in sich siegreich werden, daß sie ihn wieder sehen müsse, sei es auch nur von der Ferne, ganz von fern, ohne bemerkt zu werden, ohne daß auch eine Ahnung ihn überkommen könne, daß sie ihn sehe und ersehne. Sie holte sich wieder seine Photographie hervor, die in einer versteckten Lade beinahe verstaubt war und brachte ihr eine sonderbare Verehrung entgegen. Sie küßte in glühender Leidenschaft seinen Mund, dann stellte sie sie wieder vor sich hin und begann wirre und heftige Worte zu sprechen, die sie ihm selbst sagen wollte, daß er ihr verzeihen möge, weil sie damals kindisch und erschreckt gehandelt habe. Und dann erzählte sie ihm in sich übereilenden Sätzen von ihrer Sehnsucht, und wie sie ihn wieder unendlich liebe, mehr, als er es jemals werde verstehen können. Aber alle diese Ekstasen befriedigten sie nicht, denn sie wollte ihn selbst wiedersehen. Mehrere Tage lang wartete sie an den Ecken der Straßen, die er zu passieren pflegte, doch vergebens. Und so sehr steigerte sich ihre Ungeduld, daß manchmal, aber ganz furchtsam und unbestimmt, der Gedanke in ihr erwachte, sie sollte zu ihm in die Wohnung gehen und sich für ihr Benehmen von damals entschuldigen. Aber da fand sie in den Tagesblättern die Notiz, daß er nächstens in einem eigenen Konzert auftreten wolle, eine Nachricht, die Erika wie mit einem seligen Rausche erfüllte, denn nun ergab sich die beste Möglichkeit, ihn zu sehen, ohne daß er es ahnte. Und langsam, furchtbar langsam verflossen ihr die Tage, welche sie von dem festgesetzten, sehnlichst herbeigewünschten Abende trennten.

Erika war eine der ersten im großen, mit tausend Lichtern flimmernden Konzertsaale. Eine sehnsüchtige Unruhe, die Minuten zu Stunden dehnte, hatte sie seit Tagesanbruch erfüllt und durchschauert, seit jener Stunde, da der Gedanke, daß sich heute alles begeben müsse, ihr den Schlaf von den Lidern riß. Und dann war sie alle die Stunden durch Traumland gegangen, ob auch die einzelnen Forderungen ihres Berufes sie immer wieder aufschrecken ließen aus ihren sinnenden Erwartungen und ihrer sanftruhenden Sehnsucht. Und als der Abend kam, nahm sie ihr bestes Gewand und legte es mit einer gewissen feierlichen Sorgfalt an, die nur Frauen haben, wenn sie den Blick des Geliebten erwarten. Eine Stunde zu früh begab sie sich zum Konzertsaal. Wohl hatte sie zuerst einen Spaziergang geplant, ein kurzes Rasten für ihre Nerven, die zu fiebern schienen, aber kaum daß sie die Straße betrat, fühlte sie eine dunkle Gewalt, die sie magnetisch einer Richtung zudrängte. Ihre anfangs bedächtigen Schritte wurden unruhiger und beschleunigter. Und mit einem Male stand sie, fast selbst überrascht, vor den breiten Stufen des Konzertgebäudes und schämte sich ihrer Unrast. Gedankenlos ging sie noch ein wenig dort auf und ab. Und als die ersten Wagen behäbig vorrasselten, mühte sie sich nicht mehr länger, sich zu bezwingen und ging mit beherzter Miene in den eben erleuchteten Saal.

Nicht lange blieb drinnen dieses breite und leere

Schweigen, das zu fürchtigen Träumen lud. Dichter und dichter drängten sich die Leute. Erika sah nicht die einzelnen, sondern fühlte nur die hereinströmende Masse, fühlte vor ihren Augen die wandernden Streifen der farbigen Toiletten, das dunkle Durcheinanderschieben und die vielen wechselnden Gesichter, die ihr wie Masken schienen. Alles in ihr war Unrast und Erwartung. In ihren Augen stand nur ein Name, ein Wunsch, ein Wort.

Und dann plötzlich begann das jähaufrauschende Murmeln und Bewegen, die vorbereitende Unruhe vor dem Schweigen, das leise Knacken der geöffneten Operngläser, das Klappern der Lorgnons, das Regen und Bewegen, jenes vieltönige Geräusch, das sich in stürmischen Beifall löste. Sie fühlte, daß er eingetreten war, jetzt eingetreten war. Und schloß die Augen. Sie wußte sich zu schwach, ihn in dieser stolzen Minute schweigend zu sehen. Sie hätte ja jubeln müssen oder ihn rufen, aufspringen oder ihm zuwinken, aber jedesfalls etwas Törichtes, Unüberlegtes, Lächerliches tun. Ihr Herz fühlte sie bis an die Kehle schlagen. Sie wartete. Sie wartete, mit geschlossenen Augen alles sehend, wie er hinaufschritt, wie er sich verneigte und jetzt, – jetzt mußte es ja sein – zum Bogen griff. Sie harrte, bis endlich die ersten Töne seiner Geige sich singend erhoben wie langsam steigende Lerchen, die aus den Feldern zum Himmel aufjubeln.

Dann schaute sie empor, leise, ganz vorsichtig, wie man in ein sehr grelles blendendes Licht sieht. Und sie fühlte eine warme Blutwelle, wie sie ihn sah, gleichsam emporgetragen von diesem dunklen, schweigenden Meer, das die funkelnden Gläser und suchenden Blicke wie zitternde Schaumkämme durchglänzten. Und sie fühlte sein Spiel und wieder die ganze zauberische Gewalt von einst. Und wie die Töne wuchsen und anschwollen, so füllte sich auch ihr Herz. Lachen und Weinen war in ihr, ein Fluten der Erregung, warme zitternde Wellen. Sie fühlte Jubel, Jubel aus tausend sonndurchglänzten Springstrahlen in ihr Herz sprudeln, sie fühlte es selbst aufschäumen zu ihrer Kehle wie den jauchzenden Strahl einer aufzuckenden Fontäne. Wieder verführte sie die Stimmung der Musik wie eine Blinde, die keinen Weg weiß und sich willig der fremden und lieblichen Hand vertraut. Und als dann der Jubel losbrach und dieses dunkle Meer im Saale, das gleichsam in bezaubertem Schlafe gelegen war, plötzlich in wilder, tosender Brandung aufschäumte, als von allen Seiten ein überwältigender Beifall dröhnte, da rauschte ein jäher Stolz in ihr empor. Ihre Seele jubelte bei dem Gedanken, von ihm begehrt worden zu sein. Alle Häßlichkeit und Herbe jener Minuten war zerronnen in diesem stolzen Bewußtsein, in dieser siegenden Stunde seines Künstlertums.

So ward dieser Abend ein lauteres und tiefes Fest für ihre suchende und unruhige Seele. Nur eine Frage drängte sie, ob er ihrer wohl noch gedachte. Und sie war ganz Demut in jener Stunde, eine Sehnsüchtige, die nur begehrt, sich verschenken zu dürfen. Sie dachte nicht mehr an sich und nur mehr an ihn, sah nur sein Verlangen und seine Inbrunst in dem lockenden Geigenspiel und nicht mehr Töne und Melodien.

Und da kam ihr eine seltsame und unendlich beseligende Antwort. Nach langen Beifallsstürmen hatte er sich noch zu einer Zugabe entschlossen. Und nur ein paar schlichte, langsame Takte hatte er gespielt, als Erika erblaßte. Sie lauschte und lauschte wie gebannt. In herbem Erschrecken hatte sie das Lied erkannt, das Lied jenes ersten seltsamen Abends, da er es ihr zuliebe in der Dämmerung gestammelt. Und sie träumte von einer Huldigung. Sie fühlte, daß es ihr gesungen sei, zu ihr gesungen sei. Sie hörte es nur als Frage, die über alle andern zu ihr hinabtastete in den Saal, sie sah eine Liedseele, die in den dunklen Saal flog, um sie zu finden. Eine rasche Gewiß-

heit schaukelte sie in selige Träume. Sie verstand ein Geständnis, daß er ihrer, nur ihrer mehr gedachte. Und Seligkeiten brausten auf sie nieder. Wieder war es die Musik, die sie betörte und über alle Wirklichkeiten hob. Sie
fühlte einen Flug nach oben, menschenhoch und erden-
frei. Fast so wie damals in jener Stunde, als sie hoch über
der fernen, brausenden Stadt zusammen standen. Nur
höher noch, viel höher über Schicksal und Welt, über
allen Kleinlichkeiten und Bedenken. In den wenigen Minuten dieses Spieles überflog sie in seligem Traume alle
Schranken und Wirklichkeiten.

Der unerhörte Jubel, der seinem Spiele folgte, erweckte Erika erst wieder aus ihren weltentrückten Träumen.
Und in drängender Hast eilte sie dem Ausgange zu, um
ihn zu erwarten. Denn nun wußte sie auch die helle und
sonnige Antwort auf ihre letzte Frage, die sie beängstigt
und sie zurückgehalten, sich ihm zu schenken – nun war
es ihr offenbar, daß er sie noch immer liebte und glühender wie einst, mit einer viel schöneren, wilderen und grö-
ßeren Liebe. Sonst hätte er nicht all diesen Menschen den
leuchtenden Hymnus gesungen, den er ihr zur Feier und
aus ihrer Liebe geschaffen, dieses herrliche Lied, dessen
Macht sie damals überwältigt und besiegt hatte, ohne daß
sie es geahnt. Aber heute wollte sie ihm die sorglich ge-
hüteten Früchte ihrer schenkenden Neigung zu Füßen
legen, daß er sie selig erhöhe . . .

Mit Mühe drängte sie sich bis zum Ausgange durch,
wo die Künstler herabzukommen pflegten. Wenige
Flammen erhellten das matte Dunkel; dort drängten die
Menschen nicht in so wilder Hast, und sie konnte sich
ungestört wieder ihren Träumen hingeben, die sich in
seliger Sicherheit wiegten. Sie hätte es doch schon lange,
so lange wissen können, daß er sie nicht vergessen könnte – dieser Gedanke kehrte immer wieder und einte sich
mit fröhlichen Verheißungen für die kommenden Tage.

Mit übermütigem Lächeln dachte sie an seine Überraschung, wenn er ahnungslos die Treppen herabkäme
und sich plötzlich der Wunsch verwirklichte, von dem er
vielleicht eben geträumt. Und wenn . . .

Aber da kamen wahrhaftig schon Schritte, die immer
lauter und näher tönten. Unwillkürlich zog sich Erika
mehr ins Dunkel zurück.

Lachend und plaudernd stieg er die Treppe hinab –
zärtlich hinabgebeugt zu einer Dame in spitzenbesetztem
Kleide, einer kleinen, netten Sängerin von der Oper, die
irgend eine alte Operettenmelodie trällerte. Erika zuckte
zusammen. Da bemerkte er sie. Instinktiv griff er nach
dem Hut, aber ließ die Hand auf halbem Wege müßig
sinken. Ein böses, beleidigtes und höhnisches Lächeln
schien auf seinen Lippen zu lauern, aber er wandte den
Kopf zur Seite. Und dann führte er die kleine Dame im
Spitzenkleid zu seinem Wagen, half ihr hinein und stieg
selbst ein, ohne den Blick noch einmal zurückzuwenden
zur Erika Ewald, die dort einsam stand mit ihrer verra-
tenen Liebe.

Solche Erlebnisse erwecken oft mit ihrer jähen Gewalt
ein Leid, das so furchtbar und tiefeinschneidend ist, daß
man es nicht mehr als Schmerz empfindet, weil man die
Fähigkeit des Begreifens und des bewußten Fühlens in
seinem wilden Anpralle verliert. Man fühlt sich nur sinken, aus schwindelnden Höhen atemlos, willenslos und
widerstandsunfähig herabsausen, einem Abgrunde zu,
den man noch nicht kennt, den man aber ahnt, näher,
näher und immer näher kommen fühlt mit jeder Sekunde, mit jeder verschwindend kleinen Zeiteinheit, die im
wirbelnden Sturze verfliegt, jenem furchtbaren Ende zu,
von dem man weiß, daß es zerschmettern und zerbrechen
wird.

Erika Ewald hatte schon zu viele kleine Leiden ertra-

gen, um einem großen Ereignis ruhig ins Auge sehen zu
können. Jene kleinen Schmerzlichkeiten hatten ihr Leben
erfüllt, die ein seltsames Glückseligkeitsgefühl in sich tragen, weil sie zu melancholischen, träumerischen Stunden
leiten, zu sanften Verzagtheiten und zu jenen süßen Trau-
rigkeiten, aus denen die Dichter ihre innigsten und weh-
mütigsten Verse schaffen. Aber sie hatte in jenen Stunden
schon die mächtige Pranke des Schicksals zu verspüren
geglaubt, und es war doch nur ein verrinnender Schatten
seiner drohend ausgereckten Hand. Sie hatte gemeint, die
finstere Gewalt des Lebens schon getragen zu haben und
auf dieses Bewußtsein baute sie ihre starke Sicherheit, die
jetzt zusammenbrach unter der Wirklichkeit wie ein Kin-
derspielzeug in einer nervigen Faust.

Und darum verlor ihre Seele so ganz ihre bindenden
Kräfte. Das Leben kam zu ihr wie ein Hagelschauer, der
Saaten und Blüten zerbricht. Nur mehr Öde war vor
ihren Blicken und Finsternis, weite undurchdringliche
Finsternis, die alle Wege versteckte, alle Blicke erblindete
und die hallenden Angstrufe mitleidslos verschlang. Nur
mehr Schweigen war in ihr, ein dumpfes, atemloses
Schweigen, die Stille des Todes. Denn viel war in ihr
gestorben in einem einzigen Augenblick; ein helles heite-
res Lachen, das noch nicht geboren war, aber in ihr Leben
wollte, wie ein Kind, das zum Lichte strebt. Und viel
Jugend, jenes sehnsüchtige Empfangenwollen, das der
Zukunft vertraut und Freude und Glanz hinter allen verschlossenen Pforten ahnt, die ihr Verlangen sich eröffnen
soll. Und viel lautere und weltvertrauende Empfindungen, das Sichhingeben an alle Menschen und an die große
Natur, die nur Feste und Wunder ihren gläubigen Schü-
lern offenbart. Und endlich eine Liebe, die unendlich
reich gewesen war, weil sie in den dunklen Quellen des
Schmerzes sich gebadet hat und durch wechselnde Gestalten gegangen ist, um die Vollkommenheit zu finden.

Aber auch eine neue Saat war in dieser Enttäuschung, ein bitterer Haß gegen alles, was sie umgab und ein heißes Rachebedürfnis, das noch nicht wußte, wie es sich Bahn brechen sollte. In ihren Wangen brannte die Schmach, und ihre Hände bebten, als müßten sie jeden Augenblick losfahren in zorniger Gewalt gegen irgend etwas. Die Schwächlichkeit und Scham war von ihr gewichen, die drängende Macht des Handelns wurde immer deutlicher und unruhiger in ihr; ein Wesen, das sich vom Schicksal immer hatte formen und lenken lassen, wollte ihm nun entgegengehen und mit ihm ringen.

Und dieser ziellose ungebärdige Trieb ließ sie in den Gassen irren, ohne einen Entschluß. Die Wirklichkeit lag in weiter, weiter Ferne. Sie wußte nicht, wohin sie ging, in ihren Füßen war bleierne Müdigkeit, aber auch eine irre Bewegung, die sie weiterstieß. Immer mehr hüllte sie sich in ihre Gedanken, um den Schmerz, der jetzt wach werden wollte, wegzudenken und ihn im raschen Gehen zu vergessen; doch sie spürte einen Druck von Tränen, die noch nicht hervorbrechen konnten, aber innen brannten und tropften . . .

Auf einmal stand sie vor einer Brücke. Unten der Fluß, schwarz und langsam gleitend, mit vielen hellen, glitzernden Punkten. Sterne waren das und Reflexe von den Brückenlaternen, die hinaufstarrten wie aufgerissene Augen. Und von irgendwo ein leises unaufhörliches Plätschern, die Strömung, die sich an einem Pfeiler bricht.

Einen Todesgedanken barg dieser Anblick, das fühlte sie. Ein Beben überlief ihren Körper. Sie wandte sich um. Es war niemand in der Nähe, hie und da schwarze Schatten, die vorüberhuschten. Manchmal ein Lachen aus der Ferne oder das Rollen eines Wagens. Aber in der Nähe niemand, keiner, der sie hindern könnte. Wie leicht, wie rasch das war; ein Griff, ein Schwung über die Rampe, dann noch ein paar häßliche ringende Minuten unten, dort unten in dieser schweigsamen Dunkelheit und dann Friede ... reicher, ewiger Friede, fern von allen Wirklichkeiten, der beruhigende Trost des Nichtwiedererwachens ...

Aber dann ein anderer Gedanke! Eine verunstaltete Leiche, die man aus dem Wasser zieht, Neugierige, die sich belustigen, Gerede und Geschwätz – es tat ja nicht mehr weh! Aber einer war, der könnte es erfahren und dann vielleicht selbstbewußt lächeln, im Bewußtsein eines Siegers. ... Nein – das durfte nicht sein! Das Leben war noch nicht erschöpft, das fühlte sie, denn es konnte noch Rache bergen, den letzten tastenden Versuch einer Verzweiflung. Und vielleicht war es sogar schön, und sie hatte nur falsch gelebt, sie war gut und vertrauend gewesen, mild und zurückhaltend, während man rücksichtslos, gierig und verschlagen sein sollte, wie ein Raubtier, das sich von fremdem Leben nährt.

Ein Lachen rang sich ihr aus der Brust, wie sie sich von der Brücke abwendete, ein Lachen, vor dem sie erschrak. Denn sie fühlte, wie sie sich selbst nicht ihre ungesprochenen Worte glaubte. Nur der Schmerz war wahr, und der glühende brennende Haß, die blinde Sucht nach Rache. Wie fremd sie sich doch geworden war, daß sie sich nicht einmal selbst mehr erkannte, wie schlecht und wie wertlos!

Ihr fröstelte. Sie wollte an nichts mehr denken. Sie ging wieder tiefer in die Stadt hinein ... irgendwohin ... nach Hause zu. ... Nein – nicht nach Hause! Mit Furcht dachte sie daran. Dort war alles so finster und eng und dumpf, dort lauerten in allen Ecken Erinnerungen, die mit hämischen Fingern auf sie deuteten, dort war sie dann ganz allein mit ihrem großen Schmerz, dort konnte er seine schwarzen Flügel dicht ausbreiten, sie umfassen und eng, ganz eng an sie pressen, daß ihr der Atem verginge.

Aber wohin? Wohin? Die Frage zermarterte ihr das Hirn. Sie wußte nichts anderes mehr, ihr ganzes Denken konzentrierte sich in dieses eine Wort. –

Neben ihr lief ein Schatten.

Sie achtete nicht darauf.

Sie merkte es auch nicht, als er sich hart gegen den ihren neigte und mit ihm eine Zeitlang parallel lief. Jemand ging neben ihr, ein Freiwilliger, und betrachtete ihr Gesicht angelegentlich in dem Momente, als sie vor einer Laterne vorbeikamen. Erst wie er sie höflich ansprach, fuhr sie jäh aus ihren Gedanken auf. Sie brauchte einige Momente, um die Situation, in der sie sich befand, erst recht zu erfassen und antwortete nicht.

Der Freiwillige, ein Kavallerist, sehr jung noch und ein bißchen ungeschickt, ließ sich durch ihr Schweigen nicht einschüchtern, sondern redete in einem halb vertraulichen Ton, aber mit einer gewissen Reserve weiter. Offenbar war er mit sich nicht recht im klaren, mit wem er es eigentlich zu tun hätte; sie hatte ihm nicht geantwortet und war doch so vornehm – solid gekleidet. Und andererseits wieder dieses einsame langsame Spazierengehen spät in der Nacht – ganz recht bekam er's nicht heraus. Aber er redete unbekümmert weiter.

Erika schwieg. Instinktiv hatte sie ihn abweisen wollen, aber alle Dinge von früher hatten sie auf seltsame Gedanken gebracht. Sie wollte doch jetzt ein anderes Leben beginnen, nicht mehr dieses traumvolle Dahindämmern und müßige Sichsehnen, das ihr tausend Leiden geboren, es sollte ja für sie ein neues Leben beginnen, heiß verwegen und voll wilder Gewalt. Und dann dachte sie wieder an ihn – eine Rache wollte sie nehmen, eine furchtbare Schmach. Dem ersten besten, der gekommen, wollte sie sich verschenken; weil er sie verschmäht, die

Erniedrigung auskosten bis zum letzten bittersten und vielleicht tödlichen Tropfen. Alles wurde rasch in ihr Plan und Entschluß, eine grausame Selbstpeinigung, die eine neue Schmach wählt, um die alte brennende zu vergessen ... wie sie zurecht kam, die Gelegenheit ... ein junger Mensch, ganz jung, der nichts davon verstand, nichts wußte, der sollte es sein, der erste beste ...

Und plötzlich antwortete sie ihm mit so hastiger Liebenswürdigkeit, er dürfe sie begleiten, daß er beinahe wieder schwankend wurde, mit wem er es zu tun hätte. Aber ein paar Fragen, das Opernglas, das sie vom Konzert mitbrachte und ihr vornehmes Benehmen, veränderten seine oberflächliche Haltung zu ihr. Er blieb recht befangen. Eigentlich war er noch ein halbes Kind, das in einer Uniform sich so seltsam ausnahm, wie in einem kriegerischen Maskenkostüm; und seine bisherigen Abenteuer waren so simpler Natur gewesen, daß sie keine Abenteuer mehr waren. Zum ersten Mal sah er sich einem wirklichen Rätsel gegenüber. Denn manchmal blieb sie Minuten still und unbeweglich, überhörte alle Fragen und ging wie im Traum, bis sie dann plötzlich wie mit einer provozierten Zärtlichkeit, die sie im Augenblick vergessen hätte, mit ihm lachte und scherzte; aber manchmal wollte es selbst ihm so erscheinen, als sei im Lachen ein falscher Ton.

Und in der Tat kostete es Erika nicht geringe Mühe, die Rolle einer Entgegenkommenden und Leichtsinnigen zu spielen, während ihr die tollsten Gedankenreihen durch den Kopf schwirrten. Sie wußte, was das Ende sein würde, und sie wollte es, aber eine geheime Angst beschlich sie immer wieder, daß sie gegen sich selbst frevle. Aber das Bedürfnis nach Rache, das sich positiv nicht betätigen konnte, hatte hier ein Mittel gefunden, sich zu entfalten, wenn auch in einer falschen Richtung, die die Spitze gegen sich selbst kehrte, aber es war so überströmend und machtvoll, daß sich ihre frauenhaften Empfindungen vergebens dagegen aufbäumten. Mochte geschehen, was da wolle, sollte eine Reue kommen ... nur nichts wissen von jener Schmach ... nur vergessen, wenn auch in einem Rausch, einem künstlichen und einem verderblichen ... aber nur nicht mehr daran denken müssen ...

So nahm sie auch gern den Vorschlag des Freiwilligen an, mit ihr in ein Restaurant in ein separiertes Zimmer zu gehen, obwohl sie dumpf ahnte, was das bedeutete. Aber sie wollte nicht daran denken ... nur nicht sich immer besinnen müssen ...

Zuerst kam ein kleines Souper, dem sie aber nicht zusprach. Aber Wein trank sie, in gieriger Hast, Glas auf Glas, um sich zu betäuben. Ganz gelang ihr es noch nicht. Manchmal übersah sie die ganze Situation mit furchtbarer Klarheit. Sie betrachtete ihr Gegenüber. Das war eigentlich der Rechte, besser hätte sie sich ihn nicht wünschen können: ein guter Kerl, von einer gesunden rotwangigen Derbheit, ein bißchen eitel und nicht zu klug ... der würde nie ahnen, was in dieser Nacht geschehen sei, was für eine Rolle er gespielt in einem armen gequälten Menschenleben ... der würde sie übermorgen vergessen haben. Und das wollte sie ...

In solchen Augenblicken der Überlegung bekamen ihre Augen einen träumerischen Ausdruck, und in ihrem Gesichte zeichnete sich der düstere Schatten eines inneren Schmerzes. Dann kam sie langsam ins Träumen hinein ... ihre Finger zitterten leise ... sie hatte alles vergessen, und die fernen versunkenen Bilder wollten langsam, ganz langsam wieder auftauchen ...

Dann erweckte sie wieder plötzlich ein Wort oder eine Berührung. Eine Sekunde brauchte sie immer, um sich wieder recht in alles hineinzufinden, aber dann faßte sie wieder ein Weinglas und leerte es auf einen Zug. Und dann noch eines und noch eines, bis sie spürte, wie ihr der Arm schwer herabsank ...

Der Freiwillige hatte sich inzwischen herübergesetzt und ziemlich dicht an sie angedrückt. Sie merkte es noch, aber scherzte ruhig weiter ...

Allmählich aber begann sie die Wirkung des Weins zu fühlen. Ihr Blick wurde unsicher und sah wie durch trübe Wolken eines schweren breitverströmenden Dunstes; und die zärtlichen und überredenden Worte, die sie vernahm, schienen irgendwo von weiter, weiter Ferne herzukommen, ganz verschwommen und verloren. Ihre Zunge begann zu lallen, und sie merkte, wie trotz aller Bestrebungen ihr Gedankengang sich verwirrte und ein Blitzen und Surren vor ihren Augen funkelte, gegen das sie sich nicht zu wehren wußte. Aber mit der Müdigkeit, die sie immer enger und zärtlicher umfaßte, kam auch jene Schwermut wieder, halb die lallende unmotivierte Melancholie der Trunkenen, und halb der Schmerz, der schon den ganzen Abend ihre Brust durchstürmte und sich noch immer nicht Bahn gebrochen hatte. Sie war ganz in ihr Leid verloren, stumpf und gefühllos gegen die Außenwelt, taub gegen alle Worte und sanften Liebkosungen.

Der junge Bursch verstand ihr Verhalten nicht ganz und eine Unsicherheit überkam ihn, was er mit ihr beginnen sollte; er hielt sie für betrunken, wollte sie jedoch bewegen, wach zu werden, weil er sich schämte, ihre Trunkenheit sich zunutze zu machen. Aber ihre Apathie war nicht durch Zureden, noch durch schmeichelnde Küsse zu lösen; er fächelte ihr Kühlung zu; als er aber versuchte, ihr Kleid zu öffnen, geschah etwas Unerwartetes, das ihn erschreckte.

Denn im Augenblicke, da er sie umfaßte, fiel sie ihm plötzlich in die Arme und begann furchtbar zu weinen. Es war ein unendlich schreckvolles und leidvolles

Schluchzen, nicht das wehmütige Duseln eines Trunkenen, sondern in ihrem Weinen war eine elementare Gewalt; wie ein Raubtier war es, das jahrelang im Käfig gefesselt war und mit einem Male in wilder Gewalt die Schranken durchbricht, es war ihr ganzer heiliger und tiefer Schmerz, der ihr nun dunkel bewußt gewesen war und sich jetzt in bebenden Schauern erlöste. Erika weinte aus tiefster Brust, alles, alles schien jetzt gut zu werden, da diese glühende Last der Tränen und die drückende Bürde der nichtentladenen Erregungen sich wie in mächtigen Gewitterstößen von ihr losrang; sie weinte und weinte, jähe Schauer liefen über ihren hilflos angeschmiegten Körper, aber die heißen Quellen ihrer Augen schienen nicht versiegen zu wollen; es war, als spülten sie all das bittere Leid mit sich hinweg, das sich langsam angesetzt hatte wie wachsende Kristalle, die sich verhärten und nicht weichen wollen. Nicht ihre Augen weinten, ihr ganzer schmaler und biegsamer Leib erbebte unter den harten Stößen, und ihr Herz erbebte mit.

Der junge Mann war diesem jähen und peinlichen Ausbruche gegenüber gänzlich hilflos. Er suchte sie zu beruhigen, strich ihr leise und zärtlich über die dunklen Flechten; wie aber ihre Anstrengungen sich immer verdoppelten, kam ein sonderbares Gefühl mitleidsvoller Zuneigung über ihn. Er hatte noch nie so weinen gehört, und dieses unerhörte Leid, von dem er nichts wußte, dessen Größe er aber ahnen mußte, flößte ihm eine achtungsvolle Furcht vor dieser Frau ein, die willenlos in seinen Armen lag. Wie ein Verbrechen erschien es ihm, ihren Körper zu berühren, der zu schwach war, den mindesten Widerstand leisten zu können; nach und nach kam ihm dann auch zu Bewußtsein, daß er sehr großartig dabei handle, und diese kindliche Freude an einem seltsamen Erlebnis stärkte seine Willenskraft. Er ließ einen Wagen holen und begleitete sie, nachdem er von ihr die

Adresse erfahren hatte, bis zum Hause hin, wo er sich mit freundlichen und beruhigenden Worten verabschiedete.

Als Erika sich wieder in ihrem Zimmer befand, war auch der letzte Rest des Rausches verflogen. Nur das Geschehene der letzten Stunden war ihr unklar und verschwommen, aber sie dachte nicht mit scheuer Ängstlichkeit zurück, sondern mit friedevoller Ruhe. In diesen glühenden Tränen war ihre ganze junge Seele gewesen mit all ihrem Schmerz: mit der großen drückenden Liebe, mit der wilden und brennenden Schmach und der letzten, beinahe vollbrachten Erniedrigung.

Langsam kleidete sie sich aus.

Alles hatte so kommen müssen; denn es gibt Menschen, die nicht zur Liebe geboren sind, denen nur die heiligen Schauer der Erwartung blühen, weil sie zu schwach sind, die schmerzhaften Seligkeiten der Erfüllungen zu tragen.

Erika dachte über ihr Leben nach. Sie wußte nun, daß die Liebe nicht mehr zu ihr kommen würde, und daß sie ihr nicht entgegengehen dürfe; die Bitterkeit des Entsagens nahte ihr zum letzten Male.

Einen Augenblick zögerte sie noch in geheimer unverständlicher Scham; doch dann löste sie die letzten Hüllen vor dem Spiegel.

Sie war noch jung und schön. In ihrem blütenweißen Körper lag noch die hellschimmernde Frische früher Jahre, in sanfter, fast kindlicher Rundung bebten ihre Brüste, die in wilder innerer Erregung sich hoben und senkten, leise und zart in rhythmisch verfließendem Linienspiel. Stärke und Geschmeidigkeit prunkte in den Gliedern, alles war geschaffen und bereit, eine schenkende Liebe kraftvoll zu empfangen und zu erhöhen, Seligkeiten zu geben und zu nehmen im wechselnden Spiel, dem heiligsten Ziele entgegen zu schaffen und das verklärte Wunder der Schöpfung in sich zu erleben. Und das alles sollte ungenützt und unfruchtbar vergehen, wie die Schönheit einer Blume, die ein Wind verweht, ein taubes Korn im unübersehbaren Garbenfelde der Menschheit?

Eine milde versöhnliche Resignation kam über sie, die Hoheit der Menschen, die durch den größten Schmerz gegangen. Und auch den Gedanken, daß diese blühende Jugend einem, einem einzigen bestimmt gewesen sei, der sie begehrt und verachtet habe, auch diese letzte schwerste Prüfung fand keinen Groll mehr bei ihr. Wehmütig löschte sie das Licht und sehnte sich nur mehr nach dem leisen Glück milder Träume.

Diese wenigen Wochen umgrenzten das Leben der Erika Ewald. In ihnen lag alles beschlossen, was sie erlebte, und die vielen späteren Tage gingen an ihr vorüber, gleichgültig wie Fremde. Ihr Vater starb, die Schwester heiratete einen Beamten, Verwandte und Freunde trugen Glück und Unglück, nur in ihre einsamen Stunden ließ sie das Schicksal nicht mehr ein. Ihr konnte das Leben nichts mehr anhaben mit seiner stürmischen Gewalt; die tiefe Wahrheit war ihr bewußt geworden, daß der große heilige Friede, um den sie gerungen, nicht anders errungen wird, als durch einen tiefen läuternden Schmerz, daß es kein Glück gebe für den, der nicht den Weg der Leiden gegangen ist. Aber diese Weisheit, die sie dem Leben abgerungen, blieb nicht kalt und unfruchtbar; die Fähigkeit zur spendenden Liebe, die einst ihr Wesen in heißen Konvulsionen erschüttert, zog sie nun zu den Kindern hin, die sie Musik lehrte und denen sie vom Schicksal und seinen Tücken erzählte, wie von einem Menschen, vor dem man sich hüten muß. Und so gingen ihre Monate, Tag für Tag dahin.

Und wenn der Frühling ins Land kam und warmer

segnender Sommer, dann überströmten auch ihre Abende von inniger Schönheit . . .

Sie saß dann am Klavier beim offenen Fenster. Von außen zitterte ein feiner würziger Duft herein, wie ihn der erste Frühling bringt, und das Brausen der Großstadt war fern wie ein Meer, das seine stürmischen Fluten gegen die weißen Gestade wirft. Im Zimmer trällerte der Kanarienvogel die lustigsten Läufe, und draußen vom Gang hörte man die Knaben des Nachbars mit ihren tollen, übermütigen Spielen. Wenn sie aber zu spielen begann, dann wurde es draußen still; leise, ganz leise ging dann die Tür auf, und ein Knabenkopf nach dem anderen schob sich herein, um andächtig zu horchen. Und Erika fand wehmütige Melodien mit ihren weißen schmalen Fingern, die immer heller und durchleuchtender zu werden schienen, dazwischen leise Phantasien, bei denen verhallte Erinnerungen anklangen.

Und einmal, als sie so spielte, kam ihr ein Motiv, dessen sie sich nicht entsinnen konnte. Und sie spielte es immer wieder, bis sie es jählings erkannte; das Volkslied, die wehmütige Liebesweise, mit der er sein Liebeslied begonnen . . .

Da ließ sie die Finger sinken und träumte wieder von der Vergangenheit. Ganz ohne Groll und Neid waren ihre Gedanken. Wer weiß, ob es nicht das Beste gewesen, daß sie sich damals nicht gefunden . . . Und ob sie sich vertragen? Wer kann es wissen? . . . Aber . . . – sie schämte sich beinahe des Gedankens – ein Kind hätte sie gerne von ihm gehabt, ein schönes goldlockiges Kind, das sie hätte wiegen und warten können, wenn sie allein war, ganz einsam war . . .

Sie lächelte. Was für dumme Träumereien das doch waren!

Und tastend suchten ihre Finger wieder das vergessene Liebesmotiv . . .

Vergessene Träume

Die Villa lag hart am Meer.

In den stillen, dämmerreichen Piniengängen atmete die satte Kraft der salzhältigen Seeluft und eine leichte beständige Brise spielte um die Orangenbäume und streifte hie und da, wie mit vorsichtigen Fingern, eine farbenbunte Blüte herab. Die sonnenumglänzten Fernen, Hügel, aus denen zierliche Häuser wie weiße Perlen hervorblitzten, ein meilenweiter Leuchtturm, der einer Kerze gleich steil emporschoß, alles schimmerte in scharfen, abgegrenzten Konturen und war, ein leuchtendes Mosaik, in den tiefblauen Azur des Äthers eingesenkt. Das Meer, in das nur selten weit, weit in der Ferne, weiße Funken fielen, die schimmernden Segel von einsamen Schiffen, schmiegte sich mit der beweglichen Weise seiner Wogen an die Stufenterrasse an, von der sich die Villa erhob, um immer tiefer in das Grün eines weiten, schattendunklen Gartens zu steigen und sich dort in dem müden, märchenstillen Park zu verlieren.

Von dem schlafenden Hause, auf dem die Vormittagshitze lastete, lief ein schmaler, kiesbedeckter Weg wie eine weiße Linie zu dem kühlen Aussichtspunkte, unter dem die Wogen in wilden, unaufhörlichen Anstürmen grollten und hie und da schimmernde Wasseratome heraufstäubten, die beim grellen Sonnenlichte im regenbogenfunkelnden Glanz von Diamanten prahlten. Dort brachen sich die leuchtenden Sonnenpfeile teils an den Pinienwichseln, die dicht beisammen wie im vertrauten Gespräche standen, teils hielt sie ein weitausgespannter japanischer Schirm ab, auf dem lustige Gestalten mit scharfen, unangenehmen Farben festgehalten waren.

Innerhalb des Schattenbereiches dieses Schirmes lehnte in einem weichen Strohfauteuil eine Frauengestalt, die ihre schönen Formen wohlig in das nachgiebige Geflecht schmiegte. Die eine schmale, unberingte Hand hing wie vergessen herab und spielte mit leisem, behaglichem Schmeicheln in dem glitzernden Seidenfelle eines Hundes, während die andere ein Buch hielt, auf das die dunkeln, schwarzbewimperten Augen, in denen es wie ein verhaltenes Lächeln lag, ihre ununterbrochene Aufmerksamkeit konzentrierten. Es waren große, unruhige Augen, deren Schönheit noch ein matter verschleierter Glanz erhöhte. Überhaupt war die starke, anziehende Wirkung, die das ovale, scharfgeschnittene Gesicht ausübte, keine natürliche, einheitliche, sondern ein raffiniertes Hervorstechen einzelner Detailschönheiten, die mit besorgter, feinfühliger Koketterie gepflegt waren. Das anscheinend regellose Wirrnis der duftenden, schimmernden Locken war die mühevolle Konstruktion einer Künstlerin, und auch das leise Lächeln, das während des Lesens die Lippen umzitterte und dabei den weißen, blanken Schmelz der Zähne entblößte, war das Resultat einer mehrjährigen Spiegelprobe, aber jetzt schon zur festen, unablegbaren Gewohnheitskunst geworden.

Ein leises Knistern im Sande.

Sie sieht hin, ohne ihre Stellung zu ändern, wie eine Katze, die im blendenden warmflutenden Sonnenlichte gebadet liegt und nur träge mit den phosphorisierenden Augen dem Kommenden entgegenblinzelt.

Die Schritte kommen rasch näher und ein livrierter Diener steht vor ihr, um ihr eine schmale Visitkarte zu überreichen und dann ein wenig wartend zurückzutreten.

Sie liest den Namen mit dem Ausdrucke der Überraschung in den Zügen, den man hat, wenn man auf der
Straße von einem Unbekannten in familiärster Weise be-
grüßt wird. Einen Augenblick graben sich kleine Falten
oberhalb der scharfen, schwarzen Augenbrauen ein, die
das angestrengte Nachdenken markieren, und dann plötzlich spielt ein fröhlicher Schimmer um das ganze Gesicht,
die Augen blitzen in übermütiger Helligkeit, wie sie an
längst verflogene, ganz und gar vergessene Jugendtage
denkt, deren lichte Bilder der Name in ihr neu erweckt
hat. Gestalten und Träume gewinnen wieder feste Formen und werden klar wie die Wirklichkeit.

»Ach so«, erinnerte sie sich plötzlich zum Diener gewandt, »der Herr möchte natürlich vorsprechen.«

Der Diener ging mit leisen devoten Schritten. Eine
Minute war diese Stille, nur der nimmermüde Wind sang
leise in den Gipfeln, die voll schweren Mittagsgoldes hingen.

Und dann plötzlich elastische Schritte, die energisch
auf dem Kieswege hallten, ein langer Schatten, der bis zu
ihren Füßen lief, und eine hohe Männergestalt stand vor
ihr, die sich lebhaft von ihrem schwellenden Sitze erhoben hatte.

Zuerst begegneten sich ihre Augen. Er überflog mit
einem raschen Blicke die Eleganz der Gestalt, während
ihr leises ironisches Lächeln auch in den Augen aufleuchtete.

»Es ist wirklich lieb von Ihnen, daß Sie noch an mich
gedacht haben«, begann sie, indem sie ihm die schmal-
schimmernde, feingepflegte Hand hinstreckte, die er ehrfürchtig mit den Lippen berührte.

»Gnädige Frau, ich will ehrlich mit Ihnen sein, weil
dies ein Wiedersehen ist seit Jahren und auch, wie ich
fürchte, – für lange Jahre. Es ist mehr ein Zufall, daß ich
hierher gekommen bin, der Name des Besitzers dieses

Schlosses, nach dem ich mich wegen seiner herrlichen Lage erkundigte, rief mir Ihre Anstalt wieder in den Sinn. Und so bin ich denn eigentlich als ein Schuldbewußter da.«

»Darum aber nicht minder willkommen, denn auch ich konnte mich nicht im ersten Moment an Ihre Existenz erinnern, obwohl sie einmal für mich ziemlich bedeutsam war.«

Jetzt lächelten beide. Der süße leichte Duft der ersten halbverschwiegenen Jugendliebe war mit seiner ganzen berauschenden Süßigkeit in ihnen erwacht wie ein Traum, über den man beim Erwachen verächtlich die Lippen verzieht, obwohl man wünscht, ihn noch einmal nur zu träumen, zu leben. Der schöne Traum der Halbheit, die nur wünscht und nicht zu fordern wagt, die nur verspricht und nicht gibt. –

Sie sprachen weiter. Aber es lag schon eine Herzlichkeit in den Stimmen, eine zärtliche Vertraulichkeit, wie sie nur ein so rosiges, schon halbverblaßtes Geheimnis gewähren kann. Mit leisen Worten, in die hie und da ein fröhliches Lachen seine rollenden Perlen warf, sprachen sie von vergangenen Dingen, von vergessenen Gedichten, verwelkten Blumen, verlorenen und vernichteten Schleifen, kleinen Liebeszeichen, die sie sich in der kleinen Stadt, in der sie damals ihre Jugend verbrachten, gegenseitig gegeben. Die alten Geschichten, die wie verschollene Sagen in ihren Herzen langverstummte, stauberstickte Glocken rührten, wurden langsam, ganz langsam von einer wehen, müden Feierlichkeit erfüllt, der Ausklang ihrer toten Jugendliebe legte in ihr Gespräch einen tiefen, fast traurigen Ernst. –

Und seine dunkelmelodisch klingende Stimme vibrierte leise, wie er erzählte: »In Amerika drüben bekam ich die Nachricht, daß Sie sich verlobt hätten, zu einer Zeit, wo die Heirat wohl schon vollzogen war.«

Sie antwortete nichts darauf. Ihre Gedanken waren zehn Jahre weiter zurück.

Einige lange Minuten lastete ein schwüles Schweigen auf beiden.

Und dann fragte sie leise, fast lautlos:

»Was haben Sie damals von mir gedacht?«

Er blickte überrascht auf.

»Ich kann es Ihnen ja offen sagen, denn morgen fahre ich wieder meiner neuen Heimat zu. – Ich habe Ihnen nicht gezürnt, nicht Augenblicke voll wirrer, feindlicher Entschlüsse gehabt, denn das Leben hatte schon damals die farbige Lohe der Liebe zu einer glimmenden Flamme der Sympathie erkaltet. Ich habe Sie nicht verstanden, nur – bedauert.«

Eine leichte dunkelrote Stelle flog über ihre Wangen und der Glanz ihrer Augen wurde intensiv, wie sie erregt ausrief:

»Mich bedauert! Ich wüßte nicht warum.«

»Weil ich an Ihren zukünftigen Gemahl dachte, den indolenten, immer erwerben wollenden Geldmenschen – widersprechen Sie mir nicht, ich will Ihren Mann, den ich immer geachtet habe, durchaus nicht beleidigen – und weil ich an Sie dachte, das Mädchen, wie ich es verlassen habe. Weil ich mir nicht das Bild denken konnte, wie Sie, die Einsame, Ideale, die für das Alltagsleben nur eine verächtliche Ironie gehabt, die ehrsame Frau eines gewöhnlichen Menschen werden konnten.«

»Und warum hätte ich ihn denn doch geheiratet, wenn dies alles sich so verhielte?«

»Ich wußte es nicht so genau. Vielleicht besaß er verborgene Vorzüge, die dem oberflächlichen Blicke entgehen und erst im intimen Verkehr zu leuchten beginnen. Und dies war mir dann des Rätsels leichte Lösung, denn eines konnte und wollte ich nicht glauben.«

»Das ist?«

»Daß Sie ihn um seiner Grafenkrone und seiner Millionen genommen hätten. Das war mir die einzige Unmöglichkeit.«

Es war, als hätte sie das letzte überhört, denn sie blickte mit vorgehaltenen Fingern, die im Sonnenlichte in blutdunkelm Rosa wie eine Purpurmuschel erstrahlten, weit hinaus, weithin zum schleierumzogenen Horizonte, wo der Himmel sein blaßblaues Kleid in die dunkle Pracht der Wogen tauchte.

Auch er war in tiefen Gedanken verloren und hatte beinahe die letzten Worte vergessen, als sie plötzlich kaum vernehmlich, von ihm abgewendet, sagte:

»Und doch ist es so gewesen.«

Er sah überrascht, fast erschreckt zu ihr hin, die in langsamer, offenbar künstlicher Ruhe sich wieder in ihren Sessel niedergelassen hatte und mit einer stillen Wehmut monoton und die Lippen kaum bewegend weitersprach:

»Ihr habt mich damals keiner verstanden, als ich noch das kleine Mädchen mit den verschüchterten Kinderworten war, auch Sie nicht, der Sie mir so nah standen. Ich selbst vielleicht auch nicht. Ich denke jetzt noch oft daran und begreife mich nicht, denn was wissen noch Frauen von ihren wundergläubigen Mädchenseelen, deren Träume wie zarte, schmale, weiße Blüten sind, die der erste Hauch der Wirklichkeit verweht? Und ich war nicht wie alle die andern Mädchen, die von mannesmutigen, jugendkräftigen Helden träumten, die ihre suchende Sehnsucht zu leuchtendem Glücke, ihr stilles Ahnen zum beseligenden Wissen machen sollten und ihnen die Erlösung bringen von dem ungewissen, unklaren, nicht zu fassenden und doch fühlbaren Leid, das seinen Schatten über ihre Mädchentage wirft, und immer dunkler und drohender und lastender wird. Das habe ich nie gekannt, auf anderen Traumeskähnen steuerte meine Seele dem verborgenen Hain der Zukunft zu, der hinter den hüllenden Nebeln der kommenden Tage lag. Meine Träume waren eigen. Ich träumte mich immer als ein Königskind, wie sie in den alten Märchenbüchern stehen, die mit funkelnden, strahlenschillernden Edelsteinen spielen, deren Hände sich im goldigen Glanz von Märchenschätzen versenken und deren wallende Kleider von unnennbaren Werten sind. – Ich träumte von Luxus und Pracht, weil ich beides liebte. Die Lust, wenn meine Hände über zitternde, leise singende Seide streifen durften, wenn meine Finger in den weichen, dunkelträumenden Daunen eines schweren Sammetstoffes wie im Schlafe liegen konnten! Ich war glücklich, wenn ich Schmuck an den schmalen Gliedern meiner von Freude zitternden Finger wie eine Kette tragen konnte, wenn weiße Steine aus der dichten Flut meines Haares wie Schaumperlen schimmerten, mein höchstes Ziel war es, in den weichen Sitzen eines eleganten Wagens zu ruhen. Ich war damals in einem Rausche von Kunstschönheit befangen, der mich mein wirkliches Leben verachten ließ. Ich haßte mich, wenn ich in meinen Alltagskleidern war, bescheiden und einfach wie eine Nonne und blieb oft tagelang zu Hause, weil ich mich vor mir selbst in meiner Gewöhnlichkeit schämte, ich versteckte mich in meinem engen, häßlichen Zimmer, ich, deren schönster Traum es war, allein am weiten Meere zu leben, in einem Eigentum, das prächtig ist und kunstvoll zugleich, in schattigen, grünen Laubgängen, wo nicht die Niedrigkeit des Werkeltags seine schmutzigen Krallen hinreckt, wo reicher Friede ist – fast so wie hier. Denn was meine Träume gewollt, hat mir mein Mann erfüllt, und eben weil er dies vermochte, ist er mein Gemahl geworden. «

Sie ist verstummt und ihr Gesicht ist von bacchantischer Schönheit umloht. Der Glanz in ihren Augen ist tief und drohend geworden, und das Rot der Wangen flammt immer heißer auf.

Es ist tiefe Stille.

Nur drunten der eintönige Rhythmensang der glitzernden Wellen, die sich an die Stufen der Terrasse werfen, wie an eine geliebte Brust.

Da sagt er leise, wie zu sich selbst:

»Aber die Liebe?«

Sie hat es gehört. Ein leichtes Lächeln zieht über ihre Lippen.

»Haben Sie heute noch alle Ihre Ideale, *alle*, die Sie damals in die ferne Welt trugen? Sind Ihnen alle geblieben, unverletzt, oder sind Ihnen einige gestorben, dahingewelkt? Oder hat man sie Ihnen nicht am Ende gewaltsam aus der Brust gerissen und in den Kot geschleudert, wo die Tausende von Rädern, deren Wagen zum Lebensziele strebten, sie zermalmt haben? Oder haben Sie keine verloren?«

Er nickt trübe und schweigt.

Und plötzlich führt er ihre Hand zu den Lippen, küßt sie stumm. Dann sagt er mit herzlicher Stimme:

»Leben Sie wohl!«

Sie erwidert es ihm kräftig und ehrlich. Sie fühlt keine Scham, daß sie einem Menschen, dem sie durch Jahre fremd war, ihr tiefstes Geheimnis entschleiert und ihre Seele gezeigt. Lächelnd sieht sie ihm nach und denkt an die Worte, die er von der Liebe gesprochen, und die Vergangenheit stellt sich wieder mit leisen, unhörbaren Schritten zwischen sie und die Gegenwart. Und plötzlich denkt sie, daß *jener* ihr Leben hätte leiten können, und die Gedanken malen in Farben diesen bizarren Einfall aus.

Und langsam, langsam, ganz unmerklich, stirbt das Lächeln auf ihren träumenden Lippen ...

Geschichte in der Dämmerung

Hat der Wind wieder Regen über die Stadt geweht, daß es plötzlich so dunkelt in unserem Zimmer? Nein. Die Luft ist silbern klar und still, wie selten in diesen Sommertagen, aber es ist spät geworden, und wir haben es nicht bemerkt. Nur die Dachfenster gegenüber lächeln noch in leisem Glanz, und der Himmel über dem First ist schon mit goldenem Rauch umflort. In einer Stunde wird es Nacht sein. In einer wundervollen Stunde, denn nichts ist schöner zu sehen als diese Farbe, die allmählich welk wird und sich verschattet, und dann im Zimmer das Dunkel, das vom Boden aufquillt, bis schließlich die schwarzen Fluten lautlos über den Wänden zusammenschlagen und uns mittragen in ihre Finsternis. Wenn man da einander gegenübersitzt und sich ansieht ohne Wort, will es einem scheinen in dieser Stunde, als würde das vertraute Gesicht in den Schatten älter und fremder und ferner, als hätte man sich nie so gekannt und sähe sich an über einen weiten Raum und viele Jahre. Aber du willst jetzt das Schweigen nicht, sagst du, weil man sonst zu beklommen hört, wie die Uhr die Zeit in hundert kleine Splitter zerschlägt und das Atmen in der Stille laut wird, wie das eines Kranken. Ich soll dir jetzt etwas erzählen. Gerne. Freilich nicht von mir, denn unser Leben in diesen endlosen Städten ist ja arm an Erlebnis, oder es scheint uns so, weil wir noch nicht wissen, was uns wirklich zu eigen gehört. Aber ich will dir eine Geschichte erzählen für diese Stunde, die eigentlich nur das Schweigen liebt, und ich wollte, sie hätte etwas von diesem warmen, weichen, flutenden Licht der Dämmerung, das schleiernd vor unseren Fenstern schwebt.

Ich weiß nicht, wie diese Geschichte zu mir kam. Ich bin nur, dessen entsinne ich mich, am frühen Nachmittage hier lang gesessen, habe in einem Buche gelesen und es dann sinken lassen, hindämmernd in Träumerei, vielleicht auch in leisen Schlaf. Und plötzlich sah ich Gestalten hier, und sie glitten die Wand entlang, und ich konnte ihre Worte hören und in ihr Leben sehen. Doch als ich den Entschwindenden nachblicken wollte, war ich schon wieder wach und allein. Zu meinen Füßen gesunken, lag das Buch. Nun ich es aufhob und nach den Gestalten frug, fand ich darin die Geschichte nicht mehr; es war, als sei sie aus den Blättern in meine Hände gefallen, oder sie war nie darin gewesen. Vielleicht hatte ich sie geträumt oder in einer jener bunten Wolken gelesen, die heute von fernen Ländern in unsre Stadt kamen und den Regen forttrugen, der uns so lange bedrückte. Oder hatte ich sie aus jenem einfältigen alten Lied gehört, das eine Drehorgel melancholisch unter meinem Fenster knarrte, oder hatte sie jemand mir vor Jahren erzählt? Ich weiß es nicht. Solche Geschichten kommen oft zu mir heran, und ich lasse ihre Geschehnisse spielend durch meine Finger rinnen, ohne sie festzuhalten, so wie man Ähren und hochstengeligen Blumen im Vorübergehen schmeichelt, ohne sie zu pflücken. Ich träume sie nur von einem jähen farbigen Bild zu einem sanfteren Ende, aber ich fasse sie nicht. Doch du willst heute von mir eine Geschichte, und so erzähle ich sie dir jetzt in dieser Stunde, da die Dämmerung uns sehnsüchtig macht, Buntes und Bewegtes vor unsern Augen leuchten zu sehn, die im Grau verarmen.

Wie soll ich beginnen? Ich fühle, ich muß einen Augenblick aus dem Dunkel herausheben, ein Bild und eine Gestalt, denn so beginnen auch in mir diese seltsamen

Träume. Nun entsinne ich mich schon. Ich sehe einen schlanken Knaben, der die breitstufige Treppe eines Schlosses niedersteigt. Es ist Nacht und eine Nacht mit nur mattem Mondlicht, aber ich umfasse wie mit einem erhellten Spiegel jede Kontur seines geschmeidigen Körpers, sehe genau in seine Züge. Er ist außerordentlich schön. Kindhaft gekämmt fallen die schwarzen Haare glatt über die fast überhohe Stirne, und die Hände, die er im Dunkel vorbreitet, um die Wärme der durchsonnten Luft tastend zu fühlen, sind sehr zart und edel. Sein Schritt zögert. Verträumt steigt er nieder zu dem großen, mit vielen runden Bäumen rauschenden Garten, durch den wie ein weißer Steg eine einzige breite Chaussee strahlt.

Ich weiß nicht, wann dies alles geschieht, ob gestern oder vor fünfzig Jahren, und ich weiß nicht wo, aber ich glaube in England muß es sein oder in Schottland, denn nur dort kenne ich so hohe breit gequaderte Schlösser, die von der Ferne wie Kastelle trotzig drohen und sich erst vertrautem Blick willig zu den hellen blumigen Gärten niederneigen. Ja, nun weiß ich es ganz bestimmt, es ist oben in Schottland, denn nur dort sind die Sommernächte so licht, daß der Himmel milchig glänzt wie ein Opal und die Felder nie dunkel werden, daß alles wie von innen leise leuchtend scheint und nur die Schatten, schwarzen Riesenvögeln gleich, in die hellen Flächen niederfallen. In Schottland ist es, oh, nun weiß ich es ganz, ganz bestimmt, und wenn ich mich mühte, fände ich diesem gräflichen Schlosse den Namen und dem Knaben auch, denn nun schält sich rasch die dunkle Rinde los von dem Traume, und alles fühle ich so deutlich, als sei es nicht Entsinnung, sondern Erlebnis. Der Knabe ist während des Sommers bei seiner verheirateten Schwester zu Gast und nach der freundschaftlichen Art der vornehmen englischen Familien nicht allein; abends versammelt die

Runde eine ganze Reihe Jagdfreunde und ihre Frauen, dazu ein paar Mädchen, hohe schöne Menschen, deren Heiterkeit und Jugend lachend und doch nicht lärmend mit dem Echo der alten Mauern spielt. Tagsüber sprengen Pferde hin und her, Hunde werden in Koppeln gebracht, drüben auf dem Fluß glitzern zwei, drei Boote: eine Regsamkeit ohne Geschäftigkeit gibt dem Tag einen angenehm schnellen Rhythmus.

Aber jetzt ist es Abend, die Tischrunde gelöst. Die Herren sitzen im Saal, rauchen und spielen; bis Mitternacht fallen von den hellen Fenstern weiße, an den Rändern zitternde Lichtkegel in den Park hinein, manchmal auch ein volles, launiges Lachen. Die Damen sind meist schon auf ihren Zimmern, eine oder zwei plaudern vielleicht noch in der Vorhalle mitsammen. Und so ist der Knabe abends ganz allein. Zu den Herren darf er noch nicht oder nur für einen Augenblick, und vor der Nähe der Frauen hat er Scheu, denn oft, wenn er die Türe aufklinkt, senken sie plötzlich die Stimmen, und er spürt, sie reden Dinge, die er nicht hören soll. Und überhaupt, er liebt ihre Gesellschaft nicht, denn sie fragen ihn wie ein Kind und hören nur lässig seine Antworten, sie nützen ihn bloß zu tausend kleinen Gefälligkeiten aus und danken ihm dann wie einem artigen Buben. So hat er zu Bett gehen wollen und war schon die krumme Treppe hinaufgegangen; aber das Zimmer war zu warm gewesen, vollgepreßt mit dumpfer unbewegter Schwüle. Man hatte vergessen, bei Tag die Fenster zu schließen, und so hatte die Sonne sich hier breit gemacht: den Tisch hatte sie heiß gezündet und das Bett angeglüht, auf den Wänden lastend gelegen, und noch zittert erregt ihr schwüler Atem aus den Winkeln und Vorhängen. Und dann: so früh war es noch – und draußen leuchtete die sommerliche Nacht wie eine weiße Kerze, so ruhig, so windstill, so sehnsuchtslos still. Und da ist der Knabe die hohe Schloßtreppe wieder hinabgestiegen zu dem Garten, über dessen dunkler Runde der Himmel mattleuchtend liegt wie ein Heiligenschein und wo ein voller, von vielen unsichtbaren Blüten entatmeter Duft ihm lockend entgegenbebt. Seltsam ist ihm zumute. Er wüßte nicht zu sagen wie, in dem verwirrten Gefühl seiner fünfzehn Jahre, aber seine Lippen beben so, als müßte er irgend etwas in die Nacht hinsprechen oder die Hände heben oder die Augen lange schließen, als sei irgendein Geheimnisvoll-Vertrautes zwischen ihm und dieser ruhenden Sommernacht, das Rede wollte oder ein Zeichen des Grußes.

Langsam geht der Knabe aus der breiten, offenen Allee in einen der schmalen Seitengänge, wo sich die Bäume hoch oben mit silbern bestrahlten Kronen zu umarmen scheinen, unten aber nachtschwer das Dunkel liegt. Ganz still ist es. Nur jenes unbeschreibliche Getön der Stille in einem Garten, jenes summende Schwingen, als fiele ein weicher Regen ins Gras oder streiften die Halme hellsurrend einander, weht an den Schreitenden heran, der ganz verloren ist in süßer unfaßbarer Schwermut. Manchmal rührt er leise einen Baum an oder bleibt stehen, um dem flüchtigen Getön nachzulauschen: der Hut drückt ihm die Stirne, und so legt er ihn ab, um an den nackten Schläfen, wo sein Blut klingt, die Hand des schläfrigen Windes zu fühlen.

Da, mit einem Male, wie er tiefer in das Dunkel tritt, geschieht etwas Unerhörtes. Hinter ihm knirscht leise der Kies. Und da er sich erschreckt umwendet, sieht er nur noch das flatternde Leuchten einer hohen weißen Gestalt auf sich zu, und schon an ihm, und erschrocken fühlt er sich stark und doch ohne jede Gewalt von einer Frau umfangen. Ein warmer, weicher Körper preßt sich drängend an den seinen, eine Hand streift rasch und schaudernd über sein Haar und beugt seinen Kopf zurück: taumelnd fühlt er an seinem Mund eine fremde, aufgetane

Frucht, zitternde Lippen, die sich in die seinen einsaugen. So nahe ist dieses Gesicht dem seinen, daß er die Züge nicht sehen kann. Und er wagt es nicht, denn wie Schmerz schlägt Schauer seinen Leib, daß er die Augen schließen muß und sich willenlos als Beute diesen brennenden Lippen hingeben; unentschlossen, unsicher wie eine Frage, fassen seine Arme nun diese fremde Gestalt, und jäh berauscht preßt er den fremden Leib an sich. Gierig fließen seine Hände die weichen Linien entlang, ruhen und zittern wieder fort, werden fiebriger und empörter. Immer drängender und schon übergebeugt, eine selig schwere Bürde, ruht jetzt die ganze Last des Körpers über seiner nachgebenden Brust. Er fühlt sich irgendwie sinken und hinströmen unter diesem schwer atmenden Drängen, und schon brechen seine Knie. An nichts denkt er, nicht, wie diese Frau zu ihm kam, und nicht, wie ihr Name ist, er trinkt nur mit geschlossenen Augen von diesen fremden duftfeuchten Lippen die Begehrlichkeit in sich, bis er trunken ist, willenlos, sinnlos hintreibend in eine ungeheure Leidenschaftlichkeit. Ihm ist, als seien plötzlich Sterne niedergestürzt, so ein Flimmern ist vor seinen Augen, und wie Funken zittert alles und brennt, was er berührt. Und er weiß nicht, wie lange all dies dauert, ob es Stunden sind, daß er so weich umkettet ist, oder Sekunden: alles fühlt er auflodern in dem wilden Gefühl des wollüstigen Kampfes und wegtreiben, hintaumeln in eine wunderbare Schwindligkeit.

Und dann plötzlich, mit einem Ruck, zerbricht die heiße Kette. Jäh, fast erbost, läßt die Umklammerung seine umpreßte Brust, die fremde Gestalt richtet sich auf, und schon fließt, hell und schnell, ein weißer Lichtstreif an den Bäumen vorbei und ist wieder fort, ehe er die Hände heben konnte, ihn zu haschen.

Wer war das? Und wie lange hat das gedauert? Beklemmt, betäubt richtet er sich an einem Baume auf.

Langsam strömt das kühle Denken wieder zurück zwischen die fiebrigen Schläfen: um tausend Stunden scheint ihm sein Leben plötzlich vorgerückt. Was er verwirrt geträumt hatte von Frauen und von Leidenschaft, sollte es plötzlich wahr geworden sein? Oder war es doch nur ein Traum? Er tastet sich an, greift sich ins Haar. Ja, es ist feucht um die hämmernden Schläfen, feucht und kühl vom Tau des Grases, in das sie hingestürzt waren. Nun blitzt alles wieder vorbei vor seinem Blick, er fühlt die Lippen wieder brennen, atmet den fremden knisternden Duft der Wollust aus dem Kleid, jedes Wortes sucht er sich zu entsinnen. Aber keines fällt ihm ein.

Und jetzt erinnert er sich erschreckt mit einem Male, daß sie gar nichts gesprochen, nicht einmal seinen Namen genannt; daß er nur ihre überquellenden Seufzer kennt und das Drohen, das krampfig verhaltene Schluchzen der Lust, daß er den Duft ihrer verworrenen Haare weiß, den heißen Druck ihrer Brüste, den glatten Email ihrer Haut, daß ihre Gestalt, ihr Atem, ihr ganzes zukkendes Gefühl ihm zu eigen war und er doch nicht ahnt, wer diese Frau gewesen, die ihn mit ihrer Liebe im Dunkel überfiel. Daß er nun stammeln muß nach einem Namen, um seine Überraschung, sein Glück zu benennen.

Und da scheint ihm das Unerhörte, das er soeben plötzlich mit einer Frau erlebt, arm, ganz arm und nichtig gegen das funkelnde Geheimnis, das mit lockenden Augen aus dem Dunkel auf ihn starrt. Wer war diese Frau? Im Flug überdenkt er alle Möglichkeit, versammelt die Bilder aller Frauen, die hier am Schlosse leben, vor seinem Blick; jede seltsame Stunde ruft er zurück, jedes Gespräch mit ihnen gräbt er aus seiner Erinnerung, jedes Lächeln der fünf, sechs Frauen, die einzig in diesem Rätsel verstrickt sein könnten. Die junge Gräfin E., die oft so heftig ihren alternden Mann anfuhr, vielleicht, oder die junge Frau seines Onkels, die so seltsam sanfte und doch irisierende Augen hatte, oder – er erschrak bei dem Gedanken – eine der drei Schwestern, seine Cousinen, die einander so ähnlich sind in ihrer hohen, stolzen, schroffen Art? Nein – aber die waren doch alle kühle, bedächtige Menschen. Wie ein Verstoßener, Kranker hatte er sich in den letzten Jahren oftmals gedünkt, seit geheime Gluten in ihm wühlten und flackernd in seine Träume fielen, wie hatte er alle die beneidet, die so ruhig, so schwindelfrei und begierdelos waren oder schienen, hatte sich geängstigt vor seiner erwachenden Leidenschaft wie vor einem Gebrest. Und nun . . .? Aber wer, wer unter allen diesen wüßte so zu täuschen?

Langsam löst die beharrliche Frage den Rausch aus seinem Blut. Es ist spät geworden, die Lichter im Spielsaal sind verlöscht, er allein wacht noch im Schloß, er – und vielleicht noch jene Andere, Unbekannte. Leise drängt ihn die Müdigkeit. Wozu noch sinnen? Ein Blick, ein Funkeln zwischen den Lidern, ein heimlicher Händedruck muß ihm ja morgen alles verraten. Träumerisch steigt er die Treppe hinauf, träumerisch wie er sie hinabgestiegen, aber doch so unendlich anders. Sein Blut ist noch leise erregt, und das erwärmte Zimmer scheint ihm jetzt klarer und kühler zu sein.

Wie er aufwacht am nächsten Morgen, stampfen und scharren schon unten die Pferde, er hört Stimmen lachen und seinen Namen dazwischen. Rasch springt er auf – das Frühstück ist versäumt – zieht sich fieberschnell an und stürmt hinab, wo ihn die andern schon fröhlich empfangen. »Langschläfer«, lacht ihm die Gräfin E. entgegen, und das Lachen blinkt aus hellen Augen. Ein gieriger Blick faßt ihr Gesicht; nein, sie konnte es nicht sein, ihr Lachen ist zu unbekümmert. »Süß geträumt«, spottet die junge Frau, aber zu schmächtig scheint ihm ihr zarter Körper. Rasch flattert seine Frage von Gesicht zu Ge-

sicht, aber auf keinem wartet ein lächelnder Widerschein.

Und sie reiten hinein ins Land. Er horcht auf jede
Stimme, horcht mit den Blicken auf jede Linie, jede Welle
der im Ritt bewegten Frauenkörper; jedes Biegen belauscht er und wie sie die Arme heben. Er beugt sich
mittags bei Tische im Gespräch nahe heran, um jeden
Duft der Lippen zu spüren oder die Schwüle des Haares,
aber nichts, nichts gibt ihm ein Zeichen, eine flüchtige
Spur, auf der seine erhitzten Gedanken nachstürmen
könnten. Der Tag dehnt sich unendlich dem Abend zu.
Nun er in einem Buche lesen will, rinnen die Zeilen über
den Rand hinaus und führen plötzlich in den Garten, und
es ist wieder Nacht, die sonderbare Nacht, und er fühlt
sich wieder umkettet von den Armen der Unbekannten.
Da läßt er das Buch aus den zitternden Händen und will
zum Teich hinüber. Und steht plötzlich, selbst erschrok-
ken, auf dem Kieswege an der gleichen Stelle. Abends
fiebert er beim Essen, seine Hände sind irr, tasten rastlos
hin und her, wie verfolgt, seine Augen kriechen scheu
unter die Lider. Erst wie die anderen ihre Stühle endlich,
oh, endlich wegrücken, ist er beglückt, und schon flieht
er zum Zimmer hinaus in den Park hinein, auf und nieder
den weißen Weg, der wie ein milchiger Nebel unter seinen Füßen zu flimmern scheint, auf und nieder und wieder auf und nieder, hunderte-, tausendmal. Brennen die
Lichter schon im Saal? Ja, endlich sind sie aufgeflammt,
und endlich glänzen auch vom ersten Stock ein paar blinde Fenster. Die Damen haben sich zurückgezogen. Jetzt
kann es nur mehr Minuten dauern, wenn sie kommen
will, aber jetzt schwillt jede Minute bis zum Bersten mit
roter Ungeduld. Und wieder auf und nieder, er zuckt nur
so hin und her wie von geheimen Schnüren gerissen.

Und da plötzlich huscht die weiße Gestalt die Treppe
hinab, rasch, viel zu rasch, als daß er sie erkennen könnte.

Ein Mondstreif scheint sie oder ein verlorener, wehender Schleier zwischen den Bäumen, vom schnellen Wind hergejagt und jetzt, jetzt in seine Arme, die sich um diesen wilden, vom hastigen Laufe erhitzt pochenden Leib gierig schließen wie eine Kralle. Wie gestern ist es wieder ein einziger Augenblick, da diese warme Welle unvermutet an seine Brust schlägt, daß er ohnmächtig zu werden glaubt von ihrem süßen Schlag und nur so hinströmen will, verfluten in eine finstere Lust. Aber dann erlischt jäh der Rausch, und er hält seine Glut zurück. Nein, sich nicht verlieren in diese wunderbare Wollust, nicht sich hingeben an diese saugenden Lippen, ehe zu wissen, welchen Namen dieser Körper trägt, der sich so eng an ihn drängt, daß es ihm ist, als poche dieses fremde laute Herz in seiner eigenen Brust! Er beugt den Kopf vor ihrem Kusse zurück, um das Gesicht zu sehn: aber Schatten fallen herab und mischen sich im unsicheren Lichte mit dem dunklen Haar. Zu dicht ist das Baumgewirr und zu matt das Licht des wolkenumschleierten Mondes. Nur die Augen sieht er glimmend leuchten, glühende Steine, irgendwo tief in den mattglänzenden Marmor eingesprengt.

Da will er ein Wort hören, nur einen losgerissenen Splitter ihrer Stimme. »Wer bist du, sag mir, wer bist du?« verlangt er. Aber dieser weiche, feuchte Mund hat nur Küsse, keine Worte. Da will er ein Wort erpressen, einen Schrei des Schmerzes, er zerdrückt den Arm, bohrt seine Nägel tief in das Fleisch, aber bloß Keuchen fühlt er aus seiner angespannten Brust, erhitzten Atem und die Schwüle der hartnäckig stummen Lippen, die nur manchmal leise stöhnen, er weiß nicht, ob in Schmerz oder Wollust. Und das macht ihn wahnsinnig, daß er keine Kraft hat über diesen trotzigen Willen, daß diese Frau aus dem Dunkel ihn nimmt, ohne sich ihm zu verraten, daß er unbegrenzte Macht hat über ihren begehrenden Körper und nicht Herr ist ihres Namens. Ein Zorn bricht in ihm auf, und er wehrt ihrer Umschlingung; sie aber, die Ermattung seines Armes fühlend und gewahr seiner Unruhe, umschmeichelt begütigend und lockend mit der erregten Hand sein Haar. Und da spürt er, wie die Finger hinstreifen, leise klingend etwas an seiner Stirne, Metall, ein Medaillon, eine Münze, die lose von ihrem Armbande pendelt. Da faßt ihn jäh ein Gedanke. Wie in wildester Leidenschaft preßt er ihre Hand an sich und drückt dabei die Münze tief in seinen halbentblößten Arm, bis sich die Fläche in seine Haut eingräbt. Ein Zeichen ist ihm jetzt gewiß, und nun, da es an seinem Körper brennt, da gibt er sich willig hin an die verhaltene Leidenschaft. Nun preßt er sich tief in ihren Körper, saugt die Wollust von ihren Lippen, hinstürzend in diese geheimnisvoll lüsterne Glut einer wortlosen Umkettung.

Und als sie dann, ganz wie gestern, plötzlich aufspringt und flüchtet, da sucht er sie nicht zu halten, denn die Neugier nach dem Zeichen fiebert in seinem Blut. Er stürmt in sein Zimmer, läßt die mattschwere Lampe grell aufflammen und beugt sich gierig über das Mal, das die Münze in seinen Arm eingegraben hat.

Es ist nicht mehr ganz deutlich, die volle Rundung ist verlöscht, aber die eine Ecke ist noch scharf und rot eingepreßt, unverkennbar genau. An den Ecken kantig abgeschliffen, achteckig muß die Münze sein und mittelgroß, wie ein Penny etwa, nur plastischer, denn hier ist die Grube noch tief, die der Erhöhung entspricht. Wie Feuer brennt das Mal, da er es so gierig betrachtet, wie eine Wunde tut es ihm plötzlich weh, und erst jetzt, da er die Hand in das kalte Wasser taucht, schwindet das schmerzhafte Brennen. Achteckig ist das Medaillon: jetzt fühlt er sich ganz sicher. Triumph funkelt in seinem Blick. Morgen wird er alles wissen. Am nächsten Morgen ist er einer der ersten am Frühstückstisch. Von den

Damen sind nur ein ältliches Fräulein, seine Schwester und die Gräfin E. zur Stelle. Alle sind sie aufgeräumt, ihr Gespräch springt achtlos an ihm vorbei. Um so besser kann er beobachten. Rasch gleitet sein Blick um die schmale Handfessel der Gräfin: sie trägt kein Armband. Nun erst kann er ruhig mit ihr sprechen, aber nervös tastet sein Auge immer zur Türe hin. Die drei Schwestern, seine Cousinen, treten jetzt zusammen ein. Die Unruhe rührt ihn wieder an. Undeutlich unter den Ärmeln verschoben, sieht er ihren Armschmuck, aber zu rasch nehmen sie Platz, gerade ihm gegenüber Kitty, die kastanienbraune, Margot, die blonde, und Elisabeth, deren Haar so hell ist, daß es im Dunkel wie Silber leuchtet und in der Sonne golden fließt. Alle drei sind sie wie immer kühl, still und abwehrend, erstarrt in die Würde, die er an ihnen so haßt, weil sie doch nicht viel älter sind als er und doch vor Jahren noch seine Spielkameraden waren. Die junge Frau seines Onkels fehlt noch. Immer unruhiger wird das Herz des Knaben, da er die Entscheidung so nahe fühlt, und mit einemmal ist ihm die rätselhafte Qual des Geheimnisses fast lieb. Aber sein Blick ist neugierig, huschend streift er an der Tischkante herum, über deren weißem Geleucht die Hände der Frauen ruhig liegen oder langsam wandeln wie Schiffe in einer blinkenden Bucht. Er sieht nur die Hände, und sie scheinen ihm plötzlich wie eigene Wesen, wie Gestalten auf einer Bühne, jede ein Leben und eine Seele. Warum klopft das Blut so an seine Schläfe? Alle drei Cousinen sieht er erschreckt, tragen Armreifen, und die Gewißheit, daß es eine von diesen hochmütigen, äußerlich so tadellosen Frauen sein könnte, die er nur immer, selbst in Kindertagen, trotzig in sich gewandt gekannt hatte, verwirrt ihn. Welche sollte es sein? Kitty, die er am wenigsten kennt, weil sie die Älteste ist, die schroffe Margot oder die kleine Elisabeth? Er wagt sich gar keine von ihnen zu wünschen. Im geheimsten verlangt er, keine möge es sein oder er möchte es nicht wissen. Aber jetzt reißt ihn das Verlangen schon hin.

»Darf ich noch um eine Tasse Tee bitten, Kitty?« Seine Stimme klingt, als hätte er Sand in der Kehle. Er reicht die Tasse, nun muß sie den Arm heben, über den Tisch strecken, bis zu ihm her. Jetzt – er sieht ein Medaillon vom Armreif niederzittern, eine Sekunde starrt seine Hand, aber nein, es ist ein grüner Stein, rund gefaßt, der leise an das Porzellan anklingt. Wie ein Kuß streichelt sein Blick dankbar das braune Haar Kittys.

Einen Augenblick holt er Atem.

»Darf ich dich um ein Stück Zucker bemühen, Margot?« Eine schmale Hand drüben am Tisch wacht auf, streckt sich, krümmt sich um eine Silberdose und bringt sie her. Und da – seine Hand schlottert leise – sieht er, wo das Gelenk sich in den Ärmel verkriecht, von einem fein-geflochtenen Reif eine alte Silbermünze niederpendeln, achtkantig abgeschliffen, pennygroß, ein Familienstück offenbar. Aber achtkantig, mit den scharfen Ecken, die gestern in seinem Fleisch gebrannt haben. Seine Hand wird nicht fester, zweimal tappt die Zuckerzange dane-ben, dann erst läßt er ein Stück Zucker in den Tee fallen, den er zu trinken vergißt.

Margot! Auf den Lippen fiebert der Name, ein Auf-schrei der ungeheuerlichsten Überraschung; aber er beißt die Zähne zusammen. Da hört er sie jetzt sprechen – und so fremd scheint ihm ihre Stimme, als redete jemand von einer Tribüne herab – kühl, besonnen, leise witzelnd und so ruhigen Atems, daß ihm fast graut vor der furchtbaren Lüge ihres Lebens. Ist das wirklich dieselbe Frau, deren Keuchen er gestern niedergepreßt, deren feuchte Lippen er getrunken, die sich nachts wie ein Raubtier auf ihn gestürzt? Immer starrt er wieder auf die Lippen. Ja, der Trotz, das Verschlossensein, der konnte nur auf diesen scharfen Lippen sich bergen, aber was verriet ihm die Glut?

Tiefer sieht er in ihr Gesicht, als sähe er es zum erstenmal. Und zum erstenmal fühlt er, jubelnd, schauernd beglückt und fast einem Weinen nah, wie schön sie war in diesem Stolz, wie lockend in ihrem Geheimnis. Wollüstig zeichnet sein Blick die runde, in einem scharfen Winkel dann plötzlich aufklimmende Linie ihrer Augenbrauen nach, gräbt sich tief in den kühlen Karneol ihrer graugrünen Augen, küßt die blasse, leise durchleuchtende Haut ihrer Wangen, wölbt die jetzt scharfgespannten Lippen weicher zum Kuß, irrt um das helle Haar und faßt in raschem Niederstieg jetzt wollüstig die ganze Gestalt. Nie bis zu dieser Sekunde hat er sie gekannt. Nun er von Tisch aufsteht, zittern seine Knie. Er ist von ihrem Anblick trunken wie von schwerem Wein.

Da ruft schon unten seine Schwester. Die Pferde stehen bereit zum Morgenritt, tänzeln nervös und kauen ungeduldig an den Trensen. Rasch steigt einer nach dem andern in den Sattel, und dann geht es in bunter Kavalkade durch die breite Gartenallee. Zuerst in langsamem Trab, dessen träger Gleichklang dem Knaben so wenig zum jagenden Takt seines Blutes stimmt. Aber dann hinter dem Tore lassen sie den Pferden die Zügel, stürmen von der Straße rechts und links seitab in die Wiesen hinein, die noch leise dampfen im Morgen. Es muß nachts stark getaut haben, denn unter dem schleiernden Rauch glitzern unruhige Funken, und die Luft ist wie von einem nahen Wassersturz wunderbar gekühlt. Die geschlossene Gruppe löst sich bald, die Kette zerreißt in farbige Splitter, ein paar Reiter sind schon im Wald zwischen den Hügeln verschwunden.

Margot ist eine der ersten voran. Sie liebt den wilden Schwung, den leidenschaftlichen Anflug des Windes, der an ihren Haaren reißt, das unbeschreibliche Gefühl des

Vorwärtssausens im scharfen Galopp. Hinter ihr stürmt der Knabe: er sieht ihren stolzen Körper hochgereckt, geschwungen zu einer schönen Linie durch die wilde Bewegung, sieht manchmal ihr Gesicht, angeflogen von einer leichten Röte, das Leuchten ihrer Augen, und jetzt, da sie ihre Kraft so leidenschaftlich auslebt, erkennt er sie wieder. Verzweifelt fühlt er seine jähe Liebe, sein Verlangen. Eine ungestüme Gier überfällt ihn, sie jetzt plötzlich zu fassen, vom Pferd zu reißen und in seine Arme, wieder die unbändigen Lippen zu trinken und die schütternden Stöße ihres erregten Herzens an seiner Brust aufzufangen. Ein Schlag in die Flanke, und aufwiehernd springt sein Pferd vor. Jetzt ist er an ihrer Seite, fast streift sein Knie das ihre, die Bügel klingen leise zusammen. Nun muß er es sagen, er muß. »Margot«, stammelt er. Sie wendet den Kopf, die scharfe Braue spannt sich nach oben. »Was ist's, Bob?« Ganz kühl sagt sie's. Und ganz kühl und blank sind ihre Augen. Ein Schauer rieselt ihm bis ins Knie. Was hat er sagen wollen? Er weiß es nicht mehr. Irgend etwas stammelte er von Umkehren. »Bist du müde?« sagt sie, ein wenig höhnisch wie ihm scheint. »Nein, aber die andern sind so weit zurück«, bringt er noch mühsam hervor. Ein Augenblick noch, fühlt er, und er muß etwas ganz Unsinniges tun, jäh die Arme nach ihr ausstrecken oder zu weinen anfangen oder mit der Gerte nach ihr schlagen, die wie elektrisch in seiner Hand zittert. Mit einem Ruck reißt er das Pferd zurück, daß es sich kurz bäumt. Sie stürmt weiter, hochgereckt, stolz, unnahbar.

Die andern holen ihn bald ein. Um ihn schwirrt rechts und links ein helles Gespräch, aber die Worte und das Lachen summen sinnlos an ihm vorbei wie das harte Klappern der Hufe. Er quält sich, daß er den Mut nicht fand, ihr von seiner Liebe zu sagen und ihr Geständnis zu erzwingen, und die Begierde, sie zu bändigen, wird wilder und wilder, wie ein roter Himmel fällt sie vor seinen Augen über das Land. Warum hat er sie nicht gehöhnt, wie sie ihn mit ihrem Trotz? Unbewußt treibt er das Pferd, und nun erst, im hitzigen Sausen wird ihm leichter. Da rufen die andern zur Umkehr. Die Sonne ist über den Hügel gekrochen und steht hoch im Mittag. Von den Feldern weht ein weicher, qualmiger Duft her, grell sind die Farben geworden und brennen wie geschmolzenes Gold in die Augen. Schwüle und Schwere bläht sich über das Land, schon trabten die verschwitzten Pferde schläfriger, dampfen warm und keuchen. Langsam sammelt sich wieder der Zug, die Heiterkeit ist lässiger, das Gespräch spärlicher geworden.

Auch Margot ist wieder aufgetaucht. Ihr Pferd ist angeschäumt, weiße Flocken zittern an ihrem Kleid, und der runde Knoten des Haares droht aufzubrechen, so locker halten nur mehr die Spangen. Der Knabe starrt wie verzaubert auf das blonde Geflecht, und der Gedanke, daß es sich plötzlich lösen könnte und niederrauschen in wilden, wehenden Flechten, macht ihn toll vor Erregung. Schon glänzt am Ende der Chaussee das gewölbte Tor des Gartens und dahinter der breite Gang zum Schlosse hin. Vorsichtig lenkt er an den andern vorbei, ist als erster zur Stelle, springt ab, gibt dem herbeieilenden Diener die Zügel und erwartet die Kavalkade. Margot ist eine der letzten. Ganz langsam trabt sie heran, den Körper schlaff zurückgelehnt, erschöpft wie nach einer Wollust. So müßte sie sein, fühlt er, wenn sie ihren Rausch betäubt hatte, so mußte sie gestern, vorgestern abends gewesen sein. Das Erinnern macht ihn wieder ungestüm. Er drängt hin zu ihr. Atemlos hilft er ihr vom Pferde.

Wie er den Bügel hält, umklammert seine Hand fiebernd das zarte Gelenk ihres Fußes. »Margot«, stöhnt er, murmelt er leise. Sie antwortet nicht einmal mit einem

Blick und faßt gelassen beim Niedersprung die hinge-
reichte Hand.

»Margot, wie wunderbar bist du«, stammelt er noch
einmal. Sie sieht ihn scharf an, die Braue schneidet sich
wieder hoch in die Stirne. »Ich glaube, du bist betrunken,
Bob! Was schwätzest du da?« Aber zornig über die Verstellung, blind vor Leidenschaft preßt er die noch immer
gehaltene Hand fest an sich, als wollte er sie in seine Brust
bohren. Da gibt ihm Margot, zornig errötend, einen harten Stoß, daß er taumelt, und schreitet rasch an ihm vorbei. So rasch, so zuckend rasch ist dies alles geschehen,
daß keiner es bemerkt hat und daß ihm nun selber dünkt,
es sei nur ein beängstigender Traum gewesen.

So blaß ist er, so erregt den ganzen Tag, daß ihm die
blonde Gräfin beim Vorübergehen ins Haar streift und
fragt, ob ihm etwas fehle. So zornig ist er, daß er seinen
Hund, der ihm bellend entgegenspringt, mit einem Fuß-
tritt zur Seite jagt, so ungeschickt beim Spiel, daß die
Mädchen ihn auslachen. Der Gedanke, daß sie heute
abend nicht kommen würde, vergiftet sein Blut, macht
ihn böse und unwirsch. Sie sitzen beim Tee zusammen
draußen im Garten, Margot ihm gegenüber, aber sie
sieht ihn nicht an. Magnetisch angezogen zittern seine
Augen immer gegen die ihren hin, aber kühl, wie graues
Gestein ruhen die und geben kein Echo. Erbitterung
packt ihn, daß sie so mit ihm spielt. Wie sie sich jetzt
brüsk von ihm abwendet, ballt sich seine Faust, und er
fühlt, er könnte sie ruhig niederschlagen.

»Was hast du denn, Bob, du bist ja ganz blaß«, sagt da
plötzlich eine Stimme. Es ist die kleine Elisabeth, Margots Schwester. In ihren Augen glänzt ein warmes, weiches Licht, aber er merkt es nicht. Er fühlt sich irgendwie
ertappt und sagt wütend: »Laßt mich doch einmal in Ruh
mit eurer verfluchten Besorgnis.« Und bereut es schon.
Denn Elisabeth wird sehr blaß, wendet sich ab und sagt

mit Tränen in der Stimme: »Du bist aber schon mehr als merkwürdig.« Alle sehen ihn böse und fast drohend an, und er selbst fühlt seine Inkorrektheit. Aber da kommt, ehe er sich noch entschuldigen kann, eine harte Stimme, blank und scharf wie eine Messerschneide, Margots Stimme über den Tisch herüber: »Überhaupt finde ich Bob für seine Jahre sehr ungezogen. Man tut unrecht, ihn als Gentleman oder nur als Erwachsenen zu behandeln.« Margot sagt das, Margot, die ihm noch gestern nachts ihre Lippen geschenkt. Er fühlt alles um sich kreisen, einen Nebel vor seinen Augen. Ein Zorn packt ihn an. »Du mußt es ja wissen, gerade du!« sagt er mit einer ganz bösartigen Betonung und steht auf. Hinter ihm fällt der Sessel um von der jähen Bewegung, aber er wendet sich nicht mehr.

Und doch, so unsinnig es ihm selbst scheint, abends steht er wieder unten im Garten und betet zu Gott, daß sie kommen möge. Vielleicht war auch dies nur Verstellung und Trotz, nein, er wollte sie nicht mehr fragen und nicht mehr quälen, wenn sie nur käme, wenn er nur wieder das erbitterte Begehren dieser weichen, feuchten Lippen an seinem Munde spüren dürfte, das alle Fragen versiegelt. Die Stunden scheinen eingeschlafen zu sein, ein träges schlaffes Tier liegt die Nacht vor dem Schloß: irrsinnig lang ist die Zeit. Wie von spöttelnden Stimmen beseelt scheint ihm das leise Gesurr im Grase ringsum, wie höhnische Hände die Äste und Zweige, die sich leise bewegen und mit ihrem Schatten spielen und dem leichten Funkeln des Lichts. Alle Geräusche sind verworren und fremd, schmerzhafter prickeln sie als die Stille. Einmal schlägt drüben im Land ein Hund an, und einmal schwirrt eine Sternschnuppe quer über den Himmel und stürzt irgendwo hinter das Schloß. Immer heller scheint die Nacht zu werden, immer dunkler der Bäume Schatten über dem Weg und immer verworrener dies leise Tönen. Dann hüllen wandernde Wolken wieder den Himmel in ein mattes, schwermütiges Dunkel. Schmerzhaft fällt diese Einsamkeit über das fiebernde Herz.

Der Knabe geht auf und ab. Immer heftiger und schneller. Manchmal schlägt er zornig gegen einen Baum oder zerreibt die Rinde zwischen den Fingern, zerreibt sie so zornig, daß sie bluten. Nein, sie wird nicht kommen, er hat es ja gewußt, aber doch will er es nicht glauben, denn dann kommt sie ja nie, nie mehr wieder. Es ist seines Lebens bitterster Augenblick. Und so leidenschaftlich jung ist er noch, daß er sich heftig hinwirft in das feuchte Moos, die Hände in die Erde verkrallt, Tränen über den Wangen und leise, erbittert schluchzend, wie er nie als Kind geweint hat und nie mehr wird weinen können.

Da plötzlich weckt ihn ein leises Knacken im Gehölz aus seiner Verzweiflung. Und wie er aufspringt und mit blinden, tastenden Händen nach vorne, da hält er – und wunderbar ist dieser jähe, warme Anprall an seiner Brust – wieder den Körper in den Armen, von dem er wild geträumt. Ein Schluchzen schäumt aus seiner Kehle, sein ganzes Sein ist gelöst in einen unerhörten Krampf, und er preßt diesen hohen, vollen Leib so herrisch an sich, daß von den fremden und stummen Lippen ein Stöhnen bricht. Und wie er sie unter seiner Kraft stöhnen fühlt, da weiß er zum erstenmal, daß er Herr ist über sie und nicht wie gestern, wie vorgestern die Beute ihrer Laune; ein Verlangen packt ihn, sie zu quälen für die Qual, die er durch hundert Stunden geschleppt, sie zu züchtigen für ihren Trotz, für diese verächtlichen Worte heute abend vor den anderen, für das lügnerische Spiel ihres Lebens. Haß ist in seine brennende Liebe zu ihr so unlösbar verflochten, daß diese Umschlingung mehr ein Kampf ist als eine Zärtlichkeit. Er klemmt ihre schmalen Handgelenke, daß sich ihr ganzer keuchender Körper zitternd mitwindet, und reißt sie dann wieder so stürmisch an sich, daß sie sich nicht rühren kann und nur immer dumpf stöhnt, er weiß nicht, ob in Lust oder Schmerz. Aber kein Wort kann er ihr abzwingen. Wie er jetzt ihre Lippen mit den seinen saugend umpreßt, um auch noch dieses dumpfe Stöhnen zu verschließen, fühlt er eine warme Feuchte daran, Blut, rinnendes Blut, so sehr sind ihre Zähne in die Lippen verbissen gewesen. Und so quält er sie, bis er plötzlich selbst seine Kraft entrinnen spürt und die heiße Welle der Lust in ihm aufschießt, und nun keuchen sie beide, Brust an Brust. Flammen sind über Nacht gefallen, Sterne scheinen vor seinen Augen zu flirren, alles wird irr, die Gedanken kreisen wilder, und alles hat nur einen Namen: Margot. Dumpf, aus tiefster Seele in glühendstem Überschwall stößt er das Wort endlich heraus, Jubel und Verzweiflung, Sehnsucht, Haß, Zorn und Liebe zugleich, einen einzigen Schrei, der dreier Tage Qual in sich preßt: Margot, Margot, und in den zwei Silben schwingt für ihn die Musik der Welt.

Wie ein Schlag fährt es durch ihren Körper. Mit einem Male erstarrt das Ungestüm der Umschlingung, ein wilder, kurzer Stoß, ein Schluchzen, ein Weinen zuckt die Kehle heraus, und schon ist wieder Feuer in den Bewegungen, aber nur, um sich loszureißen, wie von verhaßter Berührung. Er versucht sie überrascht zu halten, aber sie ringt mit ihm, er fühlt beim Nahebiegen des Gesichtes Tränen des Zornes über ihre Wangen zittern und den schlanken Körper gebäumt wie eine Schlange. Und plötzlich wirft sie ihn mit einem erbitterten Stoß zurück und entflieht. Weiß flimmert der Schein ihres Kleides zwischen den Bäumen und ist schon ertrunken im Dunkel.

Und da steht er wieder allein, erschreckt und verwirrt, wie das erstemal, als die Wärme und Leidenschaft jäh aus seinen Armen stürzte. Vor seinen Blicken schimmern die

Sterne feucht, und das Blut bohrt spitze Funken von innen an seine Stirne. Was ist ihm geschehen? Er tastet durch die sich lösende Reihe der Bäume tiefer in den Garten hinein, wo er weiß, daß die kleine Fontäne sprudelt, und läßt ihr Wasser sich über die Hand schmeicheln, weißes, silbernes Wasser, das ihm leise zumurmelt und wunderbar leuchtet im Widerschein des aus Wolken nun langsam wieder erwachenden Mondes. Und da faßt ihn, jetzt da sein Blick klarer wird, wunderbar, als hätte der laue Wind sie aus den Bäumen niedergeweht, eine wilde Traurigkeit. Tränenwarm quillt es aus seiner Brust, und nun stärker, klarer als in den Sekunden zuckender Umpressung fühlt er, wie sehr er Margot liebt. Alles, was bislang war, ist von ihm gesunken, der Rausch, Schauer und Krampf des Besitzes und der Zorn des verwehrten Geheimnisses: wehmutssüß und voll hält ihn die Liebe umfaßt, eine schon fast sehnsuchtslose, aber doch übermächtige Liebe.

Warum hat er sie so gequält? Hat sie ihm denn nicht unsagbar viel gegeben in diesen drei Nächten, war nicht sein Leben aus einer trüben Dämmerung plötzlich in ein funkelndes und gefährliches Licht getreten, seit sie ihn die Zärtlichkeit lehrte und die wilden Schauer der Liebe? Und mit Tränen, im Zorn war sie von ihm gegangen! Ein unwiderstehliches, weiches Verlangen quillt in ihm auf nach einer Versöhnung, nach einem linden, ruhigen Wort, irgendwie ein Gelüst, sie wunschlos still im Arm zu halten und ihr zu sagen, wie dankbar er ihr sei. Ja, er will hingehen zu ihr, ganz in Demut, und will ihr sagen, wie rein er sie liebt und daß er nie wieder ihren Namen nennen will, nie eine verwehrte Frage erzwingen.

Silbern rauscht das Wasser, und er muß an ihre Tränen denken. Vielleicht ist sie jetzt ganz allein in ihrem Zimmer, sinnt er weiter, und nur diese flüsternde Nacht hört auf sie, die alle belauscht und keinen tröstet. Dieses Fern-

und Nahesein zugleich von ihr, ohne einen Schimmer von ihrem Haar zu sehen, ein halbverwehtes Wort ihrer Stimme zu hören und doch verstrickt zu sein, Seele in Seele, wird ihm zur unerträglichen Qual. Und unwiderstehlich wird die Sehnsucht nach ihrer Nähe, und sei es nur vor ihrer Tür zu liegen wie ein Hund oder als Bettler zu stehen unter ihrem Fenster.

Wie er zaghaft aus dem Baumdunkel hinschleicht, sieht er von ihrem Fenster im ersten Stock noch Licht glänzen. Es ist ein matter Schein, kaum hellt sein gelbes Flimmern noch die Blätter des breiten Ahornbaumes, der seine Äste wie Hände pochend an das Fenster legen will und sich vorstreckt und wieder weicht im leisen Wind, ein dunkler, riesiger Lauscher vor der kleinen, blanken Scheibe. Der Gedanke, daß Margot hinter diesem blanken Glase wacht, daß sie vielleicht noch weint oder an ihn denkt, regt den Knaben so auf, daß er sich an den Baum lehnen muß, um nicht zu schwanken.

Wie gebannt starrt er hinauf. Die weißen Gardinen schaukeln, unruhig im Luftzug spielend, aus dem Dunkel heraus, scheinen bald tiefgolden in der innern Strahlung des warmen Lampenlichtes, bald silbern, wenn sie vorwehend an den Mondstreif rühren, der zwischen den runden Blättern durchsickert und flirrt. Und die nach innen gewandte Scheibe spiegelt dies bewegte Fließen von Schatten und Licht als loses Gewebe von lichten Reflexen. Aber dem Fiebernden, der jetzt mit heißen Augen vom Schattendunkel nach oben starrt, scheinen dunkle Runen des Geschehens auf die blanke Tafel geschrieben zu sein. Das Fließen der Schatten, das silbrige Glänzen, das wie zarter Rauch über die blanke Fläche weht, diese flüchtigen Wahrnehmungen füllt seine Phantasie zu zuckenden Bildern. Er sieht sie, Margot, hoch und schön, das Haar, oh, das wilde, blonde Haar, gelöst, seine eigene Unruhe im Blut auf- und niedergehn im Zimmer, sieht sie fiebernd in der Schwüle ihrer Leidenschaft, schluchzend im Zorn. Wie durch Glas sieht er jetzt durch die überhohen Wände die kleinsten ihrer Bewegungen, das Erbeben ihrer Hände, das Niedersinken auf einen Sessel und das stumme, verzweifelte Hinstarren in den sternenweißen Himmel. Er glaubt sogar, da die Scheibe für einen Augenblick sich erhellt, ihr Gesicht zu erkennen, das sie ängstlich heranbeugt, um in den schlummernden Garten niederzusehen, nach ihm zu sehen. Und da überwältigt ihn sein wildes Gefühl, verhalten und doch drängend, ruft er ihren Namen hinauf: Margot! ... Margot!

War das nicht ein Huschen wie ein Schleier, weiß und schnell über die blanke Fläche? Deutlich glaubt er es gesehen zu haben. Er horcht. Aber nichts regt sich. Rückwärts schwillt der leise Atem der schlaftrunkenen Bäume und das seidige Knistern im Grase leise an vom trägen Wind, wird wieder ferner und wieder lauter, eine warme Woge, die leise verrauscht. Ruhig atmet die Nacht, und stumm steht das Fenster, ein silberner Rahmen um ein abgedunkeltes Bild. Hat sie ihn nicht gehört? Oder will sie ihn nicht mehr hören? Dieser zitternde Glanz um das Fenster macht ihn ganz wirr. Sein Herz schlägt das Verlangen hart aus der Brust heraus gegen die Rinde des Baumes, die zu zittern scheint vor so ungestümer Leidenschaft. Er weiß nur, daß er sie jetzt sehen, jetzt sprechen muß, und sollte er ihren Namen so rufen, daß die Leute kämen und andere vom Schlafe erwachten. Er fühlt jetzt, daß etwas geschehen müsse, das Unsinnigste scheint ihm erwünscht, wie im Traum alle Dinge leicht und erreichbar. Jetzt, da sein Blick noch einmal emporgreift zum Fenster, sieht er mit einemmal den hingelehnten Baum seinen Ast hinstrecken wie einen Wegweiser, und schon greift die Hand wilder um den Stamm. Plötzlich ist ihm alles klar: er muß da hinauf – der Stamm ist zwar breit, fühlt sich aber weich und geschmeidig an – und von oben sie rufen, eine Spanne nur von ihrem Fenster; dort, ihr nahe, will er dann mit ihr sprechen und nicht eher wieder niedersteigen, ehe sie ihm nicht vergeben hat. Keine Sekunde überlegt er, nur das Fenster sieht er lockend und leise glänzen und spürt den Baum an seiner Seite, stämmig und bereit, ihn zu tragen. Ein paar rasche Griffe, ein Schwung jetzt noch hinauf, und schon hängen seine Hände an einem Ast und ziehen den Körper energisch nach. Und jetzt hängt er oben, fast ganz oben im Blattwerk, das unter ihm entsetzt schwankt. Bis in die letzten Blätter rieselt dieses wellig schaurende Rauschen, und stärker beugt sich der vorgelehnte Ast an das Fenster, als wollte er die Ahnungslose warnen. Der Kletternde sieht jetzt schon die weiße Decke des Zimmers und in ihrer Mitte golden funkelnd den Lichtkreis der Lampe. Und er weiß, leise zitternd vor Erregung, im nächsten Augenblicke wird er sie selbst sehen, weinend oder still schluchzend oder in der nackten Begierde ihres Körpers. Seine Arme werden schlaff, aber er faßt sich wieder. Langsam gleitet er den Ast hinab, der ihrem Fenster zugewandt ist, die Knie bluten ihm leicht, die Hand hat sich aufgerissen, aber er klimmt weiter und ist schon fast angestrahlt vom nahen Schein des Fensters. Ein breites Gebüschel von Blättern umhängt noch die Aussicht, den so sehr ersehnten letzten Blick, und wie er jetzt die Hand hebt, um ihn beiseite zu streifen, und schon der Lichtstrahl blank auf ihn fällt, wie er sich vorbeugt und bebt – schwankt sein Körper, verliert das Gleichgewicht, und wirbelnd stürzt er hinab.

Ein leiser dumpfer Schlag fällt auf den Rasen wie von einer schweren Frucht. Oben beugt sich, beunruhigt blickend, eine Gestalt zum Fenster hinaus, aber das Dunkel ist reglos und still wie ein Teich, der einen Ertrinkenden in seine Flut genommen. Bald löscht oben das Licht,

und der Garten geistert wieder im unsichern Dämmer-
glanz über den schweigenden Schatten.

Nach ein paar Minuten erwacht der Gestürzte aus seiner Betäubung. Sein Blick starrt eine Sekunde lang fremd
nach oben, wo ein blasser Himmel mit ein paar irren
Sternen kalt auf ihn niedersieht. Aber dann fühlt er einen
jäh zuckenden, furchtbaren Schmerz im rechten Fuß, einen Schmerz, der ihn fast aufschreien läßt bei der ersten
leisen Bewegung, die er jetzt versucht. Da weiß er plötzlich, was ihm geschehen ist. Und weiß auch, er darf hier
nicht liegen bleiben unter Margots Fenster, darf keinen
um Hilfe bitten, nicht rufen oder sich laut bewegen. Von
der Stirne tropft Blut, er muß im Rasen auf einen Kiesel
oder ein Holzstück hingeschlagen haben, aber das wischt
er mit der Hand weg, nur so, daß es ihm nicht über die
Augen rinnt. Und dann versucht er, ganz auf die linke
Seite gekrümmt, mit den in die Erde sich tief einkrallen-
den Händen langsam sich vorwärtszuziehen. Jedesmal,
wenn das gebrochene Bein berührt oder nur erschüttert
wird, zuckt ein Schmerz auf, daß er fürchtet, wieder
ohnmächtig zu werden. Aber langsam schleift er sich
weiter, eine halbe Stunde fast bis zur Treppe hin, und
schon fühlt er seine Arme lahm werden. Kalter Schweiß
mischt sich auf seiner Stirne mit dem zäh niedertröpfeln-
den Blute: das Letzte, das Ärgste ist noch zu überwinden,
die Treppe, die er sich ganz langsam, unter wildesten
Schmerzen hinaufquält. Wie er jetzt oben ist und das Geländer zitternd faßt, röchelt sein Atem. Wenige Schritte
schleppt er sich noch zur Tür des Spielsaals hin, wo er
Stimmen hört und Licht blinken sieht. An der Klinke
zerrt er sich empor, und plötzlich, wie geschleudert,
stürzt er mit der nachgebenden Tür in das hellerleuchtete
Zimmer.

Furchtbar muß sein Anblick sein, wie er da herein-
stürzt, Blut über dem Gesicht, mit Erde beschmiert und

sofort wie ein Klumpen zu Boden fallend, denn die Herren springen wild auf, Stühle poltern übereinander, alles drängt hin, um ihm zu helfen. Vorsichtig trägt man ihn auf das Sofa. Er kann noch gerade etwas lallen, er sei die Treppe hinabgestürzt, wie er in den Park gehen wollte, dann fallen plötzlich schwarze Schleifen vor seinen Augen nieder, zittern hin und her und umwinden ihn ganz, daß seine Sinne schwinden und er von nichts mehr weiß.

Ein Pferd wird gesattelt, und einer reitet in den nächsten Ort um einen Arzt. Gespenstig belebt sich das aufgeschreckte Schloß: Lichter zittern wie Johanniskäfer in den Gängen auf, Stimmen flüstern und fragen aus den Türen heraus, die Diener kommen scheu und schlaftrunken, und endlich trägt man den Ohnmächtigen hinauf in sein Zimmer.

Der Arzt konstatiert einen Beinbruch und beruhigt alle, daß keine Gefahr sei. Nur lange müsse der Verunglückte reglos liegen bleiben im Verband. Wie man es dem Knaben sagt, lächelt er matt. Es trifft ihn nicht schwer. Denn es ist schön so zu liegen, lange allein, ohne Lärm und Menschen, in einem hellen, hohen Zimmer, an das die Bäume mit den Wipfeln heranrauschen, wenn man träumen will von einer, die man liebt. Es ist süß, alles so in Ruhe zu überdenken, leise Träume zu träumen von der einen, ungestört zu sein von allen Verrichtungen und Pflichten, traulich allein mit diesen zarten Traumbildern, die an das Bett treten, wenn man die Lider für einen Augenblick schließt. Die Liebe hat vielleicht keine stillschöneren Augenblicke als die dieser blassen, dämmernden Träume.

Noch ist der Schmerz stark in den ersten Tagen. Aber es ist ihm eine eigentümliche Wollust beigemengt. Der Gedanke, daß er um Margots, um der Geliebten willen, den Schmerz erlitten habe, gibt dem Knaben ein sehr romantisches und fast überschwengliches Selbstgefühl. Er hätte gerne eine Wunde gehabt, denkt er sich, blutrot über das Gesicht, daß er sie stet und offen hätte tragen können wie ein Ritter die Farben seiner Dame; oder es wäre schön gewesen, überhaupt nicht mehr zu erwachen, sondern unten liegen zu bleiben, zerschmettert vor ihrem Fenster. Und schon träumt er weiter, wie sie dann morgens erwacht, weil Stimmen unter ihrem Fenster lärmen und durcheinander rufen, wie sie sich neugierig niederbeugt und ihn sieht, ihn, unter ihrem Fenster zerschmettert, um ihretwillen gestorben. Und er sieht, wie sie niederbricht mit einem Schrei; er hört diesen gellenden Schrei in seinen Ohren, sieht dann ihre Verzweiflung, ihren Kummer, sieht sie ein ganzes verstörtes Leben lang in schwarzem Kleid düster und ernst gehen, ein leises Zucken um die Lippen, wenn die Leute sie fragen nach ihrem Schmerz.

So träumt er tagelang, zuerst nur im Dunkeln, dann auch schon mit offenen Augen, bald gewöhnt an das wohlige Erinnern des lieben Bildes. Keine Stunde ist zu licht oder zu laut, daß nicht ihr Bild, als lichter Schatten an den Wänden vorbeischleichend, zu ihm käme oder draußen ihre Stimme sich ihm löste vom tröpfelnden Rinnen der Blätter und dem Knistern des Sandes im scharfen Sonnenschein. Stundenlang spricht er so mit Margot oder träumt sich mit ihr auf Reisen und wunderbaren Fahrten. Manchmal aber wacht er wie verstört von diesen Träumereien auf. Würde sie wirklich um ihn trauern? Würde sie sich seiner überhaupt entsinnen?

Freilich: sie kommt manchmal den Kranken besuchen. Oft wenn er mit ihr in Gedanken spricht und ihr helles Bild vor ihm zu stehen scheint, geht die Tür auf, und sie tritt herein, hoch und schön, aber doch so anders wie das Wesen der Träume. Denn nicht mild ist sie und beugt sich auch nicht erregt nieder, um seine Stirn zu küssen, wie die Margot der Träume, sondern sie setzt sich nur hin zu seinem Strecksessel, fragt, wie es ihm ginge, ob er Schmerzen habe, und erzählt ihm ein paar bunte Dinge. So süß erschreckt und verwirrt ist er immer von ihrer Gegenwart, daß er sie gar nicht anzusehen wagt; oft schließt er die Lider, um ihre Stimme besser zu hören, das Tönen ihrer Worte tiefer in sich zu saugen, diese eigene Musik, die dann noch durch Stunden schwingend um ihn schwebt. Er antwortet ihr zögernd, denn er liebt das Schweigen zu sehr, wenn er nur ihren Atem vernimmt und so im tiefsten das Alleinsein mit ihr im Raum, im Weltenraume spürt. Und wenn sie dann aufsteht und sich zur Türe wendet, reckt er sich, trotz des Schmerzes, mühsam auf, um noch einmal alle Linien ihrer bewegten Gestalt in sich einzuzeichnen, sie noch einmal lebend zu umfassen, eh sie wieder in die unsichere Wirklichkeit seiner Träume stürzt.

Jeden Tag fast kommt ihn Margot besuchen. Aber kommt nicht Kitty auch und Elisabeth, die kleine Elisabeth, die ihn sogar immer so erschreckt ansieht und mit so milder, besorgter Stimme fragt, ob ihm noch nicht besser sei? Sieht nicht seine Schwester täglich nach ihm, und die andern Frauen, sind sie denn nicht eigentlich alle gleich herzlich zu ihm? Bleiben Sie nicht auch bei ihm und erzählen ihm bunte Geschichten? Viel zu lange sogar bleiben sie, denn sie scheuchen ihm mit ihrer Gegenwart die verträumten Sinne fort, wecken sie auf von ihrer sinnenden Ruhe und treiben sie zu gleichgültigen Gesprächen und dummen Phrasen. Er wollte, sie kämen alle nicht und nur Margot käme allein, eine Stunde nur, ein paar Minuten bloß, und dann bliebe er wieder einsam, um von ihr zu träumen, ungestört, unbehelligt, leise froh, wie von linden Wolken getragen, ganz in sich gewandt zu den tröstlichen Bildern seiner Liebe.

Manchmal darum, wenn er eine Hand an der Klinke

hört, schließt er die Lider und stellt sich schlafend. Dann schleichen die Besucher auf den Zehen hinaus, er hört die Klinke sich zögernd schließen und weiß, jetzt kann er sich wieder in die laue Flut seiner Träume badend stürzen, sanft von ihnen den lockendsten Fernen zugetragen.

Und einmal nun geschieht ihm dies: Margot war schon bei ihm gewesen, ganz kurz bloß, aber sie hatte ihm den vollen Duft des Gartens mit ihrem Haar gebracht, das schwüle Quellen aufgeblühten Jasmins und das weiße Funkeln der Augustsonne in ihren Augen. Nun, wußte er, durfte er sie nicht nochmals für heute erwarten. Ein langer, heller Nachmittag würde das nun werden, leuchtend in süßer Träumerei, denn keiner wird ihn mehr stören: alle sind sie ja fortgeritten. Und wie sich nun die Türe wieder zaghaft rührt, klemmt er die Augen zu und heuchelt Schlaf. Aber die Eintretende – ganz deutlich hört er es in dem atemstillen Zimmer – tritt nicht wieder zurück, sondern schließt geräuschlos, um ihn nicht zu wecken, die Türe. Und jetzt mit sorgsamen, kaum den Boden anstreifenden Schritten schleicht sie zu ihm heran. Leise hört er ein Kleid rauschen und wie sie sich neben sein Lager setzt. Und purpurn brennend fühlt er durch die geschlossenen Augen ihren Blick über sein Gesicht streifen.

Sein Herz fängt an unruhig zu pochen. Ist es Margot? Sicherlich. Er fühlt es, aber doch ist es süßer, wilder, erregender, ein heimlicher, lüsterner Reiz, die Augen jetzt nicht aufzuschlagen und sie nur neben sich zu ahnen. Was wird sie tun? Endlos scheinen ihm die Sekunden. Sie sieht ihn nur immer an, belauscht seinen Schlaf, und das prickelt elektrisch durch seine Poren, dieses unbehagliche und doch berauschende Bewußtsein, wehrlos, blind ihrer Betrachtung hingegeben zu sein, zu wissen, daß, wenn er jetzt die Augen aufschlüge, sie jäh wie ein Mantel Mar-

gots erschrecktes Gesicht einhüllen würden in ihre Zärtlichkeit. Aber er regt sich nicht, dämpft nur den Atem,
der unruhig und stoßend wird in der zu engen Brust, und
wartet, wartet.

Nichts geschieht. Ihm ist nur, als ob sie sich tiefer
niederbeugte zu ihm, als ob er diesen leisen Duft, diesen
feuchten, leisen Fliederduft, den er von ihren Lippen
kennt, näher an seinem Antlitz fühle. Und jetzt – wie eine
heiße Welle stürzt von dort sein Blut in den ganzen Körper – hat sie ihre Hand auf sein Lager gelegt und streift
leise über der Decke seinen Arm entlang, ruhige, ganz
behutsame Striche, die er magnetisch fühlt und denen das
Blut immer wild nachrinnt. Wunderbar ist das Gefühl
dieser leisen Zärtlichkeit, berauschend und aufstachelnd
zugleich.

Langsam, fast rhythmisch, streift noch immer ihre
Hand seinen Arm entlang. Da blinzelt er heimlich zwischen den Lidern empor. Zuerst dämmert es nur purpurn
rot, eine Wolke von unruhigem Licht, dann nimmt er die
dunkel gesprenkelte Decke wahr, die über seinen Körper
gebreitet ist, und jetzt, als käme sie weit von fern, die
streichelnde Hand; ganz, ganz dämmerig sieht er sie, nur
ein weißes, schmales Leuchten, das heranbricht wie eine
helle Wolke und wieder weicht. Immer mehr schiebt er
den Spalt der Lider auf. Und jetzt erkennt er sie deutlich,
die Finger, weiß und glänzend wie Porzellan, sieht, wie
sie sanft gekrümmt vorwärtsstreifen und dann wieder
zurück, tändelnd, aber doch voll innerer Lebendigkeit.
Wie Fühler kriechen sie heran und ziehen sich wieder
zurück, und er empfindet in diesem Augenblick die Hand
auch als etwas Eigenes und Belebtes, wie eine Katze, die
sich an ein Kleid anschmiegt, wie eine kleine, weiße Katze, die mit eingezogenen Krallen sich verliebt schnurrend
an einen heranmacht, und er erstaunte nicht, wenn plötzlich ihre Augen zu funkeln begännen. Und wirklich:

glänzt da nicht in diesem weißen Heranstreifen blinkender Blick? Nein: es ist nur ein Glanz von Metall, ein Schimmer von Gold. Aber jetzt, wie die Hand wieder vorstreift, sieht er ihn deutlich, es ist das Medaillon, das von dem Armband niederzittert, das geheimnisvolle, verräterische Medaillon, achteckig und pennygroß. Es ist Margots Hand, die seinen Arm liebkost, und das Verlangen zuckt in ihm auf, diese leise weiße, unberingte, nackte Hand an seine Lippen zu reißen und zu küssen. Aber da fühlt er ihren Atem gehen, spürt Margots Gesicht ganz nahe dem seinen, und da kann er seine Lider nicht länger niederpressen, und beglückt, strahlend schlägt er den Blick auf das nahe Gesicht, das erschreckt auffährt und zurückweicht.

Und da, wie die Schatten des niedergebeugten Antlitzes auffliegen und die Helle über die erregten Züge hinfließt, erkennt er – und wie ein Schlag zuckt es durch seine Glieder – Elisabeth, Margots Schwester, die junge, seltsame Elisabeth. War das ein Traum? Nein, er starrt in das jetzt von rascher Röte überflogene Gesicht, das die Augen ängstlich wegwendet: es ist Elisabeth. Mit einem Male ahnt er den furchtbaren Irrtum, sein Blick fährt gierig herab zu ihrer Hand, und wirklich, das Medaillon ist daran.

Vor seinen Augen beginnen Schleier zu kreisen. Ganz wie damals fühlt er, da ihn die Ohnmacht hinwarf, aber er preßt die Zähne zusammen, er will nicht die Gedanken verlieren. Blitzartig fliegt alles vorbei, eingepreßt in die eine Sekunde, das Staunen, der Hochmut Margots, das Lächeln Elisabeths, dieser seltsame Blick, der ihn anrührte wie eine verschwiegene Hand – nein, nein, da war kein Irrtum möglich.

Eine einzige leise Hoffnung zuckt in ihm auf. Er starrt auf das Medaillon hin, vielleicht hat es Margot ihr geschenkt, heute oder gestern oder damals.

Aber da spricht schon Elisabeth zu ihm. Dieses fiebernde Nachdenken muß seine Züge verzerrt haben, denn sie fragt ihn ängstlich: »Hast du Schmerzen, Bob?«

Wie doch ihre Stimmen ähnlich sind, denkt er. Und antwortet nur gedankenlos. »Ja, ja . . . das heißt, nein . . . es geht mir ganz gut!«

Es wird wieder eine Stille. Wie eine heiße Welle kommt der Gedanke immer wieder: vielleicht hat es Margot ihr nur geschenkt. Er weiß, daß es nicht wahr sein kann, aber er muß sie fragen.

»Was hast du da für ein Medaillon?«

»Ach, irgendeine Münze von einer amerikanischen Republik, ich weiß gar nicht von welcher. Onkel Robert hat sie uns einmal gebracht.«

»Uns?«

Er hält den Atem an. Jetzt muß sie es sagen.

»Margot und mir. Kitty wollte sie nicht. Ich weiß nicht warum.«

Er fühlt, wie etwas Feuchtes in seine Augen quillt. Vorsichtig legt er den Kopf zur Seite, daß Elisabeth nicht die Träne sieht, die jetzt schon ganz nahe an den Lidern sein muß, die sich nicht zurückzwingen läßt und die jetzt ganz, ganz langsam über die Wange rollt. Er möchte etwas sagen, hat aber Angst vor seiner Stimme, daß sie sich biegen könnte unter dem steigenden Druck des Schluchzens. Beide schweigen sie, einer den andern ängstlich belauernd. Dann steht Elisabeth auf. »Ich gehe jetzt, Bob. Gute Besserung.« Er schließt die Augen, und dann knarrt die Türe leise zu.

Wie eine aufgeschreckte Taubenschar flattern jetzt die Gedanken auf. Jetzt erst begreift er das Ungeheure des Mißverständnisses, Scham und Ärger über seine Torheit packt ihn, aber gleichzeitig auch ein wilder Schmerz. Er weiß nun, daß ihm Margot auf immer verloren ist, aber er spürt, daß er sie unverändert liebt, jetzt vielleicht noch nicht mit jener verzweifelten Sehnsucht nach dem Unerreichbaren. Und Elisabeth – wie im Zorn stößt er ihr Bild von sich, denn all die Hingabe und die jetzt so gedämpfte Glut ihrer Leidenschaft können ihm nicht mehr so viel sein wie ein Lächeln Margots oder ihre Hand, wenn sie ihn einmal nur leise anrühren wollte. Hätte Elisabeth damals sich ihm gezeigt, er hätte sie geliebt, denn in jenen Stunden war er ja noch kindhaft in seiner Leidenschaft, aber jetzt hat sich in den tausend Träumen der Name Margots zu tief in ihn eingebrannt, als daß er ihn weglöschen könnte aus seinem Leben.

Er fühlt, wie es dunkler wird vor seinen Augen, wie das unablässige Sinnen allmählich in Tränen verschwimmt. Vergebens müht er sich wie in allen den Tagen der Krankheit, in den langen einsamen Stunden Margots Bild vor den Blick zu zaubern: immer drängt sich gleich einem Schatten Elisabeth dazu mit ihren tiefen sehnsüchtigen Augen, und dann verwirrt sich alles, und er muß wieder qualvoll allem nachsinnen, wie es gekommen ist. Und da faßt ihn Scham, wenn er denkt, daß er vor dem Fenster Margots gestanden und ihren Namen gerufen hatte, und wieder Mitleid mit der stillen, blonden Elisabeth, für die er nie ein Wort gehabt hatte oder einen Blick in all den Tagen, da seine Dankbarkeit doch hätte ausstrahlen müssen wie ein Feuer.

Am andern Morgen tritt dann Margot für einen Augenblick an sein Lager. Er schauert vor ihrer Nähe und wagt ihr nicht in die Augen zu sehen. Was sagt sie zu ihm? Er hört es kaum, das wilde Sausen in seinen Schläfen ist lauter als ihre Stimme. Erst wie sie von ihm geht, umfaßt er wieder sehnsüchtig mit dem Blick ihre ganze Gestalt. Er fühlt: nie hat er sie mehr geliebt.

Nachmittags kommt Elisabeth. Sie hat eine leise Vertraulichkeit in ihren Händen, die manchmal an die seinen streifen, und ihre Stimme ist sehr leise, ein wenig umflort. Sie redet mit einer gewissen Angst von gleichgültigen Dingen, als fürchte sie, sich verraten zu müssen, spräche sie von sich oder von ihm. Er weiß nicht recht, was er für sie empfindet. Manchmal wie Mitleid, manchmal wie Dankbarkeit für ihre Liebe spürt er es in sich, aber er könnte ihr nichts sagen. Er wagt kaum, sie anzusehen, aus Furcht, sie zu belügen.

Jeden Tag kommt sie jetzt und bleibt auch länger. Es ist, als ob seit jener Stunde, da das Geheimnis zwischen ihnen aufdämmerte, auch die Unsicherheit verlorengegangen wäre. Aber doch wagen sie nie davon zu reden, von diesen Stunden im Dunkel des Gartens.

Einmal sitzt Elisabeth wieder an seinem Lehnsessel. Es ist helle Sonne draußen, ein grüner Reflex von den wehenden Wipfeln zittert an den Wänden. Ihr Haar scheint in solchen Augenblicken ganz feurig wie brennende Wolken, ihre Haut blaß und durchsichtig, ihr ganzes Wesen leuchtend und irgendwie leicht. Von seinem Kissen aus, wo ein Schatten liegt, sieht er ihr Gesicht nah lächeln und sieht es doch so ferne, weil es strahlt von dem Licht, das ihn nicht mehr erreicht. Alles Geschehene vergißt er bei diesem Anblick. Und wie sie sich hinbeugt zu ihm, daß ihre Augen tiefer zu werden scheinen und als dunkle Spiralen nach innen zu laufen, wie sie sich vorneigt, da faßt sein Arm ihren Leib, beugt ihren Kopf nah zu sich herab, und er küßt sie auf den schmalen feuchten Mund. Sie zittert sehr, widerstrebt aber nicht, sondern streift nur leise traurig mit der Hand ihm übers Haar. Und sagt dann ganz verhauchend, mit einer zärtlichen Traurigkeit in der Stimme: »Du liebst ja doch nur Margot.« Bis an sein Herz fühlt er den hingebenden Ton, diese leise widerstandslose Verzweiflung, bis in die Seele den Namen, der ihn so sehr erschüttert. Aber er wagt nicht zu lügen in dieser Minute. Er schweigt.

Sie küßt ihm noch einmal ganz leicht, fast schwesterlich die Lippen, dann geht sie ohne ein Wort hinaus.

Das ist das einzige Mal, daß sie davon sprechen. Ein paar Tage noch, und dann führen sie den Genesenden hinab in den Garten, wo schon die ersten falben Blätter sich über dem Weg nachjagen und der verfrühte Abend bereits an die Melancholie des Herbstes erinnert. Und wieder ein paar Tage, und er geht schon mühsam allein und nun zum letztenmal für dieses Jahr unter dem bunten Geflecht der Bäume, die jetzt lauter und unwilliger reden im schaukelnden Winde, als damals in jenen drei lauen Sommernächten. Wehmütig geht der Knabe hin zu jener Stelle. Ihm ist, als stände hier unsichtbar eine dunkle Mauer aufgerichtet, hinter der rückwärts, ganz verschwommen schon im Dämmern, seine Kindheit läge und vor ihm ein andres Land, fremd und gefährlich.

Abends nahm er Abschied, sah noch einmal in Margots Gesicht tief hinein, als müßte er es für sein Leben in sich trinken, legte seine Hand unruhig in die Elisabeths, die warm und drängend die seine umschloß, sah an Kitty, an den Freunden und an seiner Schwester fast vorbei, so voll war seine Seele von der Empfindung, daß er die eine liebte und die andere ihn. Sehr blaß war er und irgendein herber Zug auf seinem Gesicht, der ihn nicht mehr wie einen Knaben scheinen ließ. Zum ersten Male sah er aus wie ein Mann.

Und doch, als dann die Pferde anzogen und er sah, wie Margot sich gleichgültig abwandte, um die Treppe hinaufzugehn, und wie über Elisabeths Augen plötzlich ein feuchter Glanz lief und sie sich anhielt an dem Geländer, da kam die Fülle des neuen Erlebens so ganz über ihn, daß er sich seinen Tränen ungestüm hingab wie ein Kind.

Immer ferner leuchtete das Schloß, immer kleiner schien zwischen dem aufquellenden Staub des Wagens der dunkle Garten zu werden, immer wieder die Landschaft, und schließlich war all das, was er erlebt hatte, unsichtbar hinter seinem Blick und nur mehr drängende Erinnerung. Zwei Stunden Fahrt führten ihn zur nahen Station. Und am nächsten Morgen war er in London.

Ein paar Jahre noch, und er war kein Knabe mehr. Aber jenes erste Erlebnis war zu heftig in ihm lebendig geworden, um je wieder zu welken. Margot und Elisabeth hatten beide geheiratet, aber er wollte sie nicht mehr wiedersehen, denn die Erinnerungen an jene Stunden überkamen ihn manchmal mit solch ungestümer Kraft, daß sein ganzes späteres Leben ihm nur Traum und Schein schien gegen die Wirklichkeit dieser Erinnerung. Er ist einer jener Menschen geworden, die kein Verhältnis mehr zur Liebe zu den Frauen finden können; denn ihn, der in einer Sekunde seines Lebens beide Empfindungen, die der Liebe und des Geliebtseins, so voll vereinigt hatte, drängte keine Sehnsucht mehr, zu suchen, was ihm so früh schon in seine zitternden, ängstlich nachgebenden ,Knabenhände gefallen war. Durch viele Länder ist er gereist, einer jener korrekten stillen Engländer, die viele für gefühllos halten, weil sie so schweigsam sind und weil ihr Blick kühl an den Gesichtern der Frauen und an ihrem Lächeln vorübergeht. Denn wer denkt, daß sie die Bilder, auf die ihr Blick stets geheftet ist, innen, verflochten ihrem Blute tragen, das stets um sie lodert wie ein ewiges Licht vor dem Bilde der Madonna? Und jetzt weiß ich auch, wie diese Geschichte zu mir kam. In dem Buch, darin ich heute nachmittag gelesen, war auch eine Karte gelegen, eine Karte, die mir ein Freund aus Kanada schrieb. Es ist ein junger Engländer, den ich einmal auf einer Reise kennenlernte, mit dem ich oftmals an langen Abenden sprach und in dessen Reden manchmal geheimnisvoll wie ferne Standbilder die Erinnerung an zwei Frauen aufleuchtete, die mit einem Augenblick seiner Jugend dauernd vereint waren. Es ist lange her, sehr lange, daß ich mit ihm sprach, und ich hatte auch wohl die Gespräche von damals schon vergessen. Aber heute, als ich die Karte empfing, stieg die Erinnerung, mit allerlei eigenem Erlebnis träumerisch vermengt, wieder auf, und mir war, als hätte ich seine Geschichte in dem Buche gelesen, das mir aus den Händen glitt, oder hätte sie gefunden in einem Traume. –

Aber wie dunkel ist es geworden im Zimmer, und wie ferne bist du mir nun in dieser tiefen Dämmerung! Ich sehe nur einen zarten hellen Schimmer dort, wo ich dein Antlitz ahne, und ich weiß nicht, ob du lächelst oder traurig bist. Ob du lächelst, weil ich mir seltsame Geschehnisse erfinde für Menschen, die ich flüchtig kannte, ganze Schicksale träume und sie dann wieder ruhig zurückgleiten lasse in ihr Leben und ihre Welt? Oder bist du traurig um dieses Knaben willen, der an der Liebe vorbeiging und sich in einer Stunde für immer aus dem Garten dieses süßen Traumes verlor? Sieh, ich wollte es nicht, daß diese Geschichte wehmütig sei und dunkel, ich wollte dir nur von einem Knaben erzählen, den plötzlich die Liebe überfiel, die eigene und die einer andern. Aber die Geschichten, die man des Abends erzählt, wandern alle in die leise Straße der Wehmut hinein. Die Dämmerung senkt sich auf sie mit ihren Schleiern, all die Trauer, die im Abend ruht, wölbt sich sternenlos über sie, das Dunkel sickert in ihr Blut, und all die hellen und bunten Worte, die sie tragen, haben dann einen so vollen und schweren Klang, als kämen sie aus unserm eigensten Leben.

Die gleich-ungleichen Schwestern

Eine »Conte drôlatique«

Irgendwo in einer südländischen Stadt, die ich lieber nicht nennen mag, überraschte mich, aus enger Gasse biegend, der unvermittelt großartige Anblick eines Bauwerkes sehr früher Art, überhöht von zwei mächtigen Türmen in derart gleichförmigen Maßen, daß im sinkenden Licht einer wie der Schatten des andern wirkte. Eine Kirche war es nicht und ebensowenig mochte es ein Palast gewesen sein in verschollenen Zeiten; klösterlich mutete es an und doch wieder mit seinen breiten, wuchtigen Flächen wie ein profanes Gebäude, allerdings unbestimmbarer Art. So störte ich, höflich den Hut lüftend, einen rotbackigen Bürger, der eben auf der Terrasse eines kleinen Cafés ein Glas strohfarbenen Weines trank, mit der Frage nach dem Namen dieses so wuchtig über niedere Schwalbendächer emporgetürmten Baus. Der Gemächliche sah verwundert auf, lächelte dann langsam und feinschmeckerisch, ehe er mir antwortete: »Ganz zuverlässig kann ich Ihnen da nicht Bescheid geben. Im Stadtplan mag es anders stehen, wir aber sagen noch immer wie in alter Zeit: das Schwesternhaus, vielleicht weil die beiden Türme einander so ähnlich sind, vielleicht aber auch, weil . . .« Er stockte und zog vorsichtig ein Lächeln zurück, als ob er sich meiner angefachten Neugier erst vergewissern wollte. Eine halbe Antwort aber macht ungeduldig nach der ganzen – so kamen wir ins Gespräch, und ich gehorchte gern seiner Aufforderung, ein Glas dieses herbflüssigen Goldweines zu versuchen. Vor uns glänzte im langsam sich erhellenden Mondlicht träumerisch das Spitzenwerk der Türme, der Wein mundete mir gut und trefflich, auch an jenem lauen Abend die kleine Legende von den gleich-ungleichen Schwestern, die er mir erzählte und die hier möglichst getreu, wenn auch ohne Bürgschaft für ihre historische Wahrhaftigkeit wiedergegeben sei.

Als der Heerbann des Königs Theodosius genötigt war, in der damaligen Hauptstadt Aquitaniens Winterquartier zu nehmen und dank einer üppigen Rast die abgerackerten Gäule wieder seidenglattes Fell und die Soldaten Langeweile bekamen, geschah es dem Anführer der Reiterei, Herilunt mit Namen, einem Langobarden, daß er sich in eine schöne Krämerin verliebte, die dort im verwinkelten Schatten der Unterstadt Gewürz und süßes Honigbrot ausbot. Und so heftig übermannte ihn die Leidenschaft, daß er, gleichgültig gegen ihren niederen Stand, sie um der baldigen Umarmung willen eiligst ehelichte und mit ihr in ein fürstliches Haus auf dem Marktplatz zog. Dort blieben sie unsichtbar viele Wochen lang, einer dem andern verfallen, und vergaßen die Menschen, die Zeit, den König und den Krieg. Aber während sie so ganz in Liebe versunken waren und allnächtlich schlummerten, einer in des andern Arm, schlief nicht die Zeit. Mit einem schwang warmer Wind sich von Süden her, unter seinem hitzigen Fuß barst das Eis in den Strömen, Krokus und Veilchen nisteten ihr farbig Geblüh unter seine flüchtige Spur auf den Wiesen. Über Nacht buschten die Bäume sich grün, knospig Gewinde brach in feuchten Beulen aus erfrorenen Ästen, der Frühling hob sich auf von der dampfenden Erde und mit ihm wieder der Krieg. Eines Morgens schlug herrisch und fordernd der kupferne Klöppel des Tores in den Morgenschlummer der Liebenden: ein Bote des Königs befahl seinem Führer Rüstung und Ausmarsch. Trommeln klirrten die Quartiere auf, Wind krachte hell in den Fahnen, und bald knatterte der Marktplatz vom Gehuf der gesattelten Pferde. Da löste Herilunt sich rasch aus den weich angerankten Armen seiner Winterfrau, denn so loh seine Liebe war: noch stärker brannten in ihm Ehrgeiz und die männliche Lust an der Feldschlacht. Unfühlsam gegen ihre Tränen und hart gegen ihren Wunsch, ihn zu begleiten, ließ er die Frau im weiträumigen Hause und brach mit dem riesigen Schwarm ins mauretanische Land. In sieben Gefechten überrannte er die Feinde, fegte mit brennendem Besen die Raubburgen der Sarazenen aus, zerbrach ihre Städte und plünderte siegreich hinab bis zur Küste, wo er Segler heuern mußte und Galeeren, die Beute heimwärts zu senden, so unermeßlich staute sich ihre Fülle. Nie ward ein Sieg rascher erfochten, nie ein Feldzug blitzender vollendet. Kein Wunder, daß der König, um so kühnem Kriegsknecht zu danken, ihm gegen geringen Zins Nord und Süd des gewonnenen Landes zu Lehen und Verwaltung übertrug. Nun hätte Herilunt, dessen Heimat bislang der Sattel gewesen, gemächlich Rast halten und zeitlebens sich satten Wohlseins erfreuen können. Doch sein Ehrgeiz, mehr gestachelt als gemildert durch den raschen Gewinst, wehrte sich, Untertan zu sein und zinspflichtig selbst seinem Herrn: einzig ein Königsreif schien ihm nunmehr hell genug für die blanke Stirn seines Weibes. So reizte er heimlich die eigenen Truppen zur Empörung wider den König und rüstete einen Aufstand. Doch frühzeitig verraten, mißlang die Verschwörung. Geschlagen noch vor der Schlacht, gebannt von der Kirche, verlassen von den eigenen Reitern, mußte Herilunt ins Gebirge flüchten, und dort erschlugen um der hohen Belohnung willen Bauern den Geächteten mit Keulen im Schlafe.

Zur gleichen Stunde, da Häscher des Königs den blutenden Leichnam des Rebellen im Strohbett jener Scheune auffanden, ihm Schmuck und Kleider abrissen und den entblößten Leib dann auf den Schindanger warfen, gebar seine Frau, völlig unkund seines Unterganges, in dem Brokatbett des Palastes ein Zwillingspaar, zwei Mädchen, die unter großem Zulauf der Stadt die eigene Hand des Bischofs Helena und Sophia taufte. Noch dröhnten die Glocken in den Türmen und klirrten silberig Pokale beim Festmahle, als jählings die Botschaft von Herilunts Aufruhr und Untergang eintraf, rasch gefolgt von der zweiten, daß der König nach allgültigem Gesetz Haus und Habe des Rebellen einfordere für seinen Schatz. So mußte die schöne Krämerin, kaum daß sie der Wochen genesen, nach kurzer Herrlichkeit wieder im alten dünnwolligen Kleide hinab in die moderige Gasse der Unterstadt, nur daß sie nun noch zwei unmündige Kinder und die Bitternis so arger Enttäuschung mit in ihr Elend nahm. Wieder saß sie von Morgen bis Abend auf dem niederen Holzschemel ihres Ladens und bot der Nachbarschaft Gewürz und süße Honigware, höhnische Spottreden oft einstreichend mit den kärglich errafften Kupfermünzen. Gram löschte ihr rasch das helle Licht in den Augen, frühes Grau entfärbte ihr Haar. Doch für Not und Mißgeschick entschädigten sie bald der holden Zwillingsschwestern aufgeweckte Munterkeit und besonderer Liebreiz, hatten sie doch beide von der Mutter die strahlende Schönheit geerbt und waren so zwiefach ähnlich einander in Gestalt und Anmut der Rede, daß man vermeinte, hier blicke als lebender Spiegel ein liebliches Bild das andere an. Nicht nur Fremde, sondern selbst die eigene Mutter vermochte die beiden Gleichaltrigen und Gleichgestalteten, Helena und Sophia, nicht zu unterscheiden, derart vollkommen war ihre Ähnlichkeit. So hieß sie Sophia ein billig leinenes Bändchen als Armreif tragen, damit sie kenntlich sei von der Schwester an diesem sichtbaren Zeichen. Hörte sie aber ihre Stimme oder blickte sie einzig in ihrer Zwillingskinder Gesicht, so war sie bei jeder unkund, mit welchem der Namen sie die allzu Ähnlichen rufen sollte.

Wie aber von der Mutter die stürmische Schönheit, so hatten verhängnisvollerweise die Zwillingsschwestern von ihrem Vater auch jenen Unband von Ehrgeiz und Herrschsucht geerbt, so daß jede von ihnen die andere und überdies noch alle Gleichaltrigen in jeder Beziehung zu übertreffen strebte. Noch in jenen anfänglichen Jahren, da Kinder sonst gleichgültig und arglos spielen, trieben die beiden schon jede Tätigkeit zu Wettstreit und Eifersucht gewaltsam empor. Hatte ein Fremder, von der Anmut des einen Kindes erfreut, ihm ein schmuckes Ringlein an den Finger gesteckt, ohne der anderen gleiche Gabe zu bieten, hatte der einen Kreisel sich länger gedreht als jener der Schwester, so konnte die Mutter die Benachteiligte flach hingestreckt auf dem Boden finden, die Fäuste verkrampft in die Zähne und mit wütigen Absätzen den Boden hämmernd. Keine gönnte der anderen ein Lob, eine Zärtlichkeit, ein besseres Gelingen, und obzwar sie einander derart ähnlich waren, daß scherzhaft die Nachbarn sie Spiegelchen nannten, verwüsteten und verhärmten sie ihre Tage in beständig lodernder Eifersucht widereinander. Vergebens suchte die Mutter dies ungeschwisterliche Übermaß des Ehrgeizes zu hemmen, vergebens die allzeit gespannte Sehne ihres Wetteifers zu lockern; bald mußte sie einsehen, daß hier ein unseliges Erbe in den noch unreifen Gestalten dieser Kinder weiterwuchs, und nur der geringe Trost entschädigte ihre Sorgen, daß gerade dank diesem unablässigen Wettstreben die Mädchen bald die gewandtesten und geschicktesten ihres Alters wurden. Denn was immer die eine anfing zu lernen, gleich drängte die andere nach, ungeduldig, sie zu überflügeln. Und da sie beide beweglichen Leibes und beschwingten Sinnes waren, lernten die Zwillingsschwestern in kürzester Frist alle nützlichen und an-

ziehenden Künste der Frauen, so da sind: Linnen zu we-
ben, Stoffe zu färben, Geschmeide zu fassen, Flöte zu
spielen, anmutig zu tanzen, kunstvolle Gedichte zu machen und sie dann wohllautend zur Laute zu singen,
schließlich, über die übliche Art höfischer Frauen hinaus,
sogar Latein, Geometrie und höhere Wissenschaften der
Philosophie, in denen ein alter Diakonus sie gütig unter-
wies. Und bald fand man in Aquitanien kein Mädchen,
das an Anmut des Leibes wie an feiner Sitte und Gelenk-
samkeit des Geistes vergleichbar gewesen wäre den beiden Töchtern der Krämerin. Doch hätte niemand zu
sagen gewußt, welcher der beiden Allzuähnlichen, ob
Helena oder Sophia, der Preis der Vollendung gebühre,
unterschied sie doch keiner weder an Gestalt noch an
Regsamkeit und Rede von der anderen.

Mit der Liebe zu den schönen Künsten aber und der
Kenntnis all der zarten und linden Dinge, die dem Geist
wie dem Körper jene Feurigkeit verleihen, die allzeit aus
der Enge ins Unendliche des Gefühls hinüberzuschwin-
gen sich sehnt, erwuchs den beiden Mädchen bald eine
brennende Unzufriedenheit mit dem niederen Stand ihrer Mutter. Kamen sie heim von den Disputationen der
Akademie, wo sie mit den Doktoren wetteiferten im
künstlichen Ballschlag der Argumente, oder kehrten sie,
noch umströmt von Musik, aus dem Kreise der Tänzer in
die räucherige Gasse zurück, wo ihre Mutter unsauberen
Haares hinter ihren Gewürzen saß und bis in die Nacht-
stunden um eine Handvoll Pfeffernüsse oder verschim-
melte Kupferstücke feilschte, so schämten sie sich zornig
ihres hartnäckigen Elends, und die borstige alte Stroh-
matte ihres Lagers scheuerte scharf ihren innerlich glühenden und noch immer jungfräulichen Leib. Lange lagen sie wach des Nachts und vermaledeiten ihr Schicksal,
daß sie, berufen, Edelfrauen zu übertreffen an Anmut
und geistiger Art, auserwählt, in weichen, wogenden

Kleidern zu wandeln, überklirrt von Edelsteinen, hier in dumpfer Moderhöhle eingesargt seien, bestenfalls dem Faßdreher zur Linken oder dem Schwertfeger zur Rechten als Hausfrau zubestimmt, sie, Töchter des großen Feldherrn und königlich selber durch Geblüt und herrischen Sinn. Sie sehnten sich nach funkelnden Gemächern und dienendem Troß, nach Reichtum und Macht, und wenn zufällig in verbrämtem Pelzwerk eine Edelfrau vorüberkam, Falkner und Trabanten geschart um die leise schaukelnde Sänfte, so wurden ihre Wangen vor Zorn weiß wie die Zähne in ihrem Munde. Machtvoll rollten dann in ihrem Blute Ungestüm und Ehrgeiz des rebellischen Vaters, der gleichfalls sich nicht bescheiden wollte mit der Mitte des Lebens und kleinem Geschick, und Tag wie Nacht dachten sie nichts anderes, als welcher Art sie vermöchten, dieser Unwürdigkeit des Daseins zu entrinnen.

So geschah es unvermuteter-, doch nicht unerklärlicherweise, daß Sophia eines Morgens beim Erwachen die Lagerstatt an ihrer Seite leer fand: Helena, das Spiegelbild ihres Leibes, der Widerpart ihrer Wünsche, war heimlich verschwunden über Nacht, und die erschrockene Mutter sorgte sich sehr, sie sei mit Gewalt von einem der Edelleute weggeschleppt worden – denn schon waren viele unter den Jünglingen von dem zwiefachen Strahl der Mädchen getroffen und bis zum Wahnwitz verblendet. Unordentlichen Kleides, in der ersten Hast noch stürzte sie hin zum Präfekten, der die Stadt verwaltete in des Königs Namen, und beschwor ihn, den Frevler aufzugreifen. Er versprach's. Doch schon am nächsten Tage verbreitete sich zur argen Beschämung der Mutter das immer deutlicher werdende Gerücht, durchaus freien Willens sei Helena, die kaum Mannbare, mit einem adeligen Jüngling geflüchtet, der um ihretwillen Truhen und Schränke seines Vaters gewaltsam aufgestemmt. Eine

Woche später hastete dieser ersten Botschaft noch schlimmere nach, denn Reisende erzählten, in welcher Üppigkeit die junge Buhlerin in jener Stadt mit ihrem Liebsten lebe, umringt von Dienern, Falken und südländischen Tieren, gehüllt in Pelzwerk und glänzenden Brokat, ein Ärgernis allen ehrbaren Frauen des Ortes. Und noch war diese böse Kunde nicht durchgekäut im geschwätzigen Munde der Leute, so übersprang sie abermals schlimmere: überdrüssig jenes flaumbärtigen Fants, habe Helena, kaum daß sie ihm Säcke und Taschen geleert, sich in den Palast des steinalten Schatzverwalters begeben, ihren jungen Körper gegen neuen Prunk verkauft und plündere nun mitleidlos den bislang Geizigen. Nach wenigen Wochen tauschte sie, nachdem sie seine goldenen Federn gerupft und ihn kahl wie einen ausgebalgten Hahn zurückgelassen, diesen abgetanen gegen einen neuen Buhlen, ließ ihn neuerdings um eines Reicheren willen fahren, und bald gab es kein Verhehlen mehr, daß Helena in der Nachbarschaft ihren jungen Leib nicht minder emsig verhandle als ihre Mutter daheim Gewürz und süßes Honigbrot. Vergebens sandte die unglückliche Witwe Boten um Boten zu der verlorenen Tochter, sie möge doch nicht derart lästerlich das Andenken ihres Vaters erniedern: um das Maß der Unbill bis zum Rande vollzuschenken, geschah es zur Schande der Mutter, daß eines Tages ein prächtiger Zug die Straße vom Stadttor heraufkam. Läufer vorerst, in Scharlachfarben gewandet, Reiter hernach wie vor eines Fürsten Einzug, und zwischen ihnen, umspielt von persischen Hunden und seltsamem Affengetier, Helena, die frühreife Hetäre, an Anmut der Urmutter ihres Namens gleich, jener Helena, die Reiche verwirrte, und geschmückt wie die heidnische Königin von Saba', als sie einzog in Jerusalem. Da sperrten sich die Mäuler auf und liefen die Zungen: Handwerker ließen ihre Hütten, Schreiber ihre Schrift, neugierig schwärmende Menge umdrängte den Zug, bis schließlich auf dem Markte die flatternde Schar der Reiter und Diener sich ordnete zu ehrfürchtigem Empfang. Endlich flog der Vorhang auf und die kindliche Buhlerin schritt hochmütig gerade hinein zur Tür ebendesselben Palastes, der einst ihrem Vater gehörte und den nun ein verschwenderischer Liebhaber um dreier heißer Nächte willen aus dem Königsschatze für sie zurückgekauft. Wie ein leibeigen Herzogtum betrat sie das Gelaß mit dem prunkvollen Bett, darin ihre Mutter sie in Ehren geboren, und bald füllten sich die lang verlassenen Räume mit kostbaren Statuen heidnischen Ursprungs. Marmor kühlte die hölzernen Treppen empor und breitete sich aus zu künstlichen Fliesen und Mosaiken, gewebte Teppiche voll Bildnis und Geschehen wuchsen, ein farbiger Efeu, warm über die Wände, golden klirrte Geschirr in die immer bereite Musik festlicher Mähler, denn in allen Künsten gewandt, lockend durch Jugend und verführerisch durch Geist, wurde Helena in kürzester Frist Meisterin aller Liebesspiele und die reichste aller Hetären. Von den Städten der Nachbarschaft, aus fremden Ländern sogar drängten die Reichen heran, Christen, Heiden und Ketzer, zumindest einmal ihre Gunst zu genießen, und da ihre Gier nach Macht nicht minder maßlos war als ihres Vaters Ehrgeiz, so hielt sie die Verliebten hart in der Schraube und drosselte der Männer Leidenschaft derart grimmig den Hals, bis das Letzte ihrer Habe erpreßt war. Selbst des Königs eigener Sohn mußte bitteres Lösegeld zahlen an Pfandleiher und Borger, als er nach einer Woche der Lust, noch trunken und grausam ernüchtert zugleich Helenas Arme und Haus verließ.

Kein Wunder, daß solch ein vermessenes Treiben die ehrbaren Frauen der Stadt, insbesondere die älteren, erbitterte. In den Kirchen eiferten die Priester gegen die frühe Verderbnis, auf dem Marktplatze ballten die Weiber zornig die Fäuste, und mehr als einmal klirrten nachts Steine gegen Fenster und Tor. Aber so sehr auch die Sittigen sich ergrimmten, alle die verlassenen Ehefrauen, die einsamen Witwen, so belfernd sie aufmuckten, die alten, im Handwerk erfahrenen Dirnen, denen plötzlich dies übermütig freche Fohlen in ihre Lustwiese sprang – keiner von allen Frauen brannte der Unmut dermaßen übermächtig in der Seele wie Sophia, ihrer Schwester. Nicht, daß jene so lästerlichem Lebenswandel sich ergab, riß ihr die Seele wund, sondern die Reue, daß sie selber damals versäumt, demselben Antrag des Edelknaben zu folgen, und jener derart alles zugefallen, was sie selber heimlich ersehnte, Macht über Menschen und Üppigkeit des Daseins: ihr aber fuhr noch immer nachts der Sturm in die windoffene kalte Kammer und heulte mit der zänkischen Mutter um die Wette. Zwar hatte wiederholt die Schwester im eitlen Gefühl ihres Reichtums ihr kostbare Kleider zugesandt; doch Sophias Stolz weigerte sich, Almosen zu empfangen. Nein, das konnte ihren Ehrgeiz nicht kühlen, der kühneren Schwester jetzt ruhmlos nachzuschreiten und nun mit ihr sich um Liebhaber zu balgen wie einstens um süßes Pfefferbrot. Ihr Sieg, so fühlte sie, müsse vollkommener sein. Und als Sophia nun Tag und Nacht sann, welcher Art sie jene an Ruhm und Bewunderung zu übertreffen vermöchte, ward sie an dem immer unbändigeren Andrang der Männer gewahr, daß jenes bescheidene Gut, das ihr verblieben war, ihre Jungfräulichkeit und unberührte Ehre, ein köstlich Lockmittel sei und gleichzeitig ein Pfand, mit dem eine kluge Frau prächtig wuchern könnte. So beschloß sie, gerade das in eine Kostbarkeit zu verwandeln, was ihre Schwester vorzeitig verschwendete, und ihre Tugend ebenso sichtlich zur Schau zu stellen wie jene Buhlerin den jungen Leib. War jene gefeiert um ihrer prunkvollen Hoffart willen, sie wollte es nun werden durch ihre ärmliche Demut. Und noch standen die lästernden Mäuler nicht stille, als eines Morgens die staunende Stadt neuen Schmaus ihrer Neugier empfing: Sophia, die Zwillingsschwester Helenas, der Buhlerin, sei aus Scham und gleichsam zur Buße für ihrer Schwester unziemlichen Lebenswandel der irdischen Welt entflüchtet und habe sich als Novizin jenem frommen Orden beigesellt, der sich der Wartung und Pflege der Gebrestigen im Siechenhause mit unermüdlicher Sorge hingab. Nun rauften die zu spät gekommenen Liebhaber wütig ihr Haar, daß dieses unberührte Juwel ihnen entgangen. Die Frommen wiederum, gern die seltene Gelegenheit nutzend, einmal der sinnlichen Verworfenheit das schöne Bild der Gottesfurcht entgegenzustellen, verbreiteten mit Eifer die Botschaft in alle Länder, so daß von keiner Jungfrau in Aquitanien je mehr Redens und Rühmens war denn von Sophia, dem aufopfernden Mädchen, das tags und nachts der Schwärigen und Hinfälligen warte und selbst den Dienst bei den Aussätzigen nicht scheue. Die Frauen beugten das Knie vor ihr, wenn sie in ihrer weißen Haube gesenkten Blickes über die Straße ging, der Bischof rühmte sie in oftmaliger Rede als vornehmstes Beispiel weiblicher Tugend, und die Kinder blickten auf zu ihr wie zu einem seltenen Sternbild. Mit einmal war – wie man wohl glauben mag, sehr zum Ärger Helenas – die ganze Aufmerksamkeit des Landes nicht mehr ihr zugewandt, sondern einzig dem weißen Sühneopfer, das, um der Sünde zu entfliehen, wie eine Taube sich in die Himmel der Demut aufgeschwungen.

Ein sonderbar dioskurisches Zwiegestirn leuchtete nun in den nächsten Monaten über dem staunenden Land, den Sündern sowohl als auch den Frommen zu gleichem Wohlgefallen. Denn war jenen durch Helenas verschwenderische Lust des Leibes allzeit geboten, so vermochten diese ihre Seele an dem tugendhaft leuchtenden Spiegelbilde Sophias zu erbauen, und dank solcher Zwiefalt schien in dieser Stadt zu Aquitanien zum erstenmal seit Weltbeginn das Reich Gottes auf Erden säuberlich und sichtlich von jenem des Widerparts getrennt. Wer die Reinheit liebte, dem war die Schutzpatronin zur Stelle, und wer in Wollust des Fleisches versunken war, dem winkte irdischer Genuß in den Armen der unwürdigen Schwester. Aber in jedem einzelnen irdischen Herzen gehen ja zwischen dem Guten und Bösen, zwischen Fleisch und Geist sonderbar schmugglerische Wege hinüber und herüber, und es dauerte nicht lange, bis es sich erwies, daß gerade diese Zwiefalt unvermuteter Art den Frieden der Seelen bedrohte. Denn da die Zwillingsschwestern trotz höchst ungleichem Lebenswandel körperlich kaum unterscheidbar blieben, gleichen Wuchses, gleicher Augenfarbe, gleichen Lächelns und gleicher Lieblichkeit, wie natürlich, daß alsbald eine leidenschaftliche Verwirrung unter den Männern der Stadt entstand. Hatte etwa ein Jüngling eine heiße Nacht in den Armen Helenas verbracht und trat dann morgens hastig, gleichsam um das Sündige sich von der Seele zu baden, in die Frühe hinaus, so rieb er verwundert und wie von Teufelsspuk erschreckt die Augen. Denn die schöne Novizin im bescheidenen grauen Gewand der Pflegerin, die da eben einen keuchenden Greis im Rollstuhle durch den offenen Garten des Spitals schob und ihm ohne Ekel mit einer milden und zugleich zarten Gebärde den Speichel von dem zahnlosen Mund wischte, schien ihm genau dieselbe, die er eben noch nackt und glühend im buhlerischen Bette verlassen. Er starrte hin: ja, es waren die gleichen Lippen, dieselben runden und zärtlichen Bewegungen, freilich jetzt nicht der irdischen Liebe dienend, sondern einer höheren Liebe zum Menschlichen. Er starrte hin, und die Augen wurden ihm brennend, daß sie allmählich das graue und kahle Gewand durchsichtig machen wollten und hindurch der wohlbekannte Leib der Buhlerin ihm entgegenzuleuchten schien. Und gleiches Affenspiel der Sinne narrte wiederum diejenigen, die eben frommen Besuch der Krankenhelferin ehrfürchtig mitangesehen und, um die Ecke kehrend, die eben noch züchtige Sophia sonderbar verwandelt, entblößten Busens und üppigen Kleides, umringt von Buhlern und Dienern, zu einem Festmahl eilen sahen. Helena war dies, nicht Sophia, sie sagten sich's wohl, aber doch, sie konnten von nun an die Fromme nicht denken ohne ihre Blöße und wurden unfromm inmitten ihrer Andacht. So schwankte der Sinn ungewiß von einer zur anderen und wurde dermaßen irr, daß die Sinne oft verkehrten Weg des Wunsches gingen, daß die Jünglinge von der Unberührbaren Leib träumten bei der Käuflichen und die fromme Samariterin wiederum anblickten mit dem lästerlichen Blick des Begehrens. Denn irgendwie hat der Weltschöpfer die Sinne der Männer quer gezimmert, daß ihr Wünschen allzeit von Frauen das Gegenteil dessen fordert, was sie gewähren: gibt eine leichtfertig ihren Leib, so wissen sie der Gabe geringen Dank und tun, als könnten sie nur Unschuld rechtschaffen lieben. Wehrt aber eine Frau sich ihrer Unschuld, so reizt es sie wieder siebenfach, ihr die behütete zu entreißen. So füllt und erfüllt kein Verlangen jemals den männlichen Zwiespalt, der ewiges Widerspiel will zwischen Fleisch und Geist: hier aber hatte ein spaßender Teufel die Knoten noch doppelt geschürzt, denn die Buhlerin und die Fromme, Helena und Sophia, erschienen äußerlich dermaßen als ein und derselbe Leib, daß man die eine von der andern nicht unterscheiden konnte und keiner mehr richtig wußte, welche er eigentlich begehrte. So kam es, daß die Lotterbuben der Stadt mit einmal mehr vor dem Siechenhause als in der Schenke zu sehen waren und die Wüstlinge die Buhlerin durch Gold verlockten, zum Liebesspiel das graue Schwesterngewand umzutun und dermaßen die Täuschung zu vollenden, als hätten sie die Unberührte, als hätten sie Sophia genossen. Die ganze Stadt, ja das ganze Land wurden allmählich mitgerissen in dies unsinnig aufreizende Spiel der Verwechslung, und kein Wort des Bischofs, keine Mahnung des Stadtvogtes hatte mehr Macht über das täglich erneute Ärgernis.

Statt aber geschwisterlich sich zu bescheiden und ein Genügen daran zu haben, daß die eine die Reichste sei und die andere die Reinste der Stadt, beide umschwärmt von Bewunderung und Ehre, pochten den beiden Ehrgeizigen grimmig die Herzen, welcher Art sie einander Abbruch tun könnten. Sophia zerbiß die Lippen im Zorn, wenn sie vernahm, wie jene ihren aufopfernden Wandel in sündhaftem Maskenspiel schändete. Helena wiederum schlug mit Peitschen ihre Wut unter die Knechte, berichteten ihr jene, daß fremde Pilger sich ehrfürchtig vor ihrer Schwester beugten und Frauen den Staub küßten, den sie mit ihren Schuhen berührt. Je mehr die beiden Ungestümen aber einander übelwollten, je grimmiger sie einander haßten, desto mehr heuchelten sie Mitgefühl eine für die andere. Helena beklagte bei der Tafel mit ergriffener Stimme die Schwester, daß sie Lust und Jugend so sinnlos mit der Pflege verhutzelter Greise verhärme, die das Leben ohnehin doch sichtbarlich für den Tod bestimmt habe. Sophia wieder endete alltäglich ihr Abendgebet mit einem besonderen Spruch für arme Sünderinnen, die törichterweise um flüchtiger und vergänglicher Genüsse willen die höhere Genugtuung versäumten, ihr Leben in frommes und hilfreiches Werk zu verwandeln. Als sie aber beide merkten, daß sie weder durch Boten noch durch Zuträger einander von dem betretenen Weg ablenken könnten, begannen sie allmählich sich wieder eine der andern zu nähern, wie zwei Ringer, die, indes sie absichtslos scheinen, mit Blick und Hand schon den Griff vorbereiten, mit dem sie den Gegner zu Boden zu schleudern gedenken. Immer häufiger huben sie an, eine die andere zu besuchen und zärtliche Sorge zu heucheln, indes jede ihre eigene Seele dafür gegeben hätte, der Schwester das Schlimmste zu tun.

Nun war Sophie, die aus Hoffart Demütige, wieder einmal nach dem Vesperläuten zu ihrer Schwester gekommen, um sie neuerdings von dem ärgerlichen Lebenswandel abzumahnen. Abermals hatte sie in umschweifiger Rede der schon Ungeduldigen vorgehalten, wie unrecht sie tue, ihren gottergebenen Leib zu einem Dickicht der Sünde zu erniedrigen. Helena, die diesen ihren gottergebenen Leib eben salben ließ von den Mägden, damit er rüstig sei zu ihrem frevlerischen Gewerbe, hörte halb zornig und halb lachend zu und überlegte, ob sie die langweilige Mahnerin mit blasphemischen Scherzen tollwütig machen oder besser noch ein paar Knaben zur Verwirrung ihrer Blicke ins Gemach rufen solle. Da war ihr, als ob, leise schwirrend wie eine Fliege, ein sonderbarer Gedanke ihr die Schläfe gestreift hätte, ein recht teuflischer Gedanke, schalkig und gefährlich, so daß sie kaum ein innerliches Lachen verhalten konnte. Und plötzlich änderte die eben noch Freche ihr Gehaben, jagte Mägde und Badeknechte aus dem Zimmer, um, kaum mit der Schwester allein, sich eine Maske von Zerknirschung über die innen funkelnden Augen zu schatten. Ach, die Schwester möge nicht meinen – so begann die in allen Künsten der Verstellung Geübte –, sie habe nicht selber oft Scham darüber empfunden, ein wie sündhafter und törichter Wandel sie umstricke. Oft und oft schon habe sie ein Ekel vor der hündischen Wollust der Männer überkommen, oft schon habe sie beschlossen, sich jener für immer zu erwehren und ein schlichtes, ehrliches Leben zu beginnen. Aber sie fühle es schon, vergeblich sei da jede Gegenwehr, denn Sophia, die Stärke der Seele besitze und nicht wie sie der Schwäche des Fleisches anheimfalle, sie ahne ja nichts von der verführerischen Macht der Männer, der keine wissende Frau widerstehen könne. Ach, sie ahne nicht, sie, Sophia, die Glückliche, wie gewaltig der Andrang des Mannes sei, aber eben in dieser Gewalt wirke auch eine sonderbare Süße, der man sich wider das eigene Wollen willig ergeben müsse.

Sophia, höchlichst erstaunt von derart unverhofftem Bekenntnis, wie sie es niemals aus dem Munde ihrer geld- und lustfreudigen Schwester erwartet, raffte eiligst alle ihre Beredsamkeit an die Lippe. So habe auch Helena endlich ein Strahl des Göttlichen berührt, begann sie ihren Sermon, denn schon der Abscheu vor dem Sündhaften sei der rechten Erkenntnis Anbeginn. Doch Irrtum und Selbstverzagen befremde noch ihren Sinn, wenn sie behaupte, es sei nicht möglich, dank des gefestigten Willens den Anfechtungen des Fleisches zu obsiegen: der Wille zum Guten könne, wenn ehern im Herzen gehärtet, jede Versuchung besiegen, und dafür biete doch bei Heiden und Gläubigen die Geschichte Beispiele ohne Zahl. Doch Helena senkte nur wehmütig den Kopf. Ach ja, klagte sie, auch sie habe mit Bewunderung von dem heldischen Kampfe wider den Teufel der Sinnlichkeit gelesen. Doch den Männern habe Gott nicht nur stärkere Körperkraft, sondern auch einen härteren Geist verliehen und sie auserlesen zu siegreichen Kriegern im Gottesstreit. Niemals aber könne – und sie seufzte sehr, da sie dies letztere sagte – ein schwaches Weib den Tücken und Verführungen der Männer widerstehen, und zeitlebens habe sie niemals ein Beispiel gesehen, daß eine Frau, sobald man wider sie dringlich geworden, der Mannesliebe sich hätte erwehren können.

»Wie kannst du derlei sagen«, fauchte Sophia in ihrem unbändigen Hochmut herausgefordert. »Bin ich nicht selbst Beispiel dafür, daß ein entschlossener Wille sich wohl des hündischen Zudranges der Männer zu erwehren vermag? Von morgens bis abends umlagert mich die Rotte, bis ins Siechenhaus schleichen sie mir nach, und abends finde ich Briefe mit den abscheulichsten Lockungen auf meinem Lager. Und doch hat niemand gesehen, daß ich je nur einen Blick einem gewährt hätte, denn mich schirmt mein Wille gegen jede Versuchung. Unwahr ist also, was du sagst: sofern eine Frau wahrhaften Willens bleibt, vermag sie sich zu wehren, dessen bin ich selber ein Beispiel.«

»Ach, ich weiß es wohl, daß du allerdings bisher jeder Versuchung dich erwehren konntest«, heuchelte Helena, voll falscher Demut zur Schwester aufschielend, »aber dies vermagst du nur, weil du Glückliche geschützt bist durch dein Kleid und den strengen Dienst, den du auf dich genommen. Du bist umhütet von frommen Schwestern und in die schirmende Mauer der Gemeinschaft gebannt – du bist nicht allein, nicht wehrlos wie ich! Meine aber nicht darum, daß du deiner eigenen Kraft deine Lauterkeit dankst, denn ich bin sogar gewiß, Sophia, daß auch du, sofern du einmal einem Jüngling gegenüberstündest, ihm nicht Trotz bieten könntest und wolltest. Auch du würdest ihm so erliegen, wie wir alle ihm erlegen sind.«

»Niemals! Ich niemals!« fuhr die Ehrgeizige ihr entgegen. »Ich mache mich anheischig, auch ohne den Schutz meines Kleides, jede Probe einzig kraft meines Willens zu bestehen.«

Genau dies aber war es, was Helena von Sophia hatte hören wollen. Schritt für Schritt die Hoffärtige näher heranlockend an die aufgerichtete Falle, ließ sie nicht ab, die Möglichkeit solchen Widerstandes zu bezweifeln, bis schließlich Sophia selber ungebärdig auf einer entscheidenden Prüfung bestand. Sie begehre diese Probe, ja sie fordere sie, damit die Schwachmütige endlich einmal erkennen möge, daß sie nicht fremdem Schutze, sondern innerer Kraft ihre Unberührtheit verdanke. Da schien Helena langwierig nachzudenken – und das Herz klopfte ihr vor böser Ungeduld im Leibe –, dann sagte sie endlich: »Höre, Sophia, vielleicht wäre dies die rechte Probe. Morgen abend erwarte ich Sylvander, den schönsten Jüngling des Landes, dem noch keine Frau widerstand und der doch mich vor allen begehrt. Achtundzwanzig Meilen kommt er geritten um meinetwegen und bringt sieben Pfund reinen Goldes sowie andere Geschenke einzig darum, mein Nachtgefährte zu sein. Doch käme er auch mit leeren Händen, ich würde ihn nicht von mir weisen, ja mit gleichem Gewicht von Gold sein Beilager erkaufen, denn schöner ist keiner als er und feinerer Art. Nun hat uns Gott so leibesähnlich geschaffen an Antlitz, Rede und Gestalt, daß, trügest du mein Kleid, dann keiner eine Täuschung mutmaßen würde. So erwarte du morgen Sylvander an meiner Statt in meinem Haus und teile mit ihm die Tafel. Begehrt er aber dann, mich vermeinend, deines Leibes, so verwehre dich mit allerlei Ausflüchten. Ich aber will im Nachbargemach warten und horchen, ob du vermagst, bis Mitternacht deine Sinne wider ihn zu verschließen. Aber nochmals, Schwester, ich warne dich; groß ist die Versuchung seiner Gegenwart und noch gefährlicher die Schwachheit unseres eigenen Herzens. Ich fürchte, Schwester, leicht könntest du, verwirrt von deiner Abgeschiedenheit, in unvermutete Versuchung fallen, darum beschwöre ich dich, lieber abzulassen von so verwegenem Spiel.«

Indem die Tückische dermaßen ihre Schwester gleichzeitig lockte und abmahnte, träufte derart glatte Rede nur Öl in die brennende Flamme ihres Hochmuts. Wenn es nichts sei als solch eine kleine Probe, rühmte Sophia sich stolz, so wolle sie leichtlich bestehen, und nicht nur bis Mitternacht, sondern bis zum Morgengrauen vermesse sie sich, seines Zudranges Herrin zu bleiben – nur dies eine verlange sie, einen Dolch mit sich führen zu dürfen, falls der Freche wagen sollte, Gewalt zu versuchen.

Bei dieser stolzen Rede fiel Helena in die Knie vor ihrer Schwester, scheinbar bemeistert von Bewunderung, in Wirklichkeit aber, um die böse Freude zu bergen, die in ihren Augen glänzte, und sie kamen überein, daß am folgenden Abend Sophia, die Fromme, Sylvander empfangen solle; Helena hinwieder schwor, für immer von ihrem schlimmen Wandel zu lassen, falls ihrer Schwester die Abwehr gelänge. Eilends begab sich Sophia zu ihren Gefährtinnen, um die eigene Kraft an der jahrelang erprobten dieser herrlich weltabgewandten Frauen zu stärken, die nur fremdem Elend und Siechtum lebten. Sie pflegte mit doppelter Hingebung die Schwersten und Schwierigsten unter den Kranken, um an ihren gebrechlichen und zerstörten Leibern die Vergänglichkeit alles Irdischen zu empfinden; denn waren diese eingefallenen, morschen Gestalten nicht auch einmal Liebende gewesen und der Leidenschaft verschworen: was war geblieben – ein lebender Moder, eine mühsam nur atmende Hinfälligkeit.

Doch auch Helena blieb indes nicht müßig. Wohlbelehrt in den Künsten, die Eros, den launischen Gott, herbeirufen und den gerufenen zurückhalten, ließ sie zunächst von ihrem kalabrischen Küchenmeister Gerichte sonderlichster Art bereiten, gefährlich durchwürzt mit allen Inzitantien der Wollust. In die Pastete ließ sie Biberbrunst mischen, Geilkraut und kantharidisches Pfefferwerk, den Wein aber durchdunkelte sie mit Bilse und schweren Kräutern, die blaue Müdigkeit vorzeit auf die Sinne legen. Zudem bestellte sie Musik, damit auch dieser Erzkuppler nicht fehle, der sich einschleicht wie lauer Wind in die sehnsüchtig geöffnete Seele. Schmeichlerische Flötenspieler und hitzige Zimbelschläger hieß sie im

Nebenzimmer sich bergen, unsichtbar dem Blick und darum noch gefährlicher für das ahnungslos schwärmende Gefühl. Nachdem sie derart vorsorglich den Ofen des Teufels geheizt, wartete sie voll Ungeduld des Wettkampfes, und als dann abends Sophia, die Hoffärtig-Fromme, erschien, blaß vom Wachen und erregt von der Nähe selbstbeschworener Gefahr, umfing sie an der Hausschwelle schon eine drängende Schar junger Dienerinnen, die sogleich die Erstaunte hingeleiteten zu einem mit duftenden Kräutern durchwürzten Bade. Dort nahmen sie der Errötenden die grau alltägliche Kutte von dem jungen Leib und rieben ihr Arme, Schenkel und Rücken mit zerknitterten Blüten und scharfduftenden Salben so zärtlich und hart, daß sie ihr Blut durch die Poren sprickelnd vorfahren fühlte. Bald strömte kühlrieselndes Wasser, bald warmglühende Welle über ihre schauernde Haut; dann glätteten fliegende Hände mit weichem Narzissenöl den gehitzten Leib, kneteten ihn sanft und rieben den erstrahlenden derart feurig mit knisternden Katzenfellen, daß die Funken blau von den Spitzen der Haare sprangen: kurz, sie rüsteten die Fromme, ohne daß sie Widerstand zu leisten wagte, genau wie sie Helena allabendlich rüsteten zum Liebesspiele. Dazwischen atmeten zag und drängend die Flöten, und von den Wänden duftete mit tropfigem Wachs die brennende Sandel der Fackeln. Als endlich Sophia, sehr verwirrt von diesem fremden Gehaben, auf dem Ruhebett sich hinlöste und die metallenen Spiegel ihr Antlitz zurückwarfen, schien sie sich selber fremd und doch schön wie nie. Sie spürte ihren Körper leicht und als eine lebendige Lust und schämte sich wiederum sehr, dies Wohlige so wohlig zu fühlen. Doch nicht lange ließ ihre Schwester ihr Zeit zu solchem Zwiespalt des Gefühls. Zart wie eine Katze kam sie heran und umschmeichelte der Schwester Schönheit mit glitzernden Worten, bis jene ihr verwirrt und barsch dies verwies. Noch einmal umarmten einander heuchlerisch die Schwestern, zitternd die eine vor Unruhe und Angst, zitternd die andere vor Ungeduld und böser Begier. Dann ließ Helena die Lichter entzünden und verschwand wie ein Schatten in den Nebenraum, das kühn ersonnene Schauspiel zu belauschen.

Nun hatte die Buhlerin längst Sylvander Botschaft zugesandt, welch sonderbares Abenteuer seiner warte, und ihn mit vieler Dringlichkeit angewiesen, durch zurückhaltende Art und große Züchtigkeit die Hochmütige zunächst unvorsichtig und sorglos zu machen. Und als Sylvander, neugierig und eitel, in so eigenartigem Wettkampf zu siegen, endlich eintrat und Sophia unwillkürlich mit der Linken nach dem Dolche tastete, den sie zum Schutz gegen Gewalt mitgenommen, war sie verwundert, mit wie ehrerbietiger Höflichkeit dieser vermeintlich freche Buhler ihr entgegentrat. Denn weder versuchte er – wohl unterrichtet von der Schwester – die ängstlich Atmende in die Arme zu ziehen, noch grüßte er sie mit vertraulicher Anrede, sondern zart-demütig bog er vorerst das Knie. Dann nahm er von dem zurückweichenden Diener eine goldene Kette schwersten Gewichtes sowie ein purpurnes Obergewand aus provenzalischer Seide und bat artig, das Gewand ihr anlegen und die Kette ihren Schultern umstreifen zu dürfen. So viel Anstand konnte Sophia nicht anders erwidern, denn ihm zu willfahren; reglos ließ sie sich die Kette umlegen und das reiche Gewand, nicht ohne zu fühlen, wie schmeichlerisch leicht seine heißen Finger zugleich mit der kühlen Kette längs ihres Nackens hinglitten. Doch da Sylvander weiterhin nichts Verwegenes unternahm, ward Sophia keine Gelegenheit zu voreiligem Zürnen geboten. Statt dringlich zu werden, verbeugte sich der Heuchlerische abermals und sagte im Tone äußerster Beschämung, er fühle sich unwürdig, die Tafel mit ihr zu teilen, denn noch hafte der Staub der Straße auf seinem Gewande, und sie möge ihm gestatten, sich vorerst Haar und Leib zu säubern. Verlegen rief Sophia die Dienerinnen und hieß sie Sylvander in den Baderaum führen. Doch die Mägde, einem geheimen Befehle ihrer Herrin Helena gehorchend und mit Absicht Sophias Worte mißverstehend, schälten hurtig dem Jüngling die Kleider ab, so daß er nackt und schön vor ihr enthüllt ward, ähnlich jenem Bildnis des heidnischen Apoll, das vordem auf dem Marktplatz gestanden und das der Bischof in Stücke hatte schlagen lassen. Dann erst salbten sie ihn mit Öl, badeten ihm die Füße mit warmem Geströh; ohne sich zu beeilen, flochten sie dem lächelnd Nackten Rosen ins Haar, bevor sie ihm endlich ein neues schimmerndes Gewand überwarfen. Und nun er neu geschmückt ihr entgegentrat, schien er noch schöner als vordem. Kaum aber bemerkend, daß sie seiner besonderen Anmut gewahr wurde, zürnte sie schon den eigenen Augen und vergewisserte sich rasch, daß griffnah der rettende Dolch in ihrem Kleide verborgen sei. Doch kein Anlaß bot sich, ihn zu fassen, denn nicht anders als die gelehrten Magister im Siechenhause unterhielt sie in höflich bewahrter Distanz der schöne Jüngling mit freundlich belangloser Rede, und noch immer wollte – mehr schon zu ihrem Verdruß als zu ihrer Freude – keine Gelegenheit sich bieten, vor der nebenan lauschenden Schwester mit dem Beispiel weiblicher Standhaftigkeit zu prunken. Denn um Tugend zu verteidigen, ist bekanntlich nötig, daß sie vorerst bestürmt werde. Dieser Sturm der Leidenschaft aber wollte bei Sylvander sich durchaus nicht regen, nur ein kärglich blasses Windchen von Höflichkeit überkräuselte matten Atems sein Gespräch, und die Flöten, die allmählich vom Nebengemach her ihre dringlichen Stimmen erhoben, sprachen zärtlicher als dieses Knaben roter und sonst wohl begehrlicher Mund. Ununterbrochen erzählte er nur von Wettkämpfen und Kriegsfahrten, nicht anders, als ob er im Kreise männlicher Tafelgenossen säße, und seine Gleichgültigkeit war so meisterlich gespielt, daß sie Sophia vollkommen sorglos machte. Ohne Bedenken genoß sie die gefährlich gewürzten Speisen und den heimlich einlullenden Wein. Ja, ungeduldig und allmählich ärgerlich, daß dieser Kühle nicht die geringste Veranlassung bot, die Hartnäckigkeit ihrer Tugend zu beweisen und sich vor ihrer Schwester mit schönem Unmut zu bewähren, begann sie schließlich selber die Gefahr herauszufordern. Von ungefähr fand sie ein Lachen in der Kehle, ihr selber fremd, eine muntere Lust, auszufahren und sich zurückzuwerfen in heiterem Übermut, aber sie zähmte sich nicht und schämte sich nicht, war doch Mitternacht nicht mehr ferne, der Dolch nah ihrer Hand und dieser vorgeblich so hitzige Jüngling kälter als jenes Messers eiserne Schneide. Näher und näher rückte sie ihm zu, damit endlich ihre Tugend Gelegenheit fände zu glorreicher Verteidigung, und unwillentlich entfaltete die Eitle aus der ehrgeizigen Lust, ihre Festigkeit zu erweisen, genau dieselben Künste der Verlockung, die sonst ihre buhlerische Schwester um allzu irdischen Lohn ausübte.

Aber man soll, wie ein weises Sprichwort sagt, auch nicht ein Haar von des Teufels Bart streifen, sonst faßt er einen unversehens am Genick. Und ähnlich erging es auch hier der kampfbegierig eitlen Streiterin. Denn ungewohnt des Weins, dessen lüsterne Beize sie nicht ahnte, verwirrt von dem allmählich aufschwülenden Duft des Rauchwerks, süß entkräftet vom saugenden Getön der Flöten, wurden ihr die Sinne allmählich verworren. Ihr Lachen schwankte in Lallen, ihr Übermut in Kitzel hinüber, und kein Doktor beider Fakultäten hätte vermocht, vor Gericht zu bekunden, ob es im Wachen geschehen oder im Schlummer, ob in Nüchternheit oder Trunkenheit, ob mit ihrem Willen oder dawider – kurz, es geschah, noch lange, bevor es Mitternacht schlug, was Gott oder sein Widerpart will, daß zwischen Frau und Mann schließlich geschehe. Mit einmal klirrte aus gelöstem Kleide der heimlich gerüstete Dolch auf den marmornen Estrich; doch sonderbar, die ermüdete Fromme hob ihn nicht als eine andere Lukretia empor, um ihn gegen den gefährlichen nahen Jüngling zu zücken, kein Weinen und Wehren ward vernommen im Nebengemach. Und als triumphierend um Mitternacht die verderbte Schwester mit ihrer Dienerschar einbrach in die bräutlich gewordene Kammer und eine neugierige Fackel über das Lager der Besiegten schwang, da gab es kein Verschweigen mehr und kein Sich-Schämen. So streuten die frechen Mägde nach heidnischer Art Rosen auf das Ruhebett, röter als die Wangen der Errötenden, die jetzt taumelnd und zu spät ihr frauliches Mißgeschick gewahrte. Aber die Schwester nahm die Verwirrte heiß in die Arme, die Flöten jauchzten, die Zimbeln schmetterten, als wäre Pan wieder heimgekehrt auf die christliche Erde, frech entblößt tanzten die Mägde und riefen Eros, den verstoßenen Gott, lobpreisend an. Dann aber entzündete die bacchantisch wirbelnde Schar ein Feuer von duftenden Hölzern, und mit gierigen Zungen fraßen die Flammen das zum Spott erniedrigte fromme Gewand. Der neuen Hetäre aber, die sich schämte, ihre Niederlage zu gestehen, und wirr lächelnd tat, als habe sie freien Willens dem schönen Jüngling sich hingegeben, legten sie die gleichen Rosen wie ihrer Schwester um, und nun die beiden nebeneinander standen, glühend die eine vor Scham und die andere im Feuer des Triumphes, hätte keiner mehr vermocht, Sophia und Helena, die Scheinbar-Demütige von der Hoffärtigen, zu unterscheiden, und des Jünglings Blicke schwankten begehrend zwischen beiden hin, in erneutem und zwiefach ungeduldigem Gelüst.

Unterdes hatte die übermütige Rotte unter Lärm Tore und Fenster des Palastes geöffnet. Nachtschwärmer und rasch erwecktes lockeres Volk strömte lachend herzu, und noch ehe die Sonne über die Dächer floß, lief die Kunde schon wie Wasser von allen Traufen durch die Straßen, welchen herrlichen Sieg Helena über die weise Sophia, die Unkeuschheit über die Keuschheit errungen. Kaum aber vernahmen die Männer der Stadt, daß diese langbewahrte Tugend gefallen, so eilten sie schon hitzig herbei, und sie fanden (die Schande sei nicht verschwiegen) guten Empfang, denn Sophia blieb, ebenso rasch umgewandelt wie umgewandt, bei Helena, ihrer Schwester, und suchte es ihr gleich zu tun an Eifer und Feurigkeit. Nun war alles Streitens und Neidens ein Ende, und seit sie dem gleichen schnöden Gewerbe sich zugewandt, lebten die schlimmen Schwestern fortan in munterster Eintracht nebeneinander im Hause. Sie trugen gleiche Haartracht, gleichen Schmuck, genau dieselbe Gewandung, und da die Zwillinge auch in Lachen und Liebeswort nicht mehr unterscheidbar waren, so begann für die Lüstlinge ein immer erneutes, üppiges Spiel, ein Rätselraten mit Blicken und Küssen und Zärtlichkeit, welche es sei, die sie gerade im Arm hielten, die buhlerische Helena oder die einstens fromme Sophia. Doch nur selten gelang es einem, zu wissen, bei welcher er sein Geld vertan, so vollkommen ähnlich erschienen die beiden, und überdies machte das kluge Paar sich's zur besonderen Lust, die Neugierigen zu narren.

So hatte, und nicht zum erstenmal in unserer trüglichen Welt, Helena gesiegt über Sophia, Schönheit über Weisheit, das Laster über die Tugend, das allzeit willige Fleisch über den schwanken und selbstherrlichen Geist, und abermals ward bewiesen, was schon Hiob beklagte in seiner denkwürdigen Rede, daß es dem Bösen wohl erginge auf Erden, indes der Fromme zuschanden kom-

me und ein Spott werde der Gerechte. Denn kein Zoll-
meister und kein Steuereinnehmer, kein Küfer und
Pfandleiher, kein Goldschmied und Bäckermeister, kein
Beutelschneider und Kirchenräuber im ganzen Land
sackte mit saurer Arbeit so viel Geld wie die beiden
Schwestern mit ihrem linden Eifer. Treulich gesellt,
melkten sie die dicksten Felleisen und löcherten sie die
vollsten Truhen, Geld und Juwelen liefen ihnen hurtig
wie Mäuse allnächtens ins Haus. Und da die beiden von
ihrer Mutter zu der Schönheit auch den sorglichen Krä-
mersinn geerbt hatten, vertaten die Zwillingsschwestern
dieses Gold durchaus nicht, wie die meisten ihrer Art, in
eitlen Nichtigkeiten; nein, klüger als jene, liehen sie ihr
Geld sorglich auf Wucher und Zins, gaben es zur Mä-
stung an Christen, Heiden und Juden und scharrten so
kräftig mit dem Wucherrechen, daß bald nirgends so viel
Reichtum aufgehäuft war an Münzen und Kameen, sicheren Verschreibungen und gültigen Pfandbriefen wie
in jenem argen Haus. Kein Wunder, daß, mit solchem
Beispiel vor Augen, die jungen Mädchen des Landes
nicht mehr Scheuerfrauen werden wollten und sich die
Finger blaufrieren am Waschtrog, und bald war diese
Stadt berüchtigt unter den Städten als ein neues Sodom
dank der schlimmen Gegenwart der endlich einig gewordenen Schwestern.

Doch auch dies ist wahr in den alten Sprüchen, wenn
sie sagen: Wie rasch der Teufel auch reitet, schließlich
bricht er doch vor dem Ziele das Bein. Und so sollte auch
hier das Ärgernis noch erbaulich enden. Denn wie die
Jahre gingen und vergingen, wurden die Männer des immer gleichen Rätselspiels allmählich müde. Seltener kamen Gäste, früher löschten die Fackeln im Haus, schon
wußten längst alle anderen, und nur die Schwestern
wußten es nicht, was der Spiegel stumm den flackernden
Lichtern erzählte: daß kleine Falten nisteten unter den

übermütigen Augen und das Perlmutter zu blättern begann von der mählich erschlaffenden Haut. Vergebens, daß sie jetzt mit Künsten rückzukaufen suchten, was Natur, die mitleidlose, stündlich ihnen nahm, vergebens, daß sie das Grau löschten um die Schläfen, die Runzeln mit elfenbeinernen Messern strichen und rot sich die Lippen malten und um den ermüdeten Mund; die Jahre, die stürmisch durchlebten, waren nicht länger zu verhehlen, und kaum daß die Jugend von den Schwestern ging, wurden auch die Männer der beiden satt. Denn indes jene abblühten, wuchsen rings in den Straßen immer wieder junge Mädchen auf, jedes Jahr ein anderes Geschlecht, süße Wesen mit kleinen Brüsten und schelmischen Lokken, doppelt verlockend der männlichen Neugier durch Unberührtheit des Leibes. Immer stiller ward es darum im Hause auf dem Marktplatz, die Angeln der Türe begannen zu rosten, vergeblich brannten die Fackeln und dufteten die Harze, niemandem zur Wärme wartete der Kamin und der Schwestern geschmückter Leib. Gelangweilt übten die Flötenspieler, denen keiner zu lauschen kam, statt ihrer schmeichlerischen Kunst endlose Würfelspiele, und der Pförtner, der allnächtens der Gäste warten sollte, wurde rundlich vom Übermaß unbehelligten Schlafes. Ganz einsam aber saßen oben die beiden Schwestern an der langen Tafel, die einstmals klirrte vom Andrang des Gelächters, und da kein Liebhaber mehr Zeitvertreib brachte, hatten sie höchlichst Muße, sich des Vergangenen zu erinnern. Insbesondere Sophia dachte mit Wehmut der Zeiten, da sie, abgewandt von aller irdischen Wollust, einzig ernstem und gottgefälligem Wandel gedient; oftmals nahm sie darum wieder die verstaubten frommen Bücher zur Hand, denn gern zieht ja die Weisheit bei Frauen ein, sobald die Schönheit flieht. Und so bereitete sich allmählich eine wunderbare Umkehr des Sinnes in den beiden Schwestern vor, denn so wie in den

Tagen ihrer Jugend Helena, die Buhlerin, gesiegt über Sophia, die Fromme, so geschah es, daß Sophia nun – spät allerdings und nach reichlicher Sündigkeit – bei ihrer allzu irdischen Schwester Gehör fand, wenn sie zu Verzicht mahnte. Ein heimlich Kommen und Gehen begann in den Morgenstunden: erst war es Sophia, die in das Siechenhaus schlich, das sie so beleidigend verlassen, um Verzeihung zu erbitten, dann war es Helena, die sie begleitete, und als die beiden erklärten, sie wollten ihr lästerlich zusammengerafftes Geld restlos diesem Hause für alle Ewigkeit übermachen, durften selbst die Mißtrauischsten nicht länger den Ernst ihrer Buße bezweifeln.

So kam es, daß eines Morgens, als der Pförtner noch schlummerte, zwei Frauen, einfach gekleidet und verhüllten Gesichts, wie Schatten aus dem üppigen Hause am Marktplatz traten, nicht unähnlich in ihrem scheu-demütigen Gang jener Frau, ihrer Mutter, da sie vor fünfzig Jahren aus raschem Reichtum zurückschlich in die niedere Gasse ihrer Armut. Vorsichtig glitten sie durch den zaghaft geöffneten Türspalt, und die ein Leben lang in wetteiferndem Unmaß der Eitelkeit die Aufmerksamkeit eines ganzen Landes für sich gefordert, nun deckten sie ängstlich ihr Antlitz, daß keiner um ihren Weg wisse und in verborgener Demut ihr Schicksal vergessen sei: in einem Frauenkloster fremden Landes, wo niemand ihre Herkunft ahnte, sollen sie – niemand weiß es genau – nach Jahren schweigsamer Zurückgezogenheit gestorben sein. So reichlich aber waren die Schätze, die sie dem frommen Asyl hinterließen, so viele Scheffel Goldes wurden aus den Spangen und Münzen und Edelsteinen und Schuldverschreibungen gelöst, daß man beschloß, ein neues und herrliches Siechenhaus zu Schmuck und Krönung der Stadt zu entrichten, schöner und größer, als jemals eines gesehen ward im aquitanischen

Land. Ein nordischer Meister entwarf den Riß, zwanzig Jahre baute Tag und Nacht die werkende Schar, und als endlich das hohe Werk sich enthüllte, stand abermals staunend die Menge. Denn nicht wie bislang Brauch war, hob hier über das Viereck des Hauses ein einziger Turm sein vierkantiges Haupt trotzig gequadert zur Höhe – nein, hier stieg weibisch schlank und in steinerne Spitzen gehüllt zur Rechten einer empor und einer zur Linken, so völlig einander gleich in Wuchs und Maßen und der zarten Anmut des gemeißelten Steins, daß bereits vom ersten Tage an die Leute die beiden Türme »die Schwestern« nannten – mag sein, bloß um ihrer äußeren Ebenmäßigkeit willen, vielleicht aber auch, weil man im Volke, das ja allezeit denkwürdige Begebenheiten durch Jahre und Jahrhunderte gerne überliefert, die ungebührliche Legende von Weltfahrt und Wandlung der beiden gleich-ungleichen Schwestern nicht vergessen wollte, die mir jener biedere Bürger, vielleicht ein wenig vom Weine beschwingt, im Mondlicht der Mitternacht erzählte.

Untergang eines Herzens

Zu entscheidender Erschütterung eines Herzens bedarf das Schicksal nicht immer wuchtigen Ausholens und schroff verstoßender Gewalt; gerade aus flüchtiger Ursache Vernichtung zu entfalten, reizt seine unbändige Bildnerlust. Wir nennen dies erste leise Berühren in unserer dumpfen Menschensprache Anlaß und vergleichen erstaunt sein winziges Maß mit der oft mächtig fortwirkenden Gewalt; aber so wenig eine Krankheit mit ihrem Kenntlichwerden, so wenig beginnt das Schicksal eines Menschen erst, sobald es sichtbar und Geschehnis wird. Immer, im Geist und im Blute, waltet das Schicksal längst innen, eh es von außen die Seele berührt. Sich-Erkennen ist schon Sich-Wehren, und ein vergebliches zumeist.

Der alte Mann – Salomonsohn hieß er und durfte sich daheim Geheimer Kommissionsrat nennen – wachte nachts im Hotel von Gardone, wohin er seine Familie anläßlich der Ostertage begleitet, infolge eines heftigen Schmerzes auf: der Leib war ihm wie mit scharfen Dauben umschnürt, kaum rang sich der Atem durch die angespannte Brust. Der alte Mann erschrak, litt er doch häufig an Gallenkrämpfen, und gegen den Rat der Ärzte hatte er statt der verordneten Karlsbader Kur um seiner Familie willen den südlichen Aufenthalt gewählt. Einen Anfall jener gefährlichen Art befürchtend, betastete er ängstlich seinen breiten Leib, um aber bald – erleichtert, mitten im noch fortquälenden Schmerz – festzustellen:

nur der Magen drückte ihn hart, offenbar infolge der ungewohnten italienischen Kost oder einer jener leichten Vergiftungen, wie sie dortzulande häufig den Reisenden befallen. Aufatmend fiel die zitternde Hand zurück, aber der Druck blieb und hemmte den Atem: so stöhnte sich der alte Mann schwerfällig aus dem Bett, um ein wenig Bewegung zu machen. Und tatsächlich: im Stehen und noch mehr im Gehen ward der Druck matter. Aber das dunkle Zimmer bot wenig Raum, zudem fürchtete er, die im Schwesterbett schlafende Frau aufzuwecken und unnötig in Sorge zu setzen. So warf er sich den Schlafmantel um, zog Filzpantoffeln über die nackten Füße und tastete vorsichtig in den Korridor, dort ein wenig auszuschreiten und die Beklemmung zu lindern.

Im Augenblick, da er die Tür gegen den dunklen Gang öffnete, hallte durch die breit aufgetanen Fenster die Stunde vom Kirchturm: vier erst wuchtige und dann weich über den See zerzitternde Glockenschläge: vier Uhr morgens.

Der lange Korridor lag vollkommen dunkel. Aber aus deutlicher Erinnerung des Tages wußte der alte Mann ihn geradeausgehend und tiefräumig: so schritt er, ohne der Beleuchtung zu bedürfen, stark atmend von einem Ende zum andern, und nochmals und nochmals, zufrieden gewahrend, daß allmählich jene Klammer um die Brust sich löste. Schon bereitete er sich vor, durch die wohltuende Übung des Schmerzes fast vollkommen entledigt, wieder in sein Zimmer zurückzukehren, als ein Geräusch ihn erschreckt innehalten ließ. Geräusch: ein Wispern von irgend nah her in der Dunkelheit, dünn und doch unverkennbar. Etwas knackte im Gebälk, etwas flüsterte, rührte sich, und schon schnitt für eine Sekunde aus spaltbreit geöffneter Tür ein schmaler Kegel Licht das formlos Finstere durch. Was war das? Unwillkürlich drückte sich der alte Mann in eine Ecke, keineswegs aus

Neugier, sondern einzig dem leichtverständlichen Gefühl der Beschämung nachgebend, bei so absonderlich nachtwandlerischem Gebaren ertappt zu werden. Aber wider seinen Willen fast hatte er in dieser einen Sekunde, wo das Licht den Gang überblitzte, wahrzunehmen vermeint, daß aus jenem Zimmer eine weißgekleidete weibliche Gestalt herausglitt und gegen das Ende des Korridors zu verschwand. Und wirklich, dort an einer der letzten Türen des Ganges knackte jetzt eine leise Klinke. Dann alles wieder dunkel und atemstill.

Der alte Mann begann plötzlich zu taumeln wie von einem Stoß gegen das Herz. Dort am äußersten Ende des Ganges, dort, wo jene Klinke verräterisch sich geregt, dort waren ... dort waren doch nur seine eigenen Zimmer, das dreiräumige Appartement, das er für seine Familie gemietet. Seine Frau, sie hatte er vor wenigen Minuten noch schlafatmend verlassen, so konnte – nein, eine Täuschung war unmöglich – diese weibliche Gestalt, die abenteuernd von fremdem Zimmer zurückkehrte, niemand anderes gewesen sein als Erna, seine Tochter, die kaum neunzehnjährige.

Der alte Mann schauerte am ganzen Leib, so durchfrostete ihn das Entsetzen. Seine Tochter Erna, das Kind, das helle übermütige Kind – nein, das konnte nicht möglich sein, er mußte sich getäuscht haben. – Was sollte sie denn da tun im fremden Zimmer, wenn nicht ... Wie ein böses Tier stieß er den eigenen Gedanken von sich weg, aber herrisch krallte sich das spukhafte Bild der fliehenden Gestalt in die Schläfen, nicht loszureißen mehr, nicht mehr abzutun: er mußte Gewißheit haben. Keuchend tastete er die Wand des Korridors entlang bis zu ihrer Tür, nachbarlich der seinen. Aber entsetzlich: gerade hier, gerade bei dieser einen Tür im Gange, dieser einzigen Tür, zitterte ein dünner Faden Licht durch die Fuge, und aus dem Schlüsselloch stach verräterisch-weißer Punkt: um vier Uhr morgens hatte sie noch Licht in ihrem Zimmer! Und neues Zeugnis: eben knackte innen der elektrische Kontakt, der weiße Faden Licht fiel spurlos ins Schwarze – nein, nein, hier half kein Sichselbstbelügen – Erna, seine Tochter, sie war es, die da nächtlich aus fremdem Bett in das ihre schlich.

Der alte Mann zitterte vor Grauen und Kälte; gleichzeitig brach ihm Schweiß aus dem Leibe und überschwemmte die Poren. Die Tür einschlagen, mit den Fäusten sie zerprügeln, die Schamlose, war sein erstes Gefühl. Aber die Füße schwankten unter dem breiten Leib. Kaum noch fand er Kraft, sich in sein Zimmer und zum Bett zu schleppen; dort fiel er mit dumpfen Sinnen in die Kissen wie ein gefälltes Tier.

Der alte Mann lag reglos in seinem Bett; seine Augen starrten offen in das Dunkel. Neben ihm ging unbesorgt und satt der Atem seiner Frau. Erster Gedanke war, sie wachzurütteln, die schreckhafte Entdeckung zu berichten, sich das Herz auszuschreien, auszutoben. Aber wie das aussprechen, laut in Worten, das Entsetzliche? Nein, nie, nie käme ihm dies Wort über die Lippe. Aber was tun? Was tun?

Er versuchte nachzudenken. Aber die Gedanken taumelten wie Fledermäuse blind durcheinander. Es war ja so ungeheuerlich: Erna, das zarte, wohlerzogene Kind mit den schmeichelnden Augen ... wann, wann hatte er sie noch über dem Schulbuch lesend gefunden, mit dem kleinen rosigen Finger die schweren Schriftzeichen mühsam nachziehend ... wann sie nur in ihrem blaßblauen Kleidchen von der Schule zum Zuckerbäcker geführt, den Kinderkuß gefühlt von dem noch bezuckerten Mund ... War das nicht gestern gewesen? ... Nein, das lag Jahre zurück ... aber wie kindlich hatte sie ihn gestern, ja wirklich gestern noch gebettelt, er möchte ihr den blaugoldenen Sweater kaufen, der in der Auslage sich so bunt vordrängte. »Papachen, bitte! bitte!« – mit gefalteten Händen und dem Lachen, dem selbstgewiß-frohen, dem er nie widerstehen konnte... Und jetzt, jetzt schlich sie, zehn Zoll von seiner Tür, nachts hinaus in das Bett eines fremden Mannes und wälzte sich dort gierig und nackt ...

»Mein Gott! ... mein Gott!«... er stöhnte unwillkürlich auf, der alte Mann. »Diese Schande! diese Schande! ... mein Kind, mein zartes, behütetes Kind mit irgendeinem Mann ... Mit wem? ... Wer kann es nur sein? ... Wir sind doch erst drei Tage hier in Gardone, und sie hat keinen von den geschniegelten Laffen vorher gekannt, nicht diesen schmalköpfigen Conte Ubaldi, nicht den italienischen Offizier und diesen Mecklenburger Herrenreiter ... erst beim Tanzen am zweiten Tage sind sie bekannt geworden, und schon soll sie einer ... Nein, das kann nicht der Erste gewesen sein, nein ... das muß schon früher begonnen haben ... zu Hause ... und ich weiß nichts, ich ahne nichts, ich Narr, ich geschlagener Narr ... Aber was weiß ich denn überhaupt von ihnen? ... Den ganzen Tag schufte ich für sie, sitze vierzehn Stunden im Kontor, genau so wie früher mit dem Musterkoffer auf der Bahn ... nur Geld für sie zu schaffen, Geld, Geld, damit sie schöne Kleider haben und reich werden ... und abends, wenn ich heimkomme, müde, zerschlagen, da sind sie fort: im Theater, auf Bällen, in Gesellschaft ... was weiß ich denn von ihnen, was sie treiben den ganzen Tag? ... Nur das weiß ich jetzt, daß mein Kind nachts mit ihrem jungen reinen Leib zu den Männern geht wie eine von der Straße ... Oh, diese Schande!«

Der alte Mann stöhnte immer wieder auf. Jeder neue Gedanke riß die Wunde tiefer: ihm war, als läge sein Gehirn blutig offen und wühlten rote Maden darin.

»Aber warum habe ich das alles geduldet? . . . Warum
liege ich jetzt noch da und quäl mich ab, indes sie sich satt
schläft mit ihrem unzüchtigen Leib? . . . Warum bin ich
nicht gleich hineingefahren in das Zimmer, damit sie
weiß, ich kenne ihre Schande? . . . Warum habe ich ihr
nicht die Knochen zerprügelt? . . . Weil ich schwach bin
. . . weil ich feig bin . . . Immer war ich schwach gegen sie
beide . . . alles habe ich ihnen nachgegeben . . . ich war ja
stolz, ihnen das Leben leicht sein zu lassen, wenn schon
meines verdorben war . . . mit den Fingernägeln habe ich
das Geld zusammengekratzt, Pfennig für Pfennig . . . das
Fleisch hätte ich mir von den Händen reißen lassen, sie
nur zufrieden zu sehen . . . Aber kaum ich sie reich gemacht, schon haben sie sich meiner geschämt . . . nicht
elegant genug bin ich ihnen mehr gewesen . . . zu unge-
bildet . . . wo hätte ich Bildung lernen sollen? Mit zwölf
Jahren haben sie mich schon aus der Schule genommen,
und ich hab verdienen müssen, verdienen, verdienen . . .
Musterkoffer tragen, von Dorf zu Dorf fahren, und dann
von Stadt zu Stadt agentieren, ehe ich mein eigenes Geschäft auftun konnte . . ., und kaum waren sie oben und
im eigenen Haus, da mochten sie meinen alten ehrlichen
guten Namen nicht mehr . . . den Kommissionsrat, Geheimrat habe ich mir kaufen müssen, damit man sie nicht
mehr Frau Salomonsohn anspricht, damit sie vornehm
tun können . . . Vornehm! Vornehm! . . . Ausgelacht haben sie mich, wenn ich mich wehrte gegen die Vornehm-
tuerei, gegen ihre ›feine‹ Gesellschaft, wenn ich ihnen
erzählte, wie meine Mutter, Gott hab sie selig, das Haus
führte, still, bescheiden, nur für den Vater und uns . . .
altmodisch haben sie mich genannt . . . ›Du bist altmodisch, Papachen‹, hat sie immer gespottet . . . ja, altmodisch, ja . . . und jetzt liegt sie mit fremden Männern in
fremdem Bett, mein Kind, mein einziges Kind . . . Oh,
diese Schande, diese Schande . . .«

So furchtbar stieß dem alten Mann die seufzende Qual aus der Brust, daß die Frau an seiner Seite erwachte. »Was ist's?« fragte sie schlaftrunken. Der alte Mann rührte sich nicht und hielt den Atem an. Und so lag er reglos im finstern Sarg seiner Qual bis in den Morgen hinein, von den Gedanken zerfressen wie von Würmern.

Morgens am Frühstückstisch war er als Erster zur Stelle. Aufseufzend setzte er sich hin, jeder Bissen widerte ihn an.

»Wieder allein«, dachte er, »immer allein! . . . Wenn ich morgens ins Büro gehe, schlafen sie noch behäbig und faul von ihren Tanzereien und Theatern . . . wenn ich abends heimkomme, sind sie schon fort auf Vergnügung, in Gesellschaft: da können sie mich nicht brauchen . . . oh, das Geld, das verfluchte Geld hat sie verdorben . . . das hat sie mir fremd gemacht . . . Ich Narr hab es zusammengescharrt und mich dabei selber bestohlen, mich hab ich arm gemacht damit und sie selber schlecht . . . fünfzig sinnlose Jahre habe ich geschuftet, keinen freien Tag mir gegönnt, und jetzt bin ich allein . . .«

Er wurde allmählich ungeduldig. »Warum kommt sie nicht . . . ich will mit ihr reden, ich muß es ihr sagen . . . wir müssen weg von hier, sofort . . . warum kommt sie nicht . . . wahrscheinlich ist sie noch müde, schläft prächtig mit gutem Gewissen, indes ich mir das Herz zerreiße, ich Narr . . . Und die Mutter putzt sich stundenlang, muß baden, sich appretieren, maniküren, frisieren lassen, die kommt nicht vor elf herab . . . ist es da ein Wunder? . . . was soll da werden aus einem Kind? . . . Oh, das Geld, das verfluchte Geld.«

Von rückwärts knisterte leichter Schritt. »Morgen, Papachen, gut geruht?« Etwas beugte sich zart von der Seite heran, dünner Kuß streifte die hämmernde Stirn. Unwillkürlich scheute er mit dem Kopf zurück: der süßlichschwüle Geruch des Coty-Parfüms ekelte ihn. Und dann ...

»Was hast du, Papachen ... wieder schlechter Laune ... Einen Kaffee, Kellner, und ham and eggs ... Schlecht geschlafen oder schlechte Nachrichten?«

Der alte Mann bezwang sich. Er duckte den Kopf, ohne Mut, aufzuschauen, und schwieg. Nur ihre Hände sah er auf dem Tisch, die geliebten Hände: lässig und manikürt spielten sie wie verwöhnte schmale Windhunde auf dem weißen Rasen des Tuches. Er zitterte. Scheu tastete sein Blick die zarten jungfräulichen Arme empor, die kindlichen, die ihn früher ... wie lange war das her? ... so oft umschlungen vor dem Schlafengehen ... Er sah die feine Wölbung der Brüste, die locker unter dem neuen Sweater im Atmen bebten. »Nackt ... nackt ... mit einem fremden Mann sich gewälzt«, dachte er ingrimmig. »All das hat er gefaßt, betastet, beschmeichelt, geschmeckt, genossen ... mein Fleisch und Blut ... mein Kind ... oh, dieser fremde Schuft ... oh ... oh ...«

Unbewußt hatte er wieder gestöhnt. »Was hast du denn, Papachen?« drängte sie schmeichlerisch heran.

»Was ich habe?« dröhnte es in ihm. »Eine Hure zur Tochter, und nicht den Mut, es ihr zu sagen.«

Aber er murrte nur undeutlich: »Nichts! Nichts!« und griff hastig nach der Zeitung, sich aus aufgeschlagenen Blättern eine Palisade zu bauen gegen ihren fragenden Blick, denn immer mehr fühlte er sich unmächtig, ihren Augen zu begegnen. Seine Hände zitterten. »Jetzt müßte ich es ihr sagen, jetzt, solange wir allein sind«, quälte es ihn. Aber die Stimme versagte sich; nicht einmal aufzuschauen fand er die Kraft.

Und plötzlich, mit einem Ruck stieß er den Sessel zurück und flüchtete schweren Schrittes gegen den Garten; denn er fühlte, wie wider seinen Willen ihm eine dicke

Träne über die Wange rollte. Und das sollte sie nicht sehen.

Der alte kurzbeinige Mann irrte im Garten herum und starrte lang auf den See. Ganz blind innen von zurückgestockten Tränen konnte er sich doch nicht erwehren, zu sehen, wie schön diese Landschaft war: hinter silbrigem Licht grünwellig aufsteigend, schwarz schraffiert mit den dünnen Strichen von Zypressen blickten weichfarbig die Hügel und hinter ihnen schroffer die Berge, streng und doch ohne Hochmut die Lieblichkeit des Sees überschauend, wie ernste Männer geliebter Kinder belangloses Spiel. Wie das lind sich aufbreitete mit offener, blumiger, gastlicher Gebärde, wie das lockte, gütig und glücklich zu sein, dies zeitlos selige Lächeln Gottes in seinen Süden hinein! »Glücklich!« Der alte Mann wiegte verworren den allzu schweren Kopf.

»Hier könnte man glücklich sein. Einmal hab ich's auch haben wollen, auch einmal selber fühlen, wie schön die Welt der Sorglosen ist . . . einmal nach fünfzig Jahren Schreiben und Rechnen und Feilschen und Schachern auch einmal paar helle Tage genießen wollen . . . einmal, einmal, einmal, ehe man mich einscharrt . . . fünfundsechzig Jahre, mein Gott, da hat der Tod einem die Hand schon im Leib, und das Geld hilft einem nichts mehr und die Doktoren . . . Nur ein paar leichte Atemzüge wollte ich vorher, auch einmal etwas für mich . . . Aber mein Vater selig hat schon immer gesagt: ›Das Vergnügen ist nichts für unsereinen, man trägt seinen Pack am Rücken bis ins Grab‹ . . . Gestern hab ich gemeint, auch ich dürft einmal mir's wohl sein lassen . . . gestern da war ich so etwas wie ein glücklicher Mensch, hab mich gefreut an meinem schönen hellen Kind, mich gefreut an ihrer Freude . . . und schon hat mich Gott gestraft, schon nimmt er mir's weg . . . Denn das ist vorbei jetzt für immer . . . Ich

kann nicht mehr sprechen mit meinem eigenen Kind . . .
ich kann ihr nicht mehr in die Augen schauen, so schäm
ich mich . . . Immer werde ich daran denken müssen, zu
Hause, im Büro und nachts im Bett: wo ist sie jetzt, wo
war sie, was hat sie getan? . . . nie mehr ruhig nach Hause
kommen, und da sitzt sie und springt mir entgegen, und
das Herz geht mir auf, wenn ich sie sehe, jung und schön
. . . Wenn sie mich küßt, werde ich mich fragen, wer hat
sie gestern gehabt, diese Lippen . . . immer in Angst leben, wenn sie von mir fort ist, und immer mich schämen, wenn ich ihre Augen sehe. – Nein, so kann man
nicht leben . . . so kann man nicht leben . . .«

Der alte Mann torkelte murmelnd hin und her wie ein
Betrunkener. Immer starrte er wieder auf den See, immer liefen ihm wieder die Tränen in den Bart hinein. Er
mußte den Zwicker abnehmen und stand mit seinen
kurzsichtigen nassen Augen so tölpelig auf dem schmalen
Weg, daß ein Gärtnerjunge, der eben vorbei kam, ver-
dutzt stehenblieb, laut auflachte und mit ein paar italienischen Spaßworten dem Verworrenen nachhöhnte. Das
weckte den alten Mann aus seinem Schmerztaumel; er
griff nach dem Zwicker und schlich zur Seite in den Garten, irgendwo dort auf einer Bank sich vor dem Menschen zu vergraben.

Aber kaum daß er sich abseitiger Stelle im Garten genähert, so schreckte ihn ein Lachen von links her wieder
auf . . . ein Lachen, das er kannte und das ihm jetzt das
Herz zerriß. Seine Musik war das gewesen, neunzehn
Jahre lang, dies leichte Lachen ihres Übermuts . . . für
dieses Lachen hatte er die Nächte durchfahren dritter
Klasse bis Posen und Ungarn hinein, nur um dann etwas
ihnen hinzuschütten, gelben Humus, aus dem diese unbesorgte Heiterkeit blühte . . . einzig für dieses Lachen
hatte er gelebt und sich die Galle krank geärgert im Leibe
. . . nur damit dies Lachen immer klingend blieb um den

geliebten Mund. Und nun schnitt es in die Eingeweide wie eine glühende Säge, dies verfluchte Lachen.

Und doch zog es den Widerstrebenden an. Sie stand am Tennisplatz, das Rakett wirbelnd in der nackten Hand, lockeren Gelenks es hochwerfend im Spiel und wieder fangend. Und immer gleichzeitig mit dem aufgewirbelten Schläger wirbelte das übermütige Lachen in den azurnen Himmel hinauf. Die drei Herren sahen ihr bewundernd zu, der Conte Ubaldi im lockern Tennishemd, der Offizier in seiner straffkleidenden, sehnenspannenden Uniform, und der Herrenreiter in tadellosen Breeches, drei scharf profilierte männliche Gestalten wie Statuen um dies wie ein Schmetterling flatternde Spielding. Der alte Mann starrte selbst gefangen hin. Mein Gott, wie schön sie war in ihrem hellen fußfreien Kleid, die Sonne fließend zerstäubt im blonden Haar! Und wie selig diese jungen Glieder ihre eigene Leichtigkeit fühlten in Sprung und Lauf, berauscht und berauschend mit diesem rhythmisch lockern Gehorchen der Gelenke. Jetzt warf sie übermütig den weißen Tennisball in die Luft, einen zweiten, einen dritten ihm nach; wunderbar, wie in Biegen und Haschen die schlanke Gerte ihres Mädchenleibes sich schwang, aufschnellend jetzt, den letzten zu greifen. So hatte er sie nie gesehen, so aufgezündet von übermütigen Flammen, weiße, fliehende, wehende Flamme selbst mit dem silbernen Rauch des Lachens über dem Lodern des Leibes – eine jungfräuliche Göttin, dem Efeu des südlichen Gartens, dem weichen Blau des spiegelnden Sees panisch entstiegen: so tanzhaft wild spannte sich nie daheim dieser schmale starrsehnige Leib im eifernden Spiele. Nie, nein, nie hatte er sie so gesehen, innerhalb der dumpfen, mauergedrängten Stadt, nie ihre Stimme in Zimmer und Straße gehört so lerchenhaft losgebunden vom irdisch Dumpfen der Kehle in eine fast singende Heiterkeit, nein, nein, nie war sie so schön gewesen. Der alte Mann starrte und starrte hin. Er hatte alles vergessen, er sah nur und sah diese weiße, fliehende Flamme. Und so hätte er gestanden, endlos ihr Bild einsaugend mit leidenschaftlichem Blick, hätte sie nicht endlich mit flinker Drehung, mit einem jappenden aufflatternden Sprung auch den letzten der jonglierten Bälle aufgefangen und atmend, keuchend, erhitzt mit lachend stolzem Blick an die Brust gedrückt. »Brava, Brava« – wie nach einer Opernarie applaudierten die drei Herren, die angeregt ihrem geschickten Fangball zugesehen. Diese gutturalen Stimmen weckten den alten Mann aus der Bezauberung. Grimmig starrte er sie an.

»Da sind sie, die Schurken«, hämmerte ihm das Herz. »Da sind sie ... Aber wer ist es von ihnen? ... wer hat sie gehabt von den dreien? ... Wie fein sie ausstaffiert sind, parfümiert und rasiert, diese Tagediebe ... unsereins mußte in ihrem Alter im Kontor sitzen mit ausgeflickten Hosen und sich die Absätze krumm treten bei den Kunden ... und ihre Väter, die sitzen vielleicht heute noch so und schinden sich ihretwegen die Nägel blutig ... sie aber fahren in der Welt herum, stehlen dem lieben Herrgott den Tag, haben braune, unbesorgte Gesichter und helle, freche Augen ... da kann man leicht frisch sein und vergnügt und braucht so einem eitlen Kind nur ein paar verzuckerte Worte hinzuwerfen, und schon kriecht sie ins Bett ... Aber wer ist es von den dreien, welcher ist es? ... Einer von ihnen, ich weiß es, der sieht ihr durch das Kleid ins Nackte, und schmatzt mit der Zunge: die hab ich gehabt ... kennt sie heiß und bloß und denkt sich, heute abend wieder, und blinzelt ihr zu, – oh, dieser Hund! ... ihn totpeitschen können, diesen Hund!«

Man hatte ihn drüben bemerkt. Die Tochter schwang salutierend das Rakett und lachte ihm zu, die Herren grüßten. Er dankte nicht, starrte nur überschwemmten, blutunterlaufenen Blicks auf ihren übermütigen Mund:

»Daß du noch so lachen kannst, du Schamlose ... aber auch der eine da lacht vielleicht in sich hinein und denkt sich, da steht er, der alte dumme Jud, der nachts sein Bett zerschnarcht ... wenn der wüßte, der alte Narr! ... Ja, ich weiß, ihr lacht, ihr tretet über mich weg wie über einen schmutzigen Kotzen ... aber die Tochter, die ist fesch und willig, die läuft euch hurtig ins Bett ... und die Mutter, schon ein wenig dick ist sie und aufgetakelt, geschminkt und gestrichen, aber doch, redete man ihr zu, sie würde vielleicht auch noch ein Tänzchen wagen ... Habt ja recht, ihr Hunde, habt ja recht, wenn sie euch nachrennen, die läufigen Weiber, die ehrlosen ... Was geht's euch an, daß sich dem andern das Herz dabei zerkrümmt ... wenn ihr nur euren Spaß habt, wenn sie nur ihren Spaß haben, die ehrlosen Weiber ... Mit dem Revolver sollte man euch niederknallen, mit der Hetzpeitsche über euch fahren ... Aber ihr habt ja recht, solang es keiner tut ... solange man nur den Zorn in sich frißt wie ein Hund sein Ausgeworfenes ... habt ja recht, wenn man so feig ist, so erbärmlich feig ... nicht hingeht, die Schamlose packt und am Ärmel von euch wegreißt ... wenn man bloß stumm dabeisteht, die Galle im Mund, feig ... feig ... feig ...«

Mit den Händen hielt sich der alte Mann am Geländer, so schüttelte ihn ohnmächtiger Zorn. Und plötzlich spie er vor den eigenen Fuß und taumelte aus dem Garten.

Der alte Mann tappte hinein in die kleine Stadt, vor einer Auslage blieb er plötzlich stehen; allerhand Dinge touristischen Gebrauchs, Hemden und Netze, Blusen und Angelzeug, Krawatten, Bücher, Backwerk bauten sich dort aus zufälligem Beieinander zu künstlichen Pyramiden und farbigen Etageren. Aber sein Blick starrte nur auf ein einziges Ding, das verachtet zwischen dem eleganten Gerümpel lag: ein Knotenstock, dick und klobig, mit eiser-

ner Bergspitze gehärtet, schwer in der Hand und furchtbar wohl niederfallend im Schlag. »Niederschlagen ...
niederschlagen, den Hund!« Der Gedanke versetzte ihn
in einen wirren, fast wollüstigen Taumel; es stieß ihn hinein in die Krämerei, wo er jenen knolligen Kolben gegen
geringes Entgelt erstand. Und kaum das schwere, wuch-
tig-gefährliche Ding in der Faust, fühlte er sich stärker:
immer macht ja eine Waffe den körperlich Schwachen
mehr seiner gewiß. Er spürte, wie vom Griff her die
Muskeln vehementer sich spannten: »Niederschlagen ...
niederschlagen, den Hund!« murmelte er zu sich selbst,
und unbewußt ward sein schwer stolpernder Schritt fester, aufrechter, geschwinder; er ging, ja er lief den
Strandweg auf und ab, schweißatmend schon, aber mehr
dank der durchgebrochenen Leidenschaft als des be-
schleunigten Ganges. Denn immer hitziger krampfte sich
die Hand an den wuchtigen Griff.

Mit seiner Waffe trat er in die bläuliche Schattenkühle
der Halle, sofort gereizten Blicks den unsichtbaren Gegner suchend. Und wirklich, in der Ecke, auf den weichen
Strohkörben saßen sie alle beisammen, Whisky und Soda
aus dünnen Strohröhren saugend, heiter gesprächig in
faulenzerischer Geselligkeit: seine Frau, seine Tochter
und die unvermeidlichen drei. »Welcher ist es? welcher ist
es?« dachte er dumpf, die Faust um den schweren Knoten
gepreßt. »Wem von ihnen den Schädel zerschlagen? ...
wem? ... wem?« Aber schon sprang, sein unruhiges Suchen mißverstehend, Erna auf und ihm entgegen. »Da
bist du, Papachen! Wir haben dich überall gesucht. Denk
dir, Herr von Medwitz nimmt uns mit in seinem Fiat,
wir fahren bis nach Desenzano den ganzen See entlang.«
Dabei drängte sie ihn zärtlich dem Tische zu, als ob er
sich für die Einladung noch bedanken sollte.

Die Herren waren höflich aufgestanden und boten ihm
die Hand. Der alte Mann zitterte. Aber an seinem Arme

lag weich und betäubend dies Beschwichtigende ihrer warmen Gegenwart. In einer Ohnmacht des Willens nahm er, eine nach der andern, die dargebotene Hand, setzte sich stumm, holte eine Zigarre heraus und kaute den Zorn seiner verbissenen Zähne in die weiche Masse. Über ihn hinweg flatterte das abgerissene Gespräch, französisch geführt, von übermütigem Lachen mehrstimmig überflogen.

Der alte Mann saß stumm geduckt und biß an seiner Zigarre, daß der Saft ihm braun in die Zähne rann. »Recht haben sie . . . recht haben sie«, dachte er. »Anspucken soll man mich . . . jetzt habe ich ihm noch die Hand gereicht! . . . allen dreien, aber ich weiß doch, daß einer von ihnen der Schurke ist . . . ruhig sitze ich am selben Tisch mit ihm . . . ich schlage ihn nicht nieder, nein, ich schlage ihn nicht nieder, ich reiche ihm höflich die Hand . . . Recht haben sie, ganz recht, wenn sie über mich lachen . . . Und wie sie über mich hinwegreden, als ob ich gar nicht da wäre! . . . als ob ich schon unter der Erde läge . . . und dabei wissen doch beide, Erna und ihre Mutter, daß ich kein Wort Französisch verstehe . . . beide wissen sie's, beide, aber keine fragt mich irgend etwas nur zum Schein, nur damit ich nicht so lächerlich dasitze, so entsetzlich lächerlich : . . Luft bin ich für sie, Luft . . . ein unangenehmes Anhängsel, etwas Lästiges, Störendes . . . etwas, dessen man sich schämt und das man nur nicht wegtut, weil es Geld verdient . . . Geld, Geld, dieses dreckige, erbärmliche Geld, mit dem ich sie verdorben habe . . . dieses Geld, auf dem der Fluch Gottes liegt . . . Kein Wort reden sie zu mir, meine Frau, mein eigenes Kind, nur für diese Lungerer, für diese glatten, geputzten Laffen haben sie Blicke . . . wie sie ihnen zulachen, aufgekitzelt, als wären sie ihnen mit der Hand ans Fleisch gefahren . . . Und ich, ich dulde das alles . . . Ich sitze da, höre zu, wie sie lachen, und verstehe nichts, und sitze doch da, statt aufzuschlagen mit der Faust … da, mit dem Stock auf sie zu dreschen und sie auseinanderzutreiben, ehe sie sich zu paaren beginnen vor meinen eigenen Augen … ich erlaube das alles … ich sitze da, stumm, dumm, feig … feig … feig …«

»Gestatten Sie«, fragte in diesem Augenblick in mühseligem Deutsch der italienische Offizier und griff nach dem Feuerzeug.

Da fuhr, aufgeschreckt aus seinen gehitzten Gedanken, der alte Mann empor und starrte den Ahnungslosen grimmig an. Der Zorn stand noch heiß in ihm. Einen Augenblick krampfte die Hand den Stock. Dann aber zerrte sich der Mund schon wieder schief herab und zerging in ein unsinniges Grinsen: »Oh, ich gestatte«, wiederholte er, und die Stimme schlug schneidend über. »Gewiß gestatte ich, hehe … alles gestatte ich … was Sie wollen … hehe … alles gestatte ich … alles, was ich habe, steht ja zu Ihrer Verfügung … mit mir kann man sich alles gestatten …«

Der Offizier sah ihn befremdet an. Der Sprache unkund, hatte er nicht ganz verstanden. Aber dieses schiefe, grinsende Lachen beunruhigte ihn. Der deutsche Herr fuhr unwillkürlich auf, die beiden Frauen kalkweiß – für einen Augenblick stand die Luft zwischen ihnen allen starr und atemlos wie in der dünnen Pause zwischen Blitz und dem nachrollenden Donner.

Aber dann lockerte sich die wilde Verzerrung, der Stock glitt aus der gekrampften Faust. Wie ein geprügelter Hund kroch der alte Mann in sich zurück und hüstelte verlegen, von seiner eigenen Kühnheit erschreckt. Hastig knüpfte Erna, um die peinliche Spannung abzuschwächen, das abgerissene Gespräch neuerdings an; der deutsche Baron antwortete mit sichtlich beflissener Heiterkeit, und nach wenigen Minuten schon lief der gestockte Schwall wieder sorglos dahin.

Der alte Mann saß vollkommen abwendig inmitten der Schwatzenden, man hätte glauben können, er schliefe. Der wuchtige Stock, seinen Händen entsunken, pendelte zwecklos zwischen den Beinen. Immer tiefer glitt das Haupt in die aufgestützte Hand. Aber niemand achtete mehr auf ihn: über sein Schweigen rollte die plaudernde Woge klingend hinweg, manchmal sprühte an übermütig scherzendem Wort Schaum von Gelächter funkelnd empor; er aber lag unten reglos in unendlichem Dunkel, ertrunken in Scham und Schmerz.

Die drei Herren standen auf, Erna folgte eilfertig und langsamer die Mutter; sie gingen, heiterem Vorschlag folgend, ins Musikzimmer nebenan und hielten es nicht für nötig, den dumpf vor sich Hindösenden besonders aufzufordern. Erst von der plötzlichen Leere um sich betroffen, wachte er auf, wie ein Schlafender aufschreckt vom Gefühl der Kälte, wenn nachts die Decke heruntergeglitten ist und kalte Zugluft den bloßen Leib überstreicht. Unwillkürlich tappte der Blick auf die verlassenen Sessel; aber da hämmerte schon vom Klaviersalon nebenan klapprig und reißerisch ein Jazz, er hörte Lachen und aufmunternde Rufe. Sie tanzten nebenan. Ja, tanzen, immer tanzen, das konnten sie! Immer wieder sich das Blut aufjagen, immer sich geil aneinanderreiben, bis der Braten gar war. Tanzen, abends, nachts und am hellichten Tag, die Faulenzer, die Müßiggänger, damit kirrten sie die Weiber.

Erbittert faßte er wieder den derben Stock und schlurfte ihnen nach. An der Tür blieb er stehen. Der deutsche Herrenreiter saß am Klavier und rasselte, halb umgewendet, um den Tanzenden gleichzeitig zuzusehen, auswendig und ungefähr einen amerikanischen Gassenhauer über die Tasten. Erna tanzte mit dem Offizier, die Mutter, schwerfällig und stark, schob der langstielige Conte Ubaldi nicht ohne Mühe rhythmisch vor und zurück. Aber der alte Mann starrte nur auf Erna und ihren Partner. Wie der Windhund leicht und schmeichlerisch seine Hände auf ihre zarte Schulter legte, als gehöre dieses Wesen ihm gänzlich an! Wie ihr Körper wiegend und hingebend, gleichsam sich versprechend, an den seinen drängte, wie sie ineinanderwuchsen vor seinen eigenen Augen in mühsam verhaltener Leidenschaft! Ja, der war es, der – denn in diesen beiden flutenden Körpern glühte sichtlich ein Einanderkennen, eine schon ins Blut gedrungene Gemeinschaft. Ja, der war es, der – nur der konnte es sein, er las an ihren Augen, die, halbgeschlossen und doch überströmend, in diesem flüchtigen Schweben ein heißer Genossenes erinnernd widerstrahlten – der war es, der Dieb, der nächtens glühend griff und durchdrang, was sich jetzt in dünnem wogendem Kleid halbdurchsichtig verhehlte, sein Kind, sein Kind! Unwillkürlich trat er heran, sie jenem wegzureißen. Aber sie bemerkte ihn nicht. Mit jeder Bewegung dem Rhythmus, dem unmerklich sie lenkenden Druck des Führers, des Verführers hingegeben: rückgelehnten Hauptes mit feucht geöffnetem Mund, ganz Trunkenheit und Selbstvergessen, wogte sie leise im weichen Geström der Musik, den Raum nicht fühlend, die Zeit nicht und den Menschen, den zitternden, keuchenden alten Mann, der blutunterlaufenen Blicks auf sie starrte in einer fanatischen Verzückung des Zornes. Nur sich selbst fühlte sie, ihre eigenen jungen Glieder, widerstandslos folgend dem knatternden Riß der jappenden, wirbelnden Tanzmelodie; nur sich selbst fühlte sie und daß ein Männliches atemnah sie begehrte, starker Arm sie umfing und sie sich bewahren mußte in dieser weichen Schwebe, ihm nicht entgegenzustürzen mit begehrlichen Lippen und heiß einziehender Luft des Sich-Gebens. Und all dies war magisch dem alten Mann im eigenen erschütterten Blut bewußt: immer, wenn der Tanz sie von ihm wegströmte, war ihm, als ginge sie unter für immer.

Plötzlich riß wie eine klirrende Saite die Musik mitten im Takte ab. Der deutsche Baron sprang auf: »Assez joué pour vous«, lachte er. »Maintenant je veux danser moi-même.« Alle stimmten übermütig bei, die Gruppe löste sich aus der bewegten Zweiheit des Tanzes in ein locker flatterndes Beisammensein.

Der alte Mann kam wieder zu sich: etwas tun jetzt, etwas sagen! Nicht so tölpelig, so jämmerlich überflüssig dabeistehen! Eben wogte seine Frau vorbei, ein wenig keuchend von der Anstrengung und doch warm von Zufriedenheit. Der Zorn gab ihm einen plötzlichen Entschluß. Er trat ihr in den Weg: »Komm«, keuchte er ungeduldig, »ich habe mit dir zu reden.«

Sie blickte ihn verwundert an: Schweißperlen feuchteten ihm die blasse Stirn, seine Augen blickten irr. Was wollte er denn? Warum gerade jetzt sie stören? Schon formte sich ausweichendes Wort auf der Lippe; aber da war etwas so Zuckendes, so Gefährliches in seinem Gehaben, daß sie, des grimmigen Ausbruchs von vordem sich plötzlich erinnernd, ihm widerwillig folgte.

»Excusez, messieurs, un instant!« wandte sie sich zuvor noch entschuldigend zu den Herren zurück. »Bei ihnen entschuldigt sie sich«, dachte ingrimmig der Aufgeregte, »bei mir haben sie sich nicht entschuldigt, wie sie vom Tisch aufgestanden sind. Ich bin der Hund für sie, der Fußfetzen, auf dem man herumtritt. Aber sie haben recht, sie haben recht, wenn ich es dulde.«

Sie wartete mit streng hochgezogenen Augenbrauen; wie ein Schüler vor dem Lehrer stand er zuckender Lippe vor ihr.

»Nun?« forderte sie ihn schließlich heraus.

»Ich will nicht ... ich will nicht ...«, stammelte er

endlich unbeholfen. »Ich will nicht, daß ihr ..., daß ihr mit diesen Leuten da verkehrt.«

»Mit welchen Leuten?« – absichtlich nicht verstehend, hob sie indigniert den Blick, als hätte er sie selber beleidigt.

»Mit denen da« – wütend schwenkte er seinen niedern Kopf in die Richtung des Musikzimmers hinüber –, »es paßt mir nicht ... ich will es nicht ...«

»Und warum nicht?«

»Immer dieser inquisitorische Ton«, dachte er erbittert, »als ob ich ihr Bedienter wäre«; und aufgeregter stotterte er: »Ich habe meine Gründe ... Es paßt mir nicht ... Ich will nicht, daß Erna mit diesen Leuten spricht ... Ich muß nicht alles sagen.«

»Dann tut es mir leid«, hochfahrend lehnte sie ab. »Ich finde alle drei Herren außerordentlich wohlerzogene Leute, weit bessere Gesellschaft, als wir sie zu Hause finden.«

»Bessere Gesellschaft! ... Diese Tagediebe ... diese ... diese« ... Der Zorn würgte immer unerträglicher. Und plötzlich stampfte er auf. »Ich will es nicht ... ich verbiete es ... hast du verstanden?«

»Nein«, antwortete sie kaltblütig. »Ich habe gar nichts verstanden. Ich weiß nicht, warum ich dem Kind sein Vergnügen verderben sollte ...«

»Sein Vergnügen! ... sein Vergnügen! ...« er taumelte wie unter einem Hieb, rot das Gesicht, die Stirn überströmt von feuchtem Schweiß – die Hand tastete ins Leere nach dem schweren Stock, sich anzuhalten oder loszuschlagen damit. Aber er hatte ihn vergessen. Das brachte ihn wieder zu sich. Er zwang sich – eine warme Welle strich ihm plötzlich über das Herz. Er trat näher, als wollte er ihre Hand fassen. Seine Stimme wurde ganz klein, bettlerisch fast. »Du ... du verstehst mich nicht ... ich will ja nichts für mich ... ich bitte euch nur darum

... es ist meine erste Bitte seit Jahren: fahren wir fort von hier ... fort, nach Florenz, nach Rom, wohin ihr wollt, alles ist mir recht ... Ihr könnt alles bestimmen, ganz wie ihr wollt ... nur fort von hier, ich bitte dich ... fort, ... nur fort, heute noch ... heute ... ich ... ich kann es nicht länger ertragen ... ich kann nicht.«

»Heute?« sie runzelte erstaunt und abweisend die Stirne. »Heute abreisen? Was sind das für lächerliche Ideen ... und nur weil dir die Herren unsympathisch sind ... Du mußt ja nicht mit ihnen verkehren.«

Er stand noch da, die Hände flehentlich erhoben. »Ich kann es nicht ertragen, habe ich dir gesagt ... ich kann nicht, ich kann nicht. Frag mich nicht weiter, ich bitte dich ... aber glaube mir, ich kann es nicht ertragen ... ich kann es nicht. Einmal tut mir etwas zuliebe, ein einziges Mal für mich ...«

Darüben hatte das Klavier wieder zu hämmern begonnen. Sie blickte auf, von diesem Schrei wider Willen gefaßt; aber wie unsagbar lächerlich sah er aus, der kleine dicke Mann, das Gesicht rot wie vor einem Schlagfluß, die Augen wirr und verquollen, die Hände aus zu kurzen Ärmeln zitternd ins Leere erhoben: es war peinlich, ihn so jämmerlich stehen zu sehen. Das mildere Gefühl erstarrte im Wort:

»Das ist unmöglich«, entschied sie, »für heute haben wir ihnen die Ausfahrt zugesagt ... und morgen abreisen, wo wir für drei Wochen gemietet haben ... man machte sich ja lächerlich ... ich sehe nicht den mindesten Anlaß für eine Abreise ... ich bleibe da und Erna auch ...«

»Und ich kann gehen, nicht wahr? ... ich störe ja hier nur ... störe nur euer ... Vergnügen.«

Mit diesem dumpfen Aufschrei zerhieb er ihr den Satz mitten im Wort. Sein geduckter, massiger Leib hatte sich aufgebäumt, Hände waren Fäuste geworden, auf der Stirn zitterte gefährlich die Ader des Zornes. Noch wollte etwas heraus aus ihm, Wort oder Schlag. Aber plötzlich wandte er sich mit einem Ruck, stolperte rasch und immer rascher mit seinen schwerfälligen Beinen zur Treppe und hastig wie ein Verfolgter die Stufen hinauf.

Der alte Mann keuchte hastig die Stufen hinauf: nur in das Zimmer jetzt, allein sein, sich bändigen, die Nerven niederpressen, nichts Unsinniges tun! Schon hatte er das obere Stockwerk erreicht, da – es war, als risse ihm von innen her eine glühende Kralle die Eingeweide auf – da taumelte er plötzlich kalkweiß an die Wand. Oh, dieser rasende, brennend-knetende Schmerz; er mußte die Zähne zusammenpressen, um nicht laut herauszuschreien. Stöhnend krümmte sich der überfallene Leib.

Sofort wußte er, was ihn betroffen: ein Gallenkrampf, einer dieser furchtbaren Anfälle, wie sie in letzter Zeit ihn oft gequält, nie aber noch mit einer so teuflischen Marter wie diesmal. »Keine Aufregungen«, hatte der Arzt gesagt – im gleichen Augenblick fiel es ihm ein, mitten im Schmerz. Und mitten im Schmerz höhnte er sich ingrimmig noch selbst. »Leicht gesagt, keine Aufregungen ... soll's mir einmal vormachen, der Herr Professor, wie man sich nicht aufregt, wenn man ... oh ... oh ...«

Der alte Mann wimmerte, so glühend wühlte die unsichtbare Kralle im gefolterten Leib. Mit Mühe schleppte er sich bis zur Tür seines Salons, stieß sie auf und fiel hin auf die Ottomane, die Zähne in die Kissen verbeißend. Im Liegen ließ der Schmerz sofort ein wenig nach, die heißen Nägel griffen nicht mehr so teuflisch tief in die grausam wunden Eingeweide. »Einen Umschlag sollte ich mir machen«, erinnerte er sich, »die Tropfen nehmen, dann wird es gleich besser.«

Aber niemand war da, ihm aufzuhelfen, niemand.

Und er selbst hatte keine Kraft, sich in das andere Zimmer zu schleppen oder auch nur bis zur Klingel hin.

»Niemand ist da«, dachte er erbittert, »wie ein Hund werde ich einmal krepieren ... denn ich weiß ja, was da weh tut, das ist nicht die Galle ... das ist der Tod, der in mir wächst ... ich weiß, ich bin ein geschlagener Mann, und keine Professoren, keine Kuren können mir helfen ... mit fünfundsechzig Jahren wird man nicht mehr gesund ... ich weiß, was da bohrt und wühlt in mir, das ist der Tod, und die paar Jahre, die mir noch bleiben, das wird nicht mehr Leben sein, nur Sterben, nur Sterben ... Aber wann, wann habe ich denn gelebt? ... gelebt für mich, für mich selbst? ... Was war das für ein Leben: immer nur Geld gescharrt, Geld, Geld, immer nur für andere, und jetzt, was hilft es mir jetzt? ... Eine Frau habe ich gehabt, als Mädchen habe ich sie genommen, ihren Leib hab ich aufgetan, und ein Kind hat sie mir geboren; Jahr für Jahr hat man gleichen Atem getan im gleichen Bett ... und jetzt, wo ist sie jetzt ... ich erkenne ihr Gesicht nicht mehr ... ganz fremd redet sie zu mir und denkt nie an mein Leben, an all das, was ich fühle und leide und denke ... ganz fremd ist sie mir seit Jahr und Jahr ... Wo ist das hingegangen, wo ist das hin ... und ein Kind hat man gehabt ... aus den Händen ist sie einem gewachsen, ich hab geglaubt, hier fängt man noch einmal an zu leben, heller, glücklicher, als es einem selber vergönnt war, hier stirbt man nicht ganz ... und da geht sie nachts von einem weg und wirft sich Männern hin ... Nur mir allein werd' ich sterben, nur mir allein ... denn für die andern bin ich schon gestorben ... Mein Gott, mein Gott, nie war ich so allein ...«

Die Kralle griff manchmal grimmig zu und ließ dann wieder nach. Aber der andere Schmerz hämmerte immer tiefer in die Schläfen hinein; die Gedanken, diese harten, diese spitzen, unbarmherzig heißen Kieselstücke stachen in die Stirn: nur nicht denken jetzt, nur nicht denken! Der alte Mann hatte Rock und Weste aufgerissen – plump und unförmig zitterte der geblähte Leib unter dem gebauchten Hemd. Vorsichtig preßte er die Hand auf die schmerzende Stelle. »Nur was da weh tut, bin ich«, fühlte er, »nur das bin ich, einzig nur dieses Stück heißer Haut ... und einzig, was da innen umwühlt, nur das gehört noch mir, das ist *meine* Krankheit, *mein* Tod ... nur das bin ich ... das heißt nicht Kommissionsrat mehr und hat nicht Frau und Kind und Geld und Haus und ein Geschäft ... und nur das allein da ist wirklich, was ich mit den Fingern fühle, mein Leib und das Heiße in ihm innen, das weh tut ... Alles andere ist Narrheit, hat keinen Sinn mehr ... denn was da weh tut, tut nur mir allein weh ... was mich sorgt, sorgt nur mich allein ... sie verstehen mich nicht mehr und ich nicht mehr sie ... ganz allein ist man mit sich selbst, nie hab ich's so gespürt. Jetzt aber weiß ich's, wo ich daliege und den Tod wachsen fühle unter der Haut, jetzt zu spät, im fünfundsechzigsten Jahr, knapp vor dem Verrecken, jetzt, indes sie tanzen und spazierengehen oder sich umhertreiben, diese ehrlosen Weiber ... jetzt weiß ich's, daß ich nur ihnen gelebt, die mir's nicht danken, und nie, nicht eine Stunde, mir selber ... Aber was gehen sie mich noch an ... was gehen sie mich noch an ... wozu an sie denken, die nie an mich denken? ... Lieber krepieren, als von ihnen Mitleid nehmen ... was gehen sie mich noch an ...«

Nach und nach, schrittweise zurückweichend, ließ ihn der Schmerz: nicht mehr so krallig, nicht mehr so glühend griff diese grimmige Hand in den Leidenden hinein. Aber irgendein Dumpfes blieb, kaum als Schmerz mehr fühlbar, etwas Fremdes drückte und drängte, das nach innen seinen Stollen grub. Der alte Mann lag mit geschlossenen Augen und lauschte angespannt auf dies leise Zerren und Zehren: ihm war, als höhlte diese fremde,

unbekannte Macht erst mit spitzem, jetzt mit stumpfe-
rem Werkzeug etwas in ihm aus, als lockerte und löste
sich, Faser um Faser, etwas in seinem verschlossenen
Leib. Es riß nicht mehr so wild. Es tat nicht mehr weh.
Aber doch, etwas schwelte und faulte da leise innen, etwas fing an abzusterben. Alles, was er gelebt, alles, was
er geliebt, verging in dieser langsam zehrenden Flamme,
brannte schwarz und schwelend, ehe es mürb und ver-
kohlt niederfiel in einen lauen Schlamm von Gleichgültigkeit. Etwas geschah, er spürte es dumpf, etwas geschah, indes er so lag und leidenschaftlich sein Leben
überdachte. Etwas ging zu Ende. Was war es? Er lauschte
und lauschte in sich hinein.

Und allmählich begann der Untergang seines
Herzens.

Er lag, geschlossenen Auges, der alte Mann, in dem
dämmernden Zimmer. Halb wachte er noch, halb
träumte er schon. Und da, zwischen Schlummer und Wachen, schien es dem wirr Fühlenden so: ihm war, als
sickerte von irgendwo (von einer Wunde, die nicht
schmerzte und die er nicht wußte) ein Feuchtes, ein Heißes leise nach innen, als blute er sich aus in sein eigenes
Blut. Es tat nicht weh, dies unsichtbare Fließen, es
strömte nicht stark. Nur ganz langsam wie Tränen rinnen, rieselnd und lau, so fielen die Tropfen herab, und
jeder von ihnen schlug mitten ins Herz. Aber das Herz,
das dunkle, gab keinen Ton, still sog es dies fremde Geström in sich ein. Wie ein Schwamm sog sich's an, ward
schwerer und schwerer davon, schon schwoll es an,
schon quoll es auf in dem engen Gefüge der Brust. Allmählich voll und übervoll vom eigenen erfüllten Gewicht begann es leise nach abwärts zu ziehen, die Bänder
zu dehnen, an den Muskeln, an den straffen, zu zerren,
immer lastender drückte und drängte das schmerzhafte

Herz, riesenhaft groß schon, hinab, der eigenen Schwere nach. Und jetzt (wie weh das tat!), jetzt löste das Schwere sich los aus den Fasern des Fleisches – ganz langsam, nicht wie ein Stein, nicht wie fallende Frucht; nein, wie ein Schwamm, vollgesogen von Feuchtem, sank es tiefer, immer tiefer hinab in ein Laues, ein Leeres, irgendwo hinab in ein Wesenloses, das außer ihm selber war, eine weite, unendliche Nacht. Und mit einem Male ward es grauenhaft still an der Stelle, wo eben noch dies warme, quellende Herz gewesen: etwas gähnte dort leer, unheimlich und kalt. Es klopfte nicht mehr, es tropfte nicht mehr: ganz still war es innen geworden, ganz tot. Und hohl und schwarz wie ein Sarg wölbte sich die schauernde Brust um dies stumm-unbegreifliche Nichts.

So stark war dieses Traumgefühl, so tief die Verworrenheit, daß der alte Mann, als er aufdämmerte, unwillkürlich hingriff an die linke Brust, ob er sein Herz nicht mehr in sich hätte. Aber, gottlob! da schlug noch etwas, dumpf und rhythmisch unter dem tastenden Finger, und doch war's, als wäre dies nur tauber Schlag ins Leere und sein Herz weg. Denn sonderbar: es schien mit einemmal ihm der eigene Leib wie von sich weggetan. Kein Schmerz zerrte mehr, kein Erinnern zuckte mit gefoltertem Nerv, alles war stumm da innen, starr und versteint. »Wie ist das?« dachte er, »eben hat mich so vieles gequält, eben war das Innen da noch heiß überdrängt, eben zuckte noch jede Fiber. Was ist mir geschehen?« Wie in ein Hohles horchte er hinein, ob das Frühere sich nicht rührte. Aber ganz weit war dies Rieseln und Rauschen, dies Tropfen und Klopfen – er horchte und horchte –, nichts, nichts, nichts hallte zurück. Nichts quälte mehr, nichts quoll mehr auf, nichts schmerzte mehr: leer und schwarz wie die Höhlung eines ausgebrannten Baumes mußte das da innen sein. Und mit einemmal war ihm, als ob er schon gestorben wäre oder etwas in ihm gestorben, so grauenhaft stumm stockte das Blut. Kalt wie ein Leichnam lag unter ihm sein eigener Leib, er hatte Angst, ihn anzufühlen mit der warmen Hand.

Der alte Mann horchte in sich hinein: er hörte nicht, daß immer wieder die Glocken vom See ihre Stunden herein in sein Zimmer schlugen, jede in mehr Dämmerung gehüllt. Rings um ihn wuchs schon die Nacht, Dunkel strich die Dinge aus dem wegfließenden Raum; selbst der hellere Himmel im Viereck des Fensters erlosch vollkommen in Finsternis. Der alte Mann merkte es nicht, er starrte nur in das Schwarze in sich, er horchte nur in das Leere in sich hinein wie in den eigenen Tod.

Da endlich brach ins Nachbarzimmer Gelächter und Übermut, Licht flammte nebenan – ein Strahl davon spritzte durch die nur angelehnte Tür. Der alte Mann schreckte auf: seine Frau, seine Tochter! Gleich würden sie ihn hier auf dem Ruhebett finden, ihn fragen. Eilig knöpfte er sich Rock und Weste: was brauchten sie von seinem Anfall zu wissen, was ging es sie an?

Aber die beiden Frauen suchten ihn nicht. Sie hatten Eile offenbar, ungestüm hämmerte der Gong seine dritte Ladung zum Diner. Sie richteten sich anscheinend her: der Lauschende hörte durch die offen Türe jede Bewegung. Jetzt schoben sie die Laden auf, jetzt legten sie leise klirrend die Ringe auf die Waschtische, jetzt polterten Schuhe zu Boden, und zwischendurch redeten sie: jedes Wort, jede Silbe ging grauenhaft verständlich dem Horchenden ins Ohr. Erst sprachen und spotteten sie über die Herren, über kleinen Zufall der Fahrt, durchaus Leichtes und Lockeres im stolpernden Durcheinander während dieses Sich-Waschens und Bückens und Putzens. Da plötzlich schwenkte das Gespräch auf ihn über.

»Wo ist denn Papa?« hatte Erna gefragt, voll Verwunderung, so spät an ihn zu denken.

»Wie soll ich's wissen« – das war die Stimme der Mutter, sofort verärgert bei der bloßen Erwähnung. »Wahrscheinlich wartet er unten in der Halle und liest zum hundertstenmal die Kurse in der Frankfurter Zeitung – sonst interessiert ihn ja nichts. Glaubst du, daß er sich den See überhaupt nur angesehen hat? Es gefällt ihm hier nicht, hat er mir heute mittag gesagt. Heute, wünschte er, sollten wir noch abreisen.«

»Heute noch abreisen? ... Ja, warum denn?« Das war wieder Ernas Stimme.

»Ich weiß nicht. Wer kennt sich in ihm aus. Unsere Gesellschaft konveniert ihm nicht, die Herren stehen ihm offenbar nicht zu Gesicht – wahrscheinlich fühlt er selbst, wie schlecht er zu ihnen paßt. Wirklich eine Schande, wie er herumgeht, immer die Kleider zerdrückt, mit offenem Kragen ... Du solltest ihn doch aufmerksam machen, wenigstens abends sich ein bißchen soignierter zu halten, auf dich hört er ja. Und heute vormittag ... ich habe geglaubt, ich müßte in die Erde sinken, wie er den Tenente wegen des Feuerzeugs anfuhr ...«

»Ja, Mama ... was war das? ... Ich wollte dich schon fragen ... Was war das mit Papa? ... So habe ich ihn nie gesehen ... ich bin wirklich erschrocken.«

»Ach was, schlechte Laune war es ... wahrscheinlich sind die Kurse gefallen ... oder weil wir Französisch gesprochen haben ... Er kann es nicht vertragen, wenn andere vergnügt sind ... Du hast's ja nicht bemerkt: während wir tanzten, stand er an der Tür wie ein Mörder hinter dem Baum ... Abreisen! Auf der Stelle abreisen! und nur weils ihm plötzlich so beliebt ... Wenns ihm hier nicht gefällt, soll er doch uns unsere Freude lassen ... aber ich kümmere mich nicht um seine Launen, er soll sagen und tun, was er will.«

Das Gespräch stockte. Offenbar war während des Redens die Abendtoilette beendet: ja, die Tür wurde geöffnet, jetzt gingen sie aus dem Zimmer, der Kontakt knackte, das Licht erlosch.

Der alte Mann saß ganz still auf der Ottomane. Er hatte jedes Wort gehört. Aber sonderbar: es tat nicht mehr weh, gar nicht mehr weh. Das, was früher gehämmert und gerissen, dies wilde Uhrwerk, stand ganz still in der Brust, es mußte zerbrochen sein. Nichts zuckte auf an dieser scharfen Berührung. Kein Zorn, kein Haß ... nichts ... nichts ... Ruhig knöpfte er die Kleider zu, tappte vorsichtig die Treppe hinab und setzte sich hin an ihren Tisch wie zu fremden Menschen.

Er sprach nicht zu ihnen an jenem Abend, sie beide wiederum merkten das wie Fäuste geballte Schweigen nicht. Ohne Gruß ging er dann wieder in sein Zimmer, legte sich zu Bett und löschte das Licht. Viel später erst kam seine Frau von heiterer Unterhaltung; da sie ihn schlafend meinte, kleidete sie sich im Dunkel aus. Bald hörte er ihre schweren, unbesorgten Atemzüge.

Der alte Mann, allein mit sich selbst, starrte offenen Auges in das grenzenlos Leere der Nacht. Neben ihm lag etwas im Dunkel und atmete tief: er bemühte sich zu erinnern, daß dieser Körper, der da gleiche Luft des gleichen Zimmers trank, derselbe war, den er jung und glühend gekannt, der ihm ein Kind gegeben, ein Körper, ihm verbunden durch das tiefste Geheimnis des Bluts; immer wieder zwang er sich, zu denken, daß dies Warme und Weiche nebenan, das er mit der Hand anrühren konnte, einmal Leben gewesen in seinem Leben. Aber sonderbar: dies Erinnern erregte kein Gefühl mehr. Und er hörte diese Atemzüge nicht anders, als von dem offenen Fenster die murmelnden kleinen Flutwellen, die glucksend an den Kieseln des Ufers schmatzten. All das war ferne und wesenlos, nur mehr ein Nebenan, ein Zufälliges und Fremdes: vorbei, für immer vorbei.

Einmal zitterte er noch auf: ganz leise und schleicherisch ging nebenan die Tür vom Zimmer der Tochter. »Also heute wieder« – einen kleinen heißen Stich noch fühlte er in dem schon totgemeinten Herzen. Eine Sekunde zuckte da etwas wie ein Nerv, ehe er ganz abstirbt. Dann war auch dies vorbei: »Mag sie tun, was sie will! Was geht sie mich noch an!«

Und der alte Mann legte sich wieder zurück in das Kissen. Weicher drängte das Dunkel an die schmerzenden Schläfen, schon sickerte blaue Kühle wohltätig ins Blut. Und bald überschattete ein dünner Schlummer die entkräfteten Sinne.

Als die Frau morgens erwachte, sah sie ihren Mann schon in Mantel und Hut. »Was tust du da?« fragte sie noch schlaftrunken.

Der alte Mann wandte sich nicht um, gleichmütig stopfte er noch Nachtzeug in den Handkoffer. »Du weißt ja, ich fahre zurück. Ich nehme nur das Nötigste mit, das andere könnte ihr mir nachschicken.«

Die Frau schrak auf. Was war das? So hatte sie seine Stimme nie gehört: ganz kalt, ganz starr stieß jedes Wort sich aus den Zähnen. Mit beiden Beinen fuhr sie aus dem Bett. »Du willst doch nicht abreisen? ... warte ... wir fahren doch auch, ich habe es schon Erna gesagt ...«

Aber er winkte nur heftig ab. »Nein ... nein ... Laßt euch nicht stören.« Und ohne sich umzusehen, tappte er zur Tür. Die Klinke niederzudrücken, mußte er den Koffer für einen Augenblick auf den Boden stellen. Und in dieser einen zuckenden Sekunde erinnerte er sich: tausendmal hatte er so den Musterkoffer vor fremder Tür abgestellt, ehe er mit rückgewendetem Bückling hinausging, servil sich für weitere Aufträge empfehlend. Aber hier hatte er keinerlei Geschäft mehr: so unterließ er jeden Gruß. Ohne Blick, ohne Wort hob er die Reisetasche wieder auf und schlug klirrend die Klinke zwischen sich und sein früheres Leben.

Sie verstanden nicht, Mutter und Tochter, was geschehen war. Aber das auffällig Brüske und Entschlossene dieser Abreise beunruhigte beide. Sofort schrieben sie ihm Briefe, umständlich erklärende, ein Mißverständnis vermutende, beinahe zärtliche, in die süddeutsche Heimat nach, fragten voll Sorge, wie er gereist, wie er angekommen sei, erklärten sich plötzlich nachgiebig und jederzeit bereit, den Aufenthalt abzubrechen. Er antwortete nicht. Sie schrieben dringlicher, sie telegraphierten: keine Antwort kam. Nur vom Geschäft aus traf die Summe ein, die einer der Briefe als nötig erwähnt: eine Postanweisung mit Firmastempel ohne eigenhändiges Wort, ohne Gruß.

Ein so unerklärlicher und drückender Zustand ließ sie die Heimreise beschleunigen. Obwohl telegraphisch angemeldet, erwartete sie niemand am Bahnhof, auch zu Hause trafen sie alles unvorbereitet: der alte Mann hätte zerstreut, wie die Dienstleute versicherten, die Depesche auf dem Tisch liegen gelassen und sei ohne Weisung weggegangen. Abends, sie saßen schon beim Essen, hörten sie endlich die Haustüre: Sie sprangen auf und ihm entgegen. Er starrte sie überrascht – offenbar hatte er die Depesche vergessen –, doch ohne den Ausdruck besonderen Gefühls an, duldete gleichmütig die Umarmung der Tochter, ließ sich in das Speisezimmer führen und erzählen. Aber er stellte keine Fragen, sog stumm an seiner Zigarre, antwortete manchmal karg, manchmal überhörte er die Fragen und Ansprache: es war, als ob er mit offenen Augen schliefe. Dann hob er sich schwer auf und ging in sein Zimmer.

Und so blieb es in den nächsten Tagen. Vergeblich versuchte die beunruhigte Frau eine Aussprache: je aufgeregter sie in ihn drang, um so drückerischer wich er aus.

Irgend etwas in ihm war versperrt, war unzugänglich geworden, ein Zugang vermauert. Noch speiste er mit ihnen bei Tisch, saß, wenn Gesellschaft war, eine Zeitlang schweigend und in sich vergraben dabei. Aber er nahm an nichts Anteil mehr, und wenn die Gäste mitten im Gespräch zufällig in seine Augen sahen, hatten sie ein peinliches Gefühl, denn da starrte ein toter Blick ganz seicht und stumpf über sie hinaus.

Auch dem Fremdesten fiel bald die zunehmende Sonderbarkeit des alten Mannes auf. Schon begannen die Bekannten heimlich sich anzustoßen, begegneten sie ihm auf der Straße: da schlich der alte Mann, einer der Reichsten der Stadt, wie ein Bettler die Mauer entlang, den Hut schief und zerdrückt, den Rock mit Zigarrenasche bestäubt, bei jedem Schritt sonderbar schwankend und meist halblaut zu sich selber murmelnd. Grüßte man ihn, so hob er den erschreckten Blick, redete man ihn an, so starrte er leer dem Sprechenden entgegen und vergaß, ihm die Hand zu reichen. Zuerst meinten manche, der alte Mann sei ertaubt, und wiederholten lauter die Worte. Aber dies war es nicht, sondern er brauchte immer Zeit, sich selbst aus einem innern Schlaf zu holen, und mitten im Gespräch noch fiel er in eine sonderbare Verlorenheit wieder zurück. Dann loschen mit einemmal die Augen aus, er brach hastig ab und stolperte weiter, ohne die Überraschung des andern zu bemerken. Immer schien er aus einem dumpfen Traum, aus einem verwölkten Mitsich-selbst-Beschäftigtsein emporgestört: die Menschen, man sah es, lebten nicht mehr für ihn. Er fragte nach niemandem, merkte im eigenen Haus nicht die dumpfe Verzweiflung der Frau, die ratlose Frage der Tochter. Er las keine Zeitung, hörte in kein Gespräch; kein Wort, keine Frage durchdrang die trübe verhangene Gleichgültigkeit seines Wesens auch nur für einen Augenblick. Selbst seine eigenste Welt wurde ihm fremd: sein Ge-

schäft; manchmal saß er noch stumpf im Kontor, Briefe
zu unterschreiben. Aber wenn der Sekretär nach einer
Stunde kam, die signierten Blätter zu holen, fand er den
alten Mann genau so, wie er ihn verlassen, mit dem gleichen leeren Blick die ungelesenen Briefe überträumend.
Schließlich merkte er selbst seine Überflüssigkeit und
blieb völlig weg.

Das Seltsamste und für die ganze Stadt Verwunderlich-
ste aber war: der alte Mann, der nie zu den Gläubigen der
Gemeinde gehört hatte, begann mit einemmal fromm zu
werden. Gleichgültig sonst gegen alles, und bei Tisch
und Verabredung immer unpünktlich, versäumte er doch
niemals, zu gebotener Stunde in den Tempel zu gehen:
dort stand er, in schwarzer Seidenkappe, den Gebetman-
tel um die Schultern, an immer demselben Platze, dem
gleichen, wie einstmals sein Vater, und wiegte den müden Kopf psalmodierend hin und her. Hier, im halbver-
lassenen Raum, wo die Worte fremd und dunkel um ihn
dröhnten, war er am besten mit sich allein, eine Art Frieden kam hier über seine Wirre und sprach dem Dunkel zu
in der eigenen Brust; wurden aber Totengebete gelesen
und er sah die Verwandten, die Kinder, die Freunde eines
Abgeschiedenen in ergriffen geübter Pflicht und mit immer neuer Beugung und Beschwörung für den Hingeschiedenen Gottes Milde anrufen, dann wurden ihm
manchmal die Augen trüb: er war der Letzte, er wußte
es. Niemand würde für ihn ein Gebet sprechen. Und so
murmelte er andächtig mit und dachte an sich selbst dabei wie an einen Toten.

Einmal, spät abends, kam er von solch verworrener
Wanderung zurück, da fiel mittwegs Regen über ihn her.
Der alte Mann hatte wie immer seinen Schirm vergessen,
Wagen standen bereit für billiges Entgelt, Haustor und
gläserne Vordächer boten Schutz vor der rasch zerströ-
menden Wolke, aber der Sonderliche wankte und

schwankte gleichgültig im Triefenden weiter. Im zer-
drückten Hut sammelte sich ein durchsickernder Tüm-
pel, die tropfenden Ärmel strömten ganze Bäche auf den
eigenen Schritt: er achtete nicht darauf und trottete weiter, der einzige fast auf der menschenverlassenen Straße.
Und so, durchnäßt und triefend, einem Landstreicher
ähnlicher als dem Herrn dieser vornehm wartenden Villa, erreichte er die Einfahrt seines Hauses gerade im Augenblick, als ein Automobil mit weithin vorgeschütte-
tem Licht hart an ihm stoppte, bei dem Rückstoß noch
wässerigen Kot auf den unachtsamen Fußgänger schleu-
dernd. Der Schlag ward aufgerissen, aus elektrisch be-
leuchtetem Coupé stieg eilig seine Frau, hinter ihr mit
deckendem Schirm irgendein vornehmer Besuch und ein
zweiter Herr; knapp vor der Tür stießen sie zusammen.
Die Frau erkannte ihn und erschrak, als sie ihn in diesem
Zustand gewahrte, triefend, zerknüllt, wie ein aus dem
Wasser gezogenes Bündel; unwillkürlich wandte sie den
Blick. Der alte Mann verstand sofort: sie schämte sich
seiner vor den Gästen. Und ohne Regung, ohne Erbitterung ging er, um ihr das Peinliche eines Vorstellens zu
ersparen, wie ein Fremder die paar Schritte weiter bis zur
Dienertreppe: dort bog er demütig ein.
    Von diesem Tag an benutzte der alte Mann in seinem
eigenen Hause immer nur noch die Dienertreppe: hier
war er gewiß, niemandem zu begegnen. Hier störte er
nicht, hier störte niemand ihn. Auch von den Mahlzeiten
blieb er weg – eine alte Magd brachte ihm das Essen in
sein Zimmer; versuchte einmal die Frau oder seine Tochter bei ihm einzudringen, so murrte er sie mit verlegener
und doch unbesiegbarer Gegenwehr hastig wieder fort.
Schließlich ließen sie ihn allein, man gewöhnte sich ab,
nach ihm zu fragen, und er fragte nach nichts. Oft hörte
er Gelächter und Musik aus den andern, ihm schon fremden Räumen durch die Wände sickern, hörte draußen

Wagen vorfahren und wegknattern bis tief in die Nacht. Aber so gleichgültig war ihm das alles, daß er nicht einmal aus dem Fenster blickte: was ging es ihn an? Nur der Hund kam noch manchmal herauf und legte sich vor des Vergessenen Bett.

Es tat nichts mehr weh in dem abgestorbenen Herzen, aber innen im Leibe wühlte der schwarze Maulwurf weiter und riß blutig im zuckenden Fleisch. Die Anfälle mehrten sich von Woche zu Woche, endlich gab der Gequälte dem ärztlichen Drängen nach, das besondere Untersuchung forderte. Der Professor blickte ernst. Vorsichtig vorbereitend, äußerte er, eine Operation sei nun unabwendbar. Aber der alte Mann erschrak nicht, er lächelte nur trüb: Gott sei Dank, jetzt ging es zu Ende. Zu Ende mit dem Sterben, jetzt kam das Gute, der Tod. Er verbot dem Arzt, seinen Angehörigen ein Wort zu sagen, ließ sich den Tag bestimmen und machte sich bereit. Zum letztenmal ging er in sein Geschäft (wo niemand ihn mehr erwartete und alle ihn ansahen wie einen Fremden), setzte sich noch einmal auf den alten schwarzledernen Bocksessel, den er dreißig Jahre, sein ganzes Leben, tausend und tausend Stunden gedrückt, ließ sich ein Scheckbuch geben und füllte eines der Blätter aus: das brachte er dem Vorsteher der Gemeinde, der über die Höhe der Summe fast erschrak. Sie galt wohltätigen Werken und seinem Grab; allem Dank sich zu entziehen, stolperte er hastig hinaus, dabei verlor er seinen Hut, aber er bückte sich nicht einmal mehr, ihn aufzuheben. Und so, bloßen Hauptes, die Blicke trüb im gelbkranken, verfalteten Gesicht, trottete er (erstaunt sahen ihm die Leute nach) auf den Friedhof zum Grabe seiner Eltern. Dort beobachteten ein paar Müßige den alten Mann und wunderten sich abermals: er sprach lange und laut mit den halbvermoderten Steinen, wie man mit Menschen spricht. Kündigte er sich an, oder erbat er ihren Segen? Niemand hörte die Worte – nur die Lippen regten sich stumm, und immer tiefer neigte sich das schaukelnde Haupt im Gebet. Beim Ausgang dann drängten die Bettler dem Wohlbekannten zu; er kramte hastig Münzen und Noten aus den Taschen und hatte schon alles verteilt, da kam noch ein altes verhutzeltes Weib verspätet angehumpelt und flennte ihn an. Verwirrt suchte er überall nach – er fand nichts mehr. Nur am Finger drückte noch etwas Fremdes und Schweres: sein goldener Ehering. Irgendein Erinnern kam über ihn – er streifte ihn hastig ab und schenkte ihn dem verwunderten Weib.

Und so, ganz arm, ganz ausgeleert und allein trat der alte Mann unter das Messer.

Als der alte Mann aus der Narkose noch einmal erwachte, riefen die Ärzte, den gefährlichen Zustand erkennend, die inzwischen verständigte Frau und Tochter ins Zimmer. Mühsam brach das Auge durch die bläulich umschatteten Lider: »Wo bin ich?« starrte es in das Fremde und Weiße eines niegesehenen Raums.

Da beugte sich die Tochter, ihm ein Liebes zu tun, über das arme verfallene Gesicht. Und plötzlich zuckte etwas Erkennendes in dem blind umtastenden Augenstern auf. Ein Licht, ein kleines, stieg empor in die Pupille: das war sie ja, das Kind, das unendlich geliebte, da war sie, Erna, das zarte schöne Kind! Ganz, ganz langsam löste sich die bittere Lippe – ein Lächeln, ein ganz kleines Lächeln, längst entwöhnt dem verschlossenen Mund, begann vorsichtig anzufangen. Und erschüttert von dieser mühsamen Freude, beugte sie sich näher, die ausgeblutete Wange des Vaters zu küssen.

Aber da – war es das süßliche Parfüm, das ihn erinnerte, oder besann sich das halbbetäubte Gehirn vergessenen Augenblicks? – da fuhr plötzlich fürchterliche Veränderrung über die eben noch beglückten Züge: die Lippen, die farblosen, klebten sich mit einmmal grimmig abwehrend zu, die Hand unter der Decke arbeitete gewaltsam und wollte hoch, wie um etwas Widriges wegzustoßen, der ganze verwundete Leib bebte vor Erregung. »Weg! . . . weg! . . .« lallte es unartikuliert und doch verständlich von der fahlen Lippe. Und so furchtbar formte sich der Widerwille in den zuckenden Zügen des nicht Fliehen-Könnenden, daß der Arzt besorgt die Frauen zur Seite schob. »Er deliriert«, flüsterte er, »es ist besser, Sie lassen ihn jetzt allein.«

Kaum, daß die beiden gegangen, lösten sich die verzerrten Züge wieder matt in ein leeres Schläfrigsein. Noch ging der Atem dumpf – von immer tiefer röchelte die Brust um die schwere Luft des Lebens. Aber bald ward sie müde, diese bittere Menschennahrung in sich einzutrinken. Und als der Arzt prüfend das Herz befühlte, hatte es schon aufgehört, dem alten Manne weh zu tun.

Verwirrung der Gefühle

Private Aufzeichnungen des Geheimrates R. v. D.

Sie haben es gut gemeint, meine Schüler und Kollegen von der Fakultät: da liegt, feierlich überbracht und kostbar gebunden, das erste Exemplar jener Festschrift, die zu meinem sechzigsten Geburtstag und zum dreißigsten meiner akademischen Lehrtätigkeit die Philologen mir gewidmet haben. Eine wahrhaftige Biographie ist es geworden; kein kleiner Aufsatz fehlt, keine Festrede, keine nichtige Rezension in irgendeinem gelehrten Jahrbuch, die nicht bibliographischer Fleiß dem papiernen Grabe entrissen hätte – mein ganzer Werdegang, säuberlich klar, Stufe um Stufe, einer wohlgefegten Treppe gleich, ist er aufgebaut bis zur gegenwärtigen Stunde – wirklich, ich wäre undankbar, wollte ich mich nicht freuen an dieser rührenden Gründlichkeit. Was ich selbst verlebt und verloren gemeint, kehrt in diesem Bilde geeint und geordnet zurück: nein, ich darf es nicht leugnen, daß ich alter Mann die Blätter mit gleichem Stolz betrachtete wie einst der Schüler jenes Zeugnis seiner Lehrer, das ihm Fähigkeit und Willen zur Wissenschaft erstmalig bekundete.

Aber doch: als ich die zweihundert fleißigen Seiten durchblättert und meinem geistigen Spiegelbild genau ins Auge gesehen, mußte ich lächeln. War das wirklich mein Leben, stieg es tatsächlich in so behaglich zielvollen Serpentinen von der ersten Stunde bis an die heutige heran, wie sichs hier aus papiernem Bestand der Biograph zurechtschichtet? Mir gings genau so, als da ich zum erstenmal meine eigene Stimme aus einem Grammophon sprechen hörte: ich erkannte sie vorerst gar nicht; denn wohl war dies meine Stimme, aber doch nur jene, wie die andern sie vernehmen und nicht ich selbst sie gleichsam durch mein Blut und im innern Gehäuse meines Seins höre. Und so ward ich, der ein Leben daran gewandt, Menschen aus ihrem Werke darzustellen und das geistige Gefüge ihrer Welt wesenhaft zu machen, gerade am eigenen Erlebnis wieder gewahr, wie undurchdringlich in jedem Schicksal der eigentliche Wesenskern bleibt, die plastische Zelle, aus der alles Wachstum dringt. Wir erleben Myriaden Sekunden, und doch wirds immer nur eine, eine einzige, die unsere ganze innere Welt in Wallung bringt, die Sekunde, da (Stendhal hat sie beschrieben) die innere, mit allen Säften schon getränkte Blüte blitzhaft in Kristallisation zusammenschießt – eine magische Sekunde, gleich jener der Zeugung und gleich ihr verborgen im warmen Innern des eigenen Lebens, unsichtbar, untastbar, unfühlbar, einzig erlebtes Geheimnis. Keine Algebra des Geistes kann sie errechnen, keine Alchimie der Ahnung sie erraten, und selten errafft sie das eigene Gefühl.

Von jenem Geheimsten meiner geistigen Lebensentfaltung weiß jenes Buch kein Wort: darum mußte ich lächeln. Alles ist wahr darin – nur das Wesenhafte fehlt. Es beschreibt mich nur, aber es sagt mich nicht aus. Es spricht bloß von mir, aber es verrät mich nicht. Zweihundert Namen umfaßt das sorgfältig geklitterte Register – nur der eine fehlt, von dem aller schöpferischer Impuls ausging, der Name des Mannes, der mein Schicksal bestimmte und nun wieder mit doppelter Gewalt mich in meine Jugend ruft. Von allen ist gesprochen, nur von ihm nicht, der mir die Sprache gab und in dessen Atem ich rede: und mit einemmal fühle ich dieses feige Verschweigen als eine Schuld. Ein Leben lang habe ich Bildnisse von Menschen gezeichnet, aus Jahrhunderten her Gestalten zurückerweckt für gegenwärtiges Gefühl, und gerade des mir Gegenwärtigsten, seiner habe ich niemals gedacht: so will ich ihm, dem geliebten Schatten, wie in homerischen Tagen zu trinken geben vom eigenen Blute, damit er wieder zu mir spreche und der längst schon Weggealterte bei mir, dem Alternden, sei. Ich will ein verschwiegenes Blatt legen zu den offenbaren, ein Bekenntnis des Gefühls neben das gelehrte Buch und mir selbst um seinetwillen die Wahrheit meiner Jugend erzählen.

Noch einmal, ehe ich beginne, blättere ich in jenem Buche, das mein Leben darzustellen vorgibt. Und wiederum muß ich lächeln. Denn wie wollten sie ans wahrhaft Innere meines Wesens heran, da sie einen falschen Einstieg wählten? Schon ihr erster Schritt geht fehl! Da fabelt ein mir wohlgesinnter Schulgenosse, gleichfalls Geheimrat heute, schon im Gymnasium hätte mich eine leidenschaftliche Liebe für die Geisteswissenschaften vor allen andern Pennälern ausgezeichnet. Falsch erinnert, lieber Geheimrat! Für mich war alles Humanistische schlecht ertragener, zähneknirschend durchgeschäumter Zwang. Gerade weil ich als Rektorssohn in jener norddeutschen Kleinstadt von Tisch und Stube her Bildung immer als Brotgeschäft betreiben sah, haßte ich alle Philologie von Kindheit an: immer setzt ja die Natur, ihrer mystischen Aufgabe gemäß, das Schöpferische zu bewahren, dem Kinde Stachel und Hohn ein gegen die Neigung des Vaters. Sie will kein gemächliches kraftloses Erben, kein bloßes Fortsetzen und Weitertun von einem zum andern Geschlecht: immer stößt sie erst Gegensatz zwischen die Gleichgearteten und gestattet nur nach mühseligem und fruchtbarem Umweg dem Späteren Einkehr in der Voreltern Bahn. Genug, daß mein Vater die Wissenschaft heilig sprach, und doch empfand meine Selbstbehauptung sie als bloßes Klügeln mit Begriffen; weil er die

Klassiker als Muster pries, schienen sie mir lehrhaft und darum verhaßt. Von Büchern rings umgeben, verachtete ich die Bücher; immer zum Geistigen vom Vater gedrängt, empörte ich mich gegen jede Form schriftlich überlieferter Bildung; so war es nicht verwunderlich, daß ich nur mühsam bis zum Abiturium mich durchrang und dann mit Heftigkeit jede Fortsetzung des Studiums abwehrte. Ich wollte Offizier werden, Seemann oder Ingenieur; zu keinem dieser Berufe drängte mich eigentlich zwingende Neigung. Einzig der Widerwille gegen das Papierne und Didaktische der Wissenschaft ließ mich Praktisch-Tätiges statt des Akademischen fordern. Doch mein Vater bestand mit seiner fanatischen Ehrfurcht vor allem Universitätlichen auf meiner akademischen Ausbildung, und nichts als die Abschwächung gelang es mir durchzusetzen, daß ich statt der klassischen Philologie die englische wählen durfte (welche Zwitterlösung ich schließlich mit dem geheimen Hintergedanken hinnahm, dank der Kenntnis dieser maritimen Sprache dann leichter ausbrechen zu können in die unbändig ersehnte Seemannslaufbahn).

Nichts ist also unrichtiger darum in jenem curriculum vitae als die freundliche Behauptung, ich hätte im ersten Berliner Semester dank der Führung verdienstlicher Professoren, die Grundlagen der philologischen Wissenschaft gewonnen – was wußte meine ungestüm ausbrechende Freiheitsleidenschaft damals von Kollegien und Dozenten! Bei dem ersten flüchtigen Besuch des Hörsaals schon übermannte die muffige Luft, der pastorenhaft-monotone und gleichzeitig breitspurige Vortrag mich dermaßen mit Müdigkeit, daß ich mich anstrengen mußte, den Kopf nicht schläfernd auf die Bank zu legen – das war ja nochmals die Schule, der ich glücklich entronnen zu sein glaubte, der mitgeschleppte Klassenraum mit dem überhöhten Katheder und der silbenstecherischen

Kleinsachlichkeit: unwillkürlich war mir, als ob Sand aus den dünn aufgetanen Lippen des Geheimrats rinne, so zerrieben, so gleichmäßig rieselten die Worte des schleißigen Kollegienheftes in die dicke Luft. Der schon dem Schulknaben fühlbare Verdacht, in eine Leichenkammer des Geistes geraten zu sein, wo gleichgültige Hände an Abgestorbenem anatomisierend herumfingerten, schreckhaft erneute er sich in diesem Betriebsraum eines längst antiquarisch gewordenen Alexandrinertums – und wie intensiv erst wurde dieser abwehrende Instinkt, sobald ich von der mühsam ertragenen Lehrstunde hinaustrat in die Straßen der Stadt, jenes Berlin von damals, das, ganz überrascht von seinem eigenen Wachstum, strotzend von einer allzu plötzlich aufgeschossenen Männlichkeit, aus allen Steinen und Straßen Elektrizität vorsprühte und ein hitzig pulsierendes Tempo jedem unwiderstehlich aufnötigte, das mit seiner raffenden Gier dem Rausch meiner eigenen, eben erst bemerkten Männlichkeit höchst ähnlich war. Beide, sie und ich, plötzlich aufgeschossen aus einer protestantisch ordnungshaften und umschränkten Kleinbürgerlichkeit, vorschnell hingegeben einem neuen Taumel von Macht und Möglichkeiten – beide, die Stadt und ich junger ausfahrender Bursche, vibrierten wir wie ein Dynamo von Unruhe und Ungeduld. Nie habe ich Berlin so verstanden, so geliebt, wie damals, denn genau wie in dieser überfließenden warmen Menschenwabe, so drängte in mir jede Zelle nach plötzlicher Erweiterung – das Ungeduldigsein jeder starken Jugend, wo hätte es dermaßen sich entladen können als in dem zuckenden Schoße dieses heißen Riesenweibes, in dieser ungeduldigen, kraftausströmenden Stadt! Mit einem Ruck riß sie mich an, ich warf mich in sie, stieg hinab in ihre Adern, meine Neugier umlief hastig ihren ganzen steinernen und doch warmen Leib – von früh bis nachts trieb ich mich um in den Straßen, fuhr bis an die Seen, durchpirschte ihre Verstecke: wirklich, Besessenheit war es, mit der ich mich, statt des Studiums zu achten, in das Lebendig-Abenteuerliche des Auskundschaftens warf. Aber in dieser Übertreiblichkeit gehorchte ich freilich nur einer Besonderheit meiner Natur: von Kind auf schon unfähig zu Gleichzeitigkeiten, wurde ich immer sofort gefühlsblind für jede andere Beschäftigung; immer und überall hatte ich diesen bloß einlinig vorstoßenden Impetus, und noch heute in meiner Arbeit verbeiße ich mich meist so fanatisch in ein Problem, daß ichs nicht eher lasse, ehe ich nicht das Letzte, das Allerletzte seines Marks in den Zähnen fühle.

Damals nun wurde mir in Berlin das Freiheitsgefühl zu einem so übermächtigen Rausch, daß ich selbst die flüchtige Klausur der Vorlesungsstunde, ja die Umschlossenheit meines eigenen Zimmers nicht ertrug: alles schien mir Versäumnis, was nicht Abenteuer brachte. Und gewaltsam zäumte sich der ohrenfeuchte, eben erst vom Halfter gelassene Provinzjunge auf, recht männlich zu gelten: ich hospitierte in einer Verbindung, suchte meinem (eigentlich scheuen) Wesen etwas Keckes, Schmissiges, Ludriges zu geben, spielte, kaum acht Tage eingewöhnt, schon den Großstädter und Großdeutschen, lernte das Flegeln und Rekeln in den Caféhausecken als rechter Miles gloriosus mit verblüffender Geschwindigkeit. In dies Kapitel der Männlichkeit gehörten natürlich auch die Frauen – oder vielmehr: die Weiber, wie es in unserer studentischen Überheblichkeit hieß –, und da kam mirs zupaß, daß ich ein auffallend hübscher Junge war. Hochgewachsen, schlank, die bronzene Patina des Meeres noch frisch auf den Wangen, turnerisch gelenk in jeder Bewegung, fand ich leichtes Spiel gegenüber den käsigen, von der Stubenluft wie Heringe ausgedörrten Ladenschwengeln, die gleich uns allsonntags auf Beute in die Tanzlokale von Halensee und Hundekehle (damals noch weit außerhalb der Stadt) loszogen. Bald war es eine strohblonde Mecklenburger Dienstmagd mit milchweißer Haut, die ich, heiß vom Tanz, knapp vor ihrem Urlaubsheimgang noch in meine Bude schleppte, bald eine zappelige, nervöse kleine Jüdin aus Posen, die bei Tietz Strümpfe verkaufte – billige Beute zumeist, leicht genommen und rasch den Kommilitonen weitergegeben. Aber in dieser unvermuteten Leichtigkeit des Gewinnens lag für den gestern noch ängstlichen Pennäler eine berauschende Überraschung – die billigen Erfolge steigerten meine Verwegenheit, und allmählich betrachtete ich die Straße einzig noch als Jagdplatz dieser vollkommen wahllosen, nur mehr sportlichen Abenteuerei. Als ich so einmal, einem hübschen Mädchen nachsteigend, unter die Linden kam und – wirklich zufällig – vor die Universität, mußte ich lachen bei dem Gedanken, wie lange ich keinen Fuß über jene respektable Schwelle gesetzt. Aus Übermut trat ich mit einem gleichgesinnten Freunde ein; wir lüfteten nur die Tür, sahen (unglaublich lächerlich wirkte das) hundertfünfzig über die Bänke gebeugte skribelnde Rücken gleichsam mitbetend von der Litanei eines psalmodierenden Weißbartes. Und schon klinkte ich wieder zu, ließ weiterhin das Bächlein jener trüben Beredsamkeit über die Schultern der Fleißigen rinnen und strotterte übermütig mit dem Genossen hinaus in die sonnige Allee. Manchmal will mir dünken, niemals habe ein junger Mensch dümmer seine Zeit vertan als ich in jenen Monaten. Ich las kein Buch, ich bin gewiß, kein vernünftiges Wort geredet, keinen wirklichen Gedanken gedacht zu haben – aus Instinkt wich ich aller kultivierten Geselligkeit aus, nur um mit dem wach gewordenen Leibe stärker die Beize des Neuen und bislang Verbotenen zu fühlen. Nun mag ja dies Besaufen am eigenen Saft, dies zeitverschwenderische Wider-sich-selber-Wüten irgendwie zum Wesen jeder starken und plötzlich freigegebenen Jugend gehören – dennoch machte meine besondere Besessenheit diese Art Lotterie schon gefährlich und nichts wahrscheinlicher, als daß ich völlig verbummelt oder zumindest in einer Dumpfheit des Gefühls untergegangen wäre, hätte nicht ein Zufall plötzlich den inneren Absturz gedämpft.

Dieser Zufall – heute nenne ich ihn dankbar einen glücklichen – bestand darin, daß unvermuteterweise mein Vater zu einer Rektorenkonferenz für einen Tag nach Berlin ins Ministerium beordert wurde. Als professioneller Pädagoge nutzte er die Gelegenheit, um ohne Ankündigung seines Kommens eine Stichprobe auf mein Betragen zu versuchen und mich Ahnungslosen zu überraschen. Dieser Überfall, vortrefflich gelang er ihm. Wie meistens, hatte ich um die Abendstunde in meiner billigen Studentenbude im Norden – der Zugang ging durch die mittels eines Vorhangs abgeteilte Küche der Hausfrau – ein Mädel zu höchst vertraulichem Besuch, als vernehmlich an die Tür gepocht wurde. Einen Kollegen vermutend, murrte ich unwillig zurück: »Bin nicht zu sprechen.« Aber nach einer kurzen Pause wiederholte sich das Klopfen, einmal, zweimal und dann mit hörbarer Ungeduld ein drittes Mal. Zornig fuhr ich in die Hose, um den impertinenten Störer ausgiebig abzufertigen, und so, das Hemd halb offen, die Hosenträger niederpendelnd, die Füße nackt, riß ich die Tür auf, um sofort, wie mit der Faust über die Schläfe geschlagen, im Dunkel des Vorraums die Silhouette meines Vaters zu erkennen. Von seinem Gesicht nahm ich im Schatten kaum mehr wahr als die Brillengläser, die im Rückschein funkelten. Aber dieser Schattenriß genügte schon, daß jenes bereits frech vorbereitete Wort mir wie eine scharfe Gräte würgend in der Kehle stecken blieb: einen Augenblick stand ich betäubt. Dann mußte ich ihn – entsetzliche Sekunde! – demütig bitten, einige Minuten in der Küche zu warten, bis ich mein Zimmer in Ordnung gebracht hätte. Wie gesagt: ich sah sein Gesicht nicht, aber ich spürte, er verstand. Ich spürte es an seinem Schweigen, an der verhaltenen Art, wie er, ohne mir die Hand zu reichen, mit einer angewiderten Geste hinter den Vorhang in die Küche trat. Und dort, vor einem nach aufgewärmtem Kaffee und Rüben dunstenden Eisenherd mußte der alte Mann zehn Minuten stehend warten, zehn für mich und ihn gleicherweise erniedrigende Minuten, bis ich das Mädel aus dem Bett in ihre Kleider getrieben und an dem wider Willen Lauschenden vorbei aus der Wohnung. Er mußte ihren Schritt hören, und wie die Falten des Vorhangs bei ihrem eiligen Verschwinden im Luftzug vorschlugen; und noch immer konnte ich den alten Mann nicht aus dem entwürdigenden Versteck holen: zuvor mußte die überdeutliche Unordnung des Bettes beseitigt sein. Dann erst trat ich – nie war ich beschämter in meinem Leben gewesen – vor ihn hin.

Mein Vater hat Haltung gehabt in dieser argen Stunde, noch heute danke ich ihm innerlich dafür. Denn immer, wenn ich des längst Hingeschiedenen mich erinnern will, verweigere ich mir, ihn aus der Perspektive des Schülers zu sehen, die ihn einzig als Korrigiermaschine, als unablässig mäkelnden, auf Genauigkeit versessenen Schulfuchs zu verachten beliebte, sondern immer nehme ich mir sein Bild von diesem seinem menschlichsten Augenblick, da der alte Mann zutiefst angewidert und doch sich bezähmend wortlos hinter mir in das durchschwülte Zimmer trat. Er trug den Hut und die Handschuhe in der Hand: unwillkürlich wollte er sie ablegen, aber dann kam eine Geste des Ekels, als hätte er Widerwillen, mit irgendeinem Teil seines Wesens an diesen Schmutz zu rühren. Ich bot ihm einen Sessel; er antwortete nicht, nur eine wegwerfende Gebärde stieß alle Gemeinschaft mit Gegenständen dieses Raumes von sich fort.

Nach einigen eiskalten Augenblicken abgewandten Dastehens nestelte er endlich die Brille herab und putzte sie umständlich, was bei ihm, ich wußte es, Verlegenheit verriet; auch entging mirs nicht, wie der alte Mann, als er sie wieder aufsetzte, mit dem Handrücken über das Auge fuhr. Er schämte sich vor mir, und ich schämte mich vor ihm, keiner fand ein Wort. Im geheimen fürchtete ich, er würde einen Sermon, eine schönrednerische Ansprache in jenem gutturalen Ton beginnen, den ich von der Schule her an ihm haßte und höhnte. Aber – und heute danke ich ihm noch dafür – der alte Mann blieb stumm und vermied, mich anzusehen. Endlich ging er hin zu dem wackligen Gestell, wo meine Studienbücher standen, schlug sie auf – der erste Blick mußte ihn schon überzeugen, sie seien unberührt und meist unaufgeschnitten. »Deine Kollegienhefte!« – Dieser Befehl war sein erstes Wort. Zitternd reichte ich sie ihm hin, wußte ich doch, die stenographischen Notizen umfaßten bloß eine einzige Lehrstunde. Er überflog die zwei Seiten mit einer raschen Wendung, legte, ohne das mindeste Zeichen von Erregung, die Hefte auf den Tisch. Dann zog er einen Stuhl heran, setzte sich nieder, sah mich ernst, aber ohne jeden Vorwurf an und fragte: »Nun, wie denkst du über das alles? Was soll da werden?«

Diese ruhige Frage stampfte mich in den Boden. Alles war in mir schon gekrampft gewesen: hätte er mich gescholten, ich wäre anmaßend losgefahren, hätte er rührselig mich ermahnt, ich hätte ihn verhöhnt. Aber diese sachliche Frage brach meinem Trotz die Gelenke: ihr Ernst forderte Ernst, ihre erzwungene Ruhe Respekt und innere Bereitschaft. Was ich antwortete, wage ich mich kaum zu erinnern, wie auch das ganze Gespräch, das nun folgte, mir noch heute nicht in die Feder will: es gibt plötzliche Erschütterungen, eine Art innern Aufschwalls, der, wiedererzählt, wahrscheinlich sentimental klingen würde, gewisse Worte, die nur ganz einmalig wahr sind, zwischen vier Augen und auffahrend aus einem unvermuteten Tumult des Gefühls. Es war das einzige wirkliche Gespräch, das ich jemals mit meinem Vater führte, und ich hatte kein Bedenken, mich freiwillig zu demütigen: ich legte alle Entscheidung in seine Hände. Er aber bot mir nur den Rat, ich möchte Berlin verlassen und das nächste Semester an einer kleinen Universität studieren, er sei gewiß, tröstete er beinahe, ich würde von nun ab mit Leidenschaft das Versäumte nachholen. Sein Vertrauen erschütterte mich; in dieser einen Sekunde fühlte ich alles Unrecht, das ich dem in eine kalte Förmlichkeit verbarrikadierten alten Mann eine ganze Jugend lang angetan. Ich mußte vehement in die Lippen beißen, um die Tränen zu zwingen, nicht heiß aus den Augen zu stürzen. Aber auch er mochte Ähnliches fühlen, denn er reichte mir plötzlich die Hand, hielt sie zitternd einen Augenblick und hastete dann hinaus. Ich wagte ihm nicht zu folgen, blieb unruhig und verwirrt und wischte mir mit dem Taschentuch das Blut von der Lippe: so sehr hatte ich, um mein Gefühl zu bemeistern, die Zähne in sie eingebissen.

Das war die erste Erschütterung, die ich, der Neunzehnjährige, erfuhr – sie warf das ganze bombastische Kartenhaus von Männischkeit, Studenterei, Selbstherrlichkeit, das ich in drei Monaten gebaut, ohne den Hauch eines starken Wortes zusammen. Ich fühlte mich fest genug, nun auf alle mindern Vergnüglichkeiten dank des herausgeforderten Willens zu verzichten, Ungeduld überkam mich, die verschwendete Kraft am Geistigen zu erproben, eine Gier nach Ernst, Nüchternheit, Zucht und Strenge. In dieser Zeit verschwor ich mich ganz dem Studium wie einem klösterlichen Opferdienst, freilich unkund des hohen Rausches, der mich in der Wissenschaft erwartete, und ahnungslos, daß auch in jener gesteigerten Welt des Geistes Abenteuer und Fährnis dem Ungestümen immer bereitet sind.

Die kleine Provinzstadt, die ich im Einverständnis mit meinem Vater für das nächste Semester gewählt, lag in Mitteldeutschland. Ihr weiter akademischer Ruhm stand in krassem Mißverhältnis zu dem dünnen Häufchen von Häusern, die das Universitätsgebäude umlagerten. Ich hatte nicht viel Mühe, vom Bahnhof, wo ich vorerst mein Gepäck ließ, zur Alma mater mich durchzufragen, und auch innerhalb des altertümlich weitläufigen Hauses spürte ich sofort, um wieviel rascher der innere Kreis sich hier zusammenschloß als in jenem Berliner Taubenschlag. In zwei Stunden war die Inskription besorgt, die meisten Professoren besucht, nur meines Ordinarius, des Lehrers der englischen Philologie, konnte ich nicht sofort habhaft werden, doch wurde mir bedeutet, daß er nachmittags gegen vier Uhr im Seminar anzutreffen sei.

Von jener Ungeduld getrieben, nicht eine Stunde zu versäumen, ebenso leidenschaftlich nun im Anlauf gegen die Wissenschaft wie vordem in ihrer Vermeidung, befand ich mich – nach flüchtigem Rundgang durch die im Vergleich mit Berlin narkotisch schlafende Kleinstadt – um vier Uhr pünktlich an der angegebenen Stelle. Der Pedell wies mir die Tür des Seminars. Ich klopfte an. Und da mir dünkte, von innen hätte eine Stimme geantwortet, trat ich ein.

Aber ich hatte unrichtig gehört. Niemand hatte mich eintreten geheißen, und der undeutliche Laut, den ich vernommen, war nur die erhobene, zu energischer Rede aufgeschwungene Stimme des Professors, der vor dem enggescharten und nah an ihn herangezogenen Kreis von etwa zwei Dutzend Studenten eine offenbar improvisierte Ansprache hielt. Peinlich berührt, durch mein Mißhören ohne Erlaubnis eingetreten zu sein, wollte ich mich wieder leise hinausdrücken, fürchtete aber gerade dadurch Aufmerksamkeit zu erregen, denn bislang hatte mich noch keiner der Zuhörer bemerkt. Ich blieb also, nahe der Tür, und hörte unwillkürlich genötigt zu.

Der Vortrag schien offensichtlich aus einem Kolloquium oder einer Diskussion selbsttätig emporgewachsen zu sein, daraufhin deutete wenigstens die lockere und durchaus zufällige Gruppierung des Lehrers und seiner Schüler: er saß nicht dozierend auf distanzierendem Sessel, sondern, das Bein leicht überhängend, in fast burschikoser Weise auf einem der Tische, und um ihn scharten sich die jungen Menschen in unbeabsichtigten Stellungen, deren ursprüngliche Nachlässigkeit erst das interessierte Zuhören zu einer plastischen Unbeweglichkeit fixiert haben mochte. Man sah, sie mußten sprechend beisammengestanden haben, als plötzlich der Lehrer sich auf den Tisch schwang, dort von erhöhter Stellung mit dem Worte wie mit einem Lasso sie an sich heranzog und reglos an ihre Stelle bannte. Und es bedurfte nur weniger Minuten, als ich selbst schon, vergessend das Ungerufene meiner Gegenwart, das faszinierend Starke seiner Rede magnetisch wirkend fühlte; unwillkürlich trat ich näher heran, um über dem Wort die merkwürdig wölbenden und umschließenden Gesten der Hände zu sehen, die manchmal, wenn ein Wort herrisch vorstieß, sich wie Flügel spreizten, zuckend nach oben fuhren, um dann allmählich in der beruhigenden Geste eines Dirigenten musikalisch niederzuschweben. Und immer hitziger stürmte die Rede, indes der Beschwingte, wie von der Kruppe eines galoppierenden Pferdes, von dem harten Tische sich rhythmisch aufhob und atemlos fortjagte in diesen stürmenden, mit blitzenden Bildern durchjagten Gedankenflug. Niemals noch hatte ich einen Menschen so begeistert, so wahrhaft mitreißend reden gehört – zum erstenmal erlebte ich das, was die Lateiner raptus nennen, das Fortgetragensein eines Menschen über sich selbst hinaus: nicht für sich, nicht für die andern sprach hier eine jagende Lippe, es fuhr von ihr weg wie Feuer aus einem innen entzündeten Menschen.

Nie hatte ich dies erlebt, Rede als Ekstase, Leidenschaft des Vortrags als elementares Geschehen, und wie ein Ruck riß dies Unerwartete mich heran. Ohne zu wissen, daß ich ging, hypnotisch herangezogen von einer Macht, die stärker als Neugier war, mit jenen muskellosen Schritten, wie sie Schlafwandler haben, schob es mich magisch in den engen Kreis: unbewußt stand ich plötzlich innen, zehn Zoll von ihm und mitten unter den andern, die gleichfalls zu gebannt waren, um mich oder irgend etwas wahrzunehmen. Ich strömte ein in die Rede, mitgerissen in ihre Strömung, ohne von ihrem Ursprung zu wissen: offenbar mußte einer der Studenten Shakespeare als meteorische Erscheinung gerühmt haben, den Mann da oben aber reizte es, zu zeigen, daß er nur der stärkste Ausdruck, die seelische Aussage einer ganzen Generation war, sinnlicher Ausdruck einer leidenschaftlich gewordenen Zeit. Mit einem einzigen Riß stellte er jene ungeheure Stunde Englands dar, jene einzige Sekunde der Ekstase, wie sie im Leben jedes Volkes gleichwie in dem jedes Menschen unvermutet aufbrechen, alle Kräfte zusammenziehend zu einem mächtigen Stoß ins Ewige hinein. Plötzlich war die Erde breiter geworden, ein neuer Kontinent entdeckt, indes die älteste Macht des alten, das Papsttum, zusammenzubrechen drohte: hinter den Meeren, die ihnen nun gehören, seit die Armada Spaniens in Wind und Wellen zerschellte, rauschen neue Möglichkeiten auf, die Welt ist weit geworden, und unwillkürlich spannt sich die Seele, ihr gleich zu sein – auch sie will weit sein, auch sie bis ins Äußerste dringen im Guten und im Bösen; sie will entdecken, erobern, jenen Konquistadoren gleich, sie braucht eine neue Sprache, eine neue Kraft. Und über

Nacht sind die Sprecher dieser Sprache, die Dichter, da, fünfzig, hundert in einem Jahrzehnt, wilde, unbändige Gesellen, die nicht wie die höfischen Poetlein vor ihnen arkadische Gärtchen bestellen und eine erlesene Mythologie versifizieren – sie stürmen das Theater, sie schlagen im Bretterbau, wo vordem nur Tierhatzen und blutrünstige Spiele tobten, ihre Walstatt auf, und der heiße Dunst von Blut ist noch in ihren Werken, ihr Drama selbst ein solcher Circus maximus, in dem die wilden Bestien des Gefühls heißhungrig übereinander herfallen. Löwenhaft tobt sich der Unband dieser leidenschaftlichen Herzen aus, einer will den andern überbieten in Wildheit und Überschwang, alles ist der Darstellung gestattet, alles erlaubt: Blutschande, Mord, Untat, Verbrechen, der maßlose Tumult alles Menschlichen feiert seine heiße Orgie; wie vordem aus ihrem Gefängnis die hungrigen Bestien, so stürzen nun brüllend und gefährlich die trunkenen Leidenschaften in die holzumgürtete Arena. Ein einziger Ausbruch explodiert wie eine Petarde, fünfzig Jahre dauert er an, ein Blutsturz, eine Ejakulation, ein einmalig Wildes, das die ganze Welt umprankt und zerreißt: kaum spürt man die einzelne Stimme, die einzelne Gestalt in dieser Orgie der Kraft. Einer hitzt sich an dem andern, jeder lernt, jeder stiehlt von dem andern, jeder kämpft, ihn zu überbieten, ihn zu übertreffen, und doch alle nur geistige Gladiatoren eines einzigen Festes, losgekettete Sklaven, vorwärtsgepeitscht vom Genius der Stunde. Aus schiefen dunklen Vorstadtstuben holt er sie her und aus den Palästen, Ben Jonson, den Maurerenkel, Marlowe, den Schuhmachersohn, Massinger, den Kammerdienersproß, Philipp Sidney, den reichen gelehrten Staatsmann, aber der heiße Wirbel wühlt alle zusammen; heute sind sie gefeiert, morgen krepieren sie, Kyd, Heywood, im tiefsten Elend, fallen verhungert wie Spenser in King Street zusammen, alles unbürgerliche Existenzen, Raufbolde, Hurentreiber, Komödianten, Betrüger, aber Dichter, Dichter, Dichter sie alle. Shakespeare ist nur ihre Mitte: »the very age and body of the time«, aber man hat gar nicht Zeit, ihn zu sondern, so stürmt dieser Tumult, so üppig schießt Werk an Werk, Leidenschaft über Leidenschaft heran. Und plötzlich, zuckend, wie sie aufstieg, diese herrlichste Eruption der Menschheit, bricht sie wieder zusammen, das Drama ist zu Ende, England erschöpft, und Hunderte Jahre dumpft wieder das nebelnasse Grau der Themse auch über dem Geist: in einem einzigen Ansturm hat ein ganzes Geschlecht alle Gipfel und Tiefen der Leidenschaft erstiegen, die übervolle, die tolle Seele sich heiß aus der Brust gespien – nun liegt das Land da, müde, erschöpft; ein silbenstecherischer Puritanismus schließt die Theater und verschließt damit die passionierte Rede, die Bibel nimmt wieder das Wort, das göttliche, wo das allermenschlichste die feurigste Beichte aller Zeiten gesprochen, und ein einzig glühendes Geschlecht einmalig für Tausende gelebt.

Und mit plötzlicher Wendung fuhr unvermutet das Blindfeuer der Rede auf uns zu: »Versteht ihr nun, warum ich meine Vorlesung nicht in historischer Folge bei den Anfängen beginne, beim King Arthur und Chaucer, sondern aller Regel zu Trotz bei den Elisabethanern? Und versteht ihr, daß ich vor allem Vertrautheit mit ihnen verlange, Einleben in diese höchste Lebendigkeit? Denn es gibt kein philologisches Verstehen ohne Erleben, kein bloß grammatikalisches Wort ohne Erkenntnis der Werte, und ihr jungen Menschen sollt ein Land, eine Sprache, die ihr euch erobern wollt, zuerst in ihrer höchsten Schönheitsform sehen, in der starken Form seiner Jugend, seiner äußersten Leidenschaft. Erst müßt ihr bei den Dichtern die Sprache hören, bei ihnen, die sie schaffen und vollenden, ihr müßt Dichtung einmal atmend und warm am Herzen gespürt haben, ehe wir sie zu anatomisieren anfangen. Darum beginne ich immer mit den Göttern, denn England ist Elisabeth, ist Shakespeare und die Shakespearianer, alles Frühere Vorbereitung, alles Spätere lahmes Nachlaufen diesem eigenen kühnen Sprung ins Unendliche zu – hier aber, fühlt es, fühlt es selbst, ihr jungen Menschen, hier die lebendigste Jugend unserer Welt. Immer erkennt man ja jede Erscheinung, jeden Menschen nur in ihrer Feuerform, nur in der Leidenschaft. Denn aller Geist steigt aus dem Blut, alles Denken aus Leidenschaft, alle Leidenschaft aus Begeisterung – darum Shakespeare und die Seinen zuerst, die euch junge Menschen erst wahrhaftig jung machen! Erst der Enthusiasmus, dann erst der Fleiß, erst Er, der Höchste, der Äußerste, dies herrlichste Repetitorium der Welt, vor dem Studium des Worts!«

»Und nun genug für heute – lebt wohl!« – Mit jäh abschließender Geste wölbte sich die Hand und taktierte herrisch unvermutet ab, indes er gleichzeitig vom Tische absprang. Wie auseinandergerüttelt fuhr mit einmal das dicht zusammengedrückte Bündel der Studenten schütter auf, Sessel knackten und polterten, Tische rückten, zwanzig verschlossene Kehlen huben mit einmal an zu reden, sich zu räuspern, breitströmig zu atmen – jetzt erst sah man, wie magnetisch die Bannung gewesen, die alle diese atmenden Lippen verschloß. Um so hitziger und hemmungsloser wogte nun im engen Raume das Durcheinander; einige traten auf den Lehrer zu, um ihm Dank oder ein anderes zu sagen, indes die übrigen heißen Gesichts untereinander ihre Eindrücke austauschten; keiner aber stand ruhig, keiner unberührt von der elektrischen Spannung, deren Kontakt brüsk gerissen war und von der doch Hauch und Feuer noch in der gedrängten Luft zu knistern schienen.

Ich selbst konnte mich nicht rühren: ich war wie auf das Herz getroffen. Leidenschaftlich ich selbst, und fähig, alles nur passioniert, mit einem vorstürzenden Stoß aller Sinne zu begreifen, hatte ich zum erstenmal von einem Lehrer, von einem Menschen mich gefaßt gefühlt, eine Übermacht empfunden, vor der sich zu beugen Pflicht und Wollust sein mußte. Meine Adern gingen warm, ich spürte es, mein Atem schneller, bis in meinen Körper hinein hämmerte sich dieser jagende Rhythmus und riß ungeduldig an jedem Gelenk. Endlich gab ich mir nach, drängte langsam in die vordere Reihe, das Gesicht dieses Mannes zu sehen, denn – sonderbar! – während er sprach, hatte ich seine Züge gar nicht wahrgenommen, so sehr waren sie vergangen, so sehr eingegangen in die Rede. Auch jetzt konnte ich vorerst nur ein ungenaues Profil schattenhaft erblicken: er stand, einem Studenten halb zugewandt, die Hand vertraulich auf die Schulter gelegt, im Zwielicht des Fensters. Aber selbst diese flüchtige Bewegung hatte eine Innigkeit und Anmut, wie ich sie niemals bei einem Schulmann für möglich gehalten.

Inzwischen waren einige Studenten auf mich aufmerksam geworden; und um nicht als unberufener Eindringling zu gelten, trat ich noch einige Schritte an den Professor heran und wartete, bis er sein Gespräch beendet. Nun erst gewann ich Zublick in sein Gesicht: ein Römerkopf, marmorn die Stirne gewölbt, und die blankschimmernde an den Seiten überbuscht von rückschlagender Welle weißen schopfigen Haares; ein imponierend kühner Oberbau geistiger Fraktur – unterhalb der tiefen Augenschatten aber rasch weich, fast weibisch werdend durch die glatte Rundung des Kinns, die unruhige Lippe, um die, ein Lächeln bald und bald ein unruhiger Riß, die Nerven flatterten. Was oben die Stirne mannhaft schön zusammenhielt, löste die nachgiebigere Plastik des Fleischlichen in etwas schlaffe Wangen und einen unsteten Mund; vorerst imposant und herrscherisch, wirkte von der Nähe gesehen sein Antlitz mühsam zusammengestrafft. Auch die körperliche Haltung sprach ein ähnlich Zwiefältiges aus. Seine Linke ruhte nachlässig auf dem Tisch oder schien wenigstens zu ruhen, denn unausgesetzt vibrierten kleine zitternde Triller über die Knöchel hin, und die schmalen, für eine Männerhand ein wenig zu zarten, ein wenig zu weichen Finger malten ungeduldig unsichtbare Figuren über die leere Holzplatte, indes seine von schweren Lidern gedeckten Augen anteilnehmend sich ins Gespräch beugten. War er unruhig, oder zitterte die Erregung noch in den aufgetriebenen Nerven nach: jedenfalls widersprach die fahrige Unbeherrschtheit der Hand dem ruhig Lauschenden und Abwartenden seines Gesichts, das ermattet und doch aufmerksam in die Zwiesprache mit dem Studenten vertieft schien.

Endlich kam die Reihe an mich, ich trat heran, nannte Namen und Absicht, und sofort hellte sich der Stern des Auges in der fast blauleuchtenden Pupille mir zu. Zwei, drei volle fragende Sekunden überkreiste dieser Glanz mein Gesicht vom Kinn bis ins Haar: ich mochte wohl errötet sein, und unter dieser mild inquisitorischen Betrachtung, denn er quittierte meine Verwirrung mit einem geschwinden Lächeln. »Also Sie wollen bei mir inskribieren: da müssen wir noch ausführlicher miteinander sprechen. Entschuldigen Sie mich, daß ichs nicht sofort tue. Ich habe jetzt noch einiges zu erledigen; vielleicht erwarten Sie mich unten vor dem Tor und begleiten mich dann nach Hause.« Dabei bot er mir die Hand, die zarte, schmale Hand, die sich leichter als ein Handschuh an meine Finger legte, schon dem Nächstwartenden freundlich zugewandt.

Zehn Minuten harrte ich vor dem Tor klopfenden Herzens. Was sagen, wenn er nach meinen Studien fragte, wie ihm bekennen, daß alles Dichterische weder meine Arbeit noch meine Mußestunden je beschäftigt? Würde er mich nicht mißachten oder am Ende von vornherein ausschließen aus jenem feurigen Kreis, der mich heute magisch umfangen? Aber kaum daß er, rasch genähert und guten Lächelns, jetzt vortrat, nahm schon seine Gegenwart alle Befangenheit, ja, ohne daß er mich gedrängt, beichtete ich (unfähig, vor ihm mich zu verbergen), mein erstes Semester so ziemlich versäumt zu haben. Wieder umfing mich jener warme anteilnehmende Blick. »Auch die Pause gehört zur Musik«, lächelte er ermutigend, und offenbar um mich nicht weiter in meiner Unwissenheit zu beschämen, erkundigte er sich nach bloß persönlichen Dingen, nach meiner Heimat, und wo ich hier zu wohnen gedächte. Als ich ihm mitteilte, ich hätte bislang noch kein Zimmer gefunden, bot er mir seine Hilfe an und riet, ich möchte vorerst in seinem Haus mich erkundigen, dort vermiete eine alte, halbtaube Frau ein nettes Zimmerchen, mit dem jeder seiner Schüler jeweils zufrieden gewesen sei. Und für alles andere wolle er selber sorgen: erfülle ich wirklich die Absicht, das Studium ernst zu nehmen, so betrachte er es als liebste Pflicht, mir in jeder Weise förderlich zu sein. Wieder bot er mir, vor seiner Wohnung angelangt, die Hand und lud mich ein, ihn am nächsten Abend zu Hause zu besuchen, damit wir einen Studienplan gemeinsam ausarbeiten. Und so groß war meine Dankbarkeit für die unverhoffte Güte dieses Menschen, daß ich nur ehrfürchtig seine Hand ertastete, verworren den Hut zog und vergaß, ihm mit einem Worte zu danken.

Selbstverständlich mietete ich sogleich das Zimmerchen im gleichen Hause. Ich hätte es nicht minder genommen, hätte es mir auch durchaus nicht zugesagt, und dies einzig aus dem naiv dankbaren Gefühl, diesem zauberischen Lehrer, der mir in einer Stunde mehr gegeben als alle andern, räumlich näher zu sein. Aber das Zimmerchen war reizend: das Dachgeschoß über der Wohnung meines Lehrers, ein wenig dunkel vom überhängenden Holzgiebel, gestattete es weitgerundeten Fensterblick auf die nachbarlichen Dächer und den Kirchturm; ferne sah man schon grünes Geviert und darüber die Wolken, die heimatgeliebten. Ein altes stocktaubes Frauchen sorgte mit rührender Mütterlichkeit für ihre jeweiligen Pfleglinge; in zwei Minuten war ich einig mit ihr, und eine Stunde später knirschte schon mein Koffer die knarrende Holztreppe hinauf.

An jenem Abend ging ich nicht mehr aus, ja ich vergaß zu essen, zu rauchen. Mit dem ersten Griff hatte ich aus dem Koffer den zufällig beigepackten Shakespeare geholt, ungeduldig, ihn (seit Jahren wieder zum erstenmal) zu lesen; meine Neugier war durch jenen Vortrag leidenschaftlich entzündet, und ich las gedichtetes Wort, wie ich es nie gelesen. Kann man derartige Verwandlungen erklären? Aber mit einmal ging mir eine Welt im Geschriebenen auf, die Worte zuckten nur so auf mich zu, als suchten sie mich seit Jahrhunderten; eine Feuerwoge lief der Vers, mich mitreißend, bis ins Adernwerk hinein, daß ich jene seltsame Gelockertheit in den Schläfen fühlte wie bei einem Flugtraum. Ich zuckte, ich zitterte, ich fühlte das Blut wärmer mich durchwogen, wie Fieber flogs mich an – all·das war mir vordem nie geschehen, und ich hatte doch nichts erlebt als das Hören einer passionierten Rede. Aber von dieser Rede mußte wohl noch Rausch in mir sein, ich hörte, wenn ich eine Zeile laut wiederholte, wie meine Stimme seine Stimme unbewußt nachahmte, die Sätze stürmten in gleichem fortschießendem Rhythmus, und meine Hände hatten Lust, genau wie die seinen wölbend auszufahren – wie durch Magie hatte ich in einer Stunde die Mauer, die bislang zwischen mir und der geistigen Welt stand, durchstoßen und entdeckte, der Leidenschaftliche, mir eine neue Leidenschaft, die mir treu geblieben ist bis zum heutigen Tage: die Lust am Mitgenießen alles Irdischen im beseelten Wort. Zufällig war ich auf den ›Coriolans‹ gestoßen, und wie ein Taumel kams über mich, als ich in mir alle Elemente dieses fremdesten aller Römer fand: Stolz, Hochmut, Zorn, Hohn, Spott, alles Salz, alles Blei, alles Gold, alle Metalle des Gefühls. Was für eine neue Lust, dies magisch mit einmal zu ahnen, zu verstehen! Ich las und las, bis mir die Augen brannten; als ich auf die Uhr sah, zeigte sie halb vier. Beinahe erschreckt über die neue Gewalt, die sechs Stunden mir alle Sinne erregt und betäubt zugleich, löschte ich das Licht. Aber innen glühten und zuckten die Bilder noch weiter, ich konnte kaum schlafen vor Sehnsucht und Erwartung nach dem nächsten Tag, der die so zauberisch aufgetane Welt mir erweitern und ganz zu eigen machen sollte.

Aber der nächste Morgen brachte Enttäuschung. Ungeduldig hatte ich mich als einer der ersten im Hörsaal eingefunden, wo mein Lehrer (denn so will ich ihn fortab nennen) sein Kolleg über englische Lautlehre lesen sollte. Schon als er eintrat, erschrak ich: war dies denn derselbe von gestern, oder hatte ihn nur meine erregte Stimmung und Erinnerung befeuert zu einem Coriolan, der auf dem Forum das Wort als Blitzstrahl führt, heldenhaft kühn, niederschlagend und bezwingend? Der hier mit leisem schleppendem Schritt eintrat, war ein alter, müder Mann. Als sei eine leuchtende Mattscheibe von seinem Antlitz weggenommen, so merkte ich jetzt von der ersten Bankreihe seine fast kränklich matten Züge von scharfen Runzeln und breiten Schrunden durchackert; blaue Schatten höhlten Rinnsale querhin in das schlaffe Grau der Wangen. Über die Augen schatteten dem Lesenden zu schwere Lider, auch der Mund mit den zu blassen, zu schmalen Lippen gab dem Wort kein Metall: wo war seine Heiterkeit, der sich selbst aufjubelnde Überschwang? Selbst die Stimme schien mir fremd; gleichsam vom grammatikalischen Thema ernüchtert, ging sie steif durch trocken knirschenden Sand in monoton ermüdendem Schritt.

Unruhe überkam mich. Das war ja gar nicht der Mann, auf den ich seit der ersten Stunde heute gewartet: wohin war sein Antlitz vergangen, sein gestern so astralisch mir erhelltes? Hier spulte ein abgenützter Professor sachlich sein Thema ab; immer horchte ich mit neuer Angst in sein Wort hinein, ob nicht doch jener Ton von gestern wiederkehren wollte, die warme Vibration, die wie eine klingende Hand in mein Gefühl gegriffen und es zur Leidenschaft emporgestimmt. Immer unruhiger stieg mein Blick zu ihm auf, voll Enttäuschung das entfremdete Gesicht übertastend: das Antlitz hier, unleugbar, es war dasselbe, aber gleichsam entleert, enthöhlt aller zeugenden Kräfte, müde, alt, eines alten Mannes pergamentene Larve. Aber war derlei möglich? Konnte man so jung sein eine Stunde und so unjugendlich die nächste schon? Gab es derart plötzliche Wallungen des Geistes, daß sie mit dem Wort auch das Antlitz durchformen und um Jahrzehnte verjüngen?

Die Frage quälte mich. Wie ein Durst brannte mirs innen, mehr von diesem zwiefältigen Manne zu wissen. Und einer plötzlichen Eingebung folgend, eilte ich, kaum daß er blicklos an uns vorbei das Katheder verlassen, in die Bibliothek und forderte seine Werke. Vielleicht war er nur müde gewesen heute, sein Elan von einem Unbehagen des Leibes gedämpft: hier aber, im dauernd Niedergelegten der Gestaltung mußte doch Einstieg und Schlüssel sein in seine mich merkwürdig anfordernde Erscheinung. Der Diener brachte die Bücher: ich erstaunte, wie wenige. In zwanzig Jahren hatte der alternde Mann also nicht mehr veröffentlicht als diese dünne Reihe loser Bändchen, Einleitungen, Vorreden, eine Diskussion über die Echtheit des Shakespeareschen Perikles, ein Vergleich zwischen Hölderlin und Shelley (dies freilich zu einer Zeit, wo weder der eine noch der andere seinem Volke als Genius galt) und sonst nur philologischen Kleinkram? Freilich: in allen Schriften war als vorbereitet ein zweibändiges Werk angekündigt: ›Das Globe-Theater, seine Geschichte, seine Darstellung, seine Dichter‹, doch trotzdem jene erste Voranzeige bereits zwei Jahrzehnte rückdatierte, bestätigte mir der Bibliothekar auf eine nochmalige Anfrage, niemals sei es erschienen. Ein wenig zaghaft und schon nur mehr mit halbem Mut blätterte ich die Schriften an, sehnsüchtig, aus ihnen die rauschende Stimme, jenes Hinbrausen des Rhythmus mir zu erneuern. Aber der Schritt dieser Schriften pendelte beharrlichen Ernstes, nirgends zitterte der heiß taktierte, sich selbst wie Welle die Welle überspringende Rhythmus jener rauschenden Rede. Wie schade! seufzte etwas in mir. Ich hätte mich selbst schlagen können, so bebte ich vor Zorn und Mißtrauen gegen mein allzu rasch und leichtgläubig ihm hingeliehenes Gefühl.

Aber nachmittags im Seminar erkannte ich ihn wieder. Diesmal sprach er zunächst nicht selber. Nach englischer College-Sitte waren diesmal zwei Dutzend Studenten zur Diskussion in Redner und Widerredner geteilt, als Thema neuerdings eins aus seinem geliebten Shakespeare gesetzt, nämlich, ob Troilus und Cressida (sein Lieblingswerk) als parodistische Figuren zu gelten hätten, das Werk selbst als Satyrspiel oder eine hinter Hohn verdeckte Tragödie. Bald entzündete sich, von seiner geschickten Hand angefacht, aus bloß geistigem Gespräch eine elektrische Erregung – Argument sprang schlagkräftig gegen lässige Behauptung, Zwischenrufe stachelten scharf und schneidend die Diskussion zur Hitzigkeit, bis die jungen Menschen fast feindlich aufeinander losfuhren. Dann erst, als die Funken klirrten, sprang er dazwischen, lockerte den allzu heftigen Zugriff, die Diskussion geschickt auf das Thematische zurückführend, um ihr aber gleichzeitig durch einen heimlichen Ruck ins Zeitlose verstärkten geistigen Schwung zu geben – und so stand er plötzlich inmitten dieses dialektischen Flammenspiels, selber heiter erregt, den Hahnenkampf der Meinungen in einem anstachelnd und zurückkreißend, Meister dieser aufgestürmten Welle von jugendlichem Enthusiasmus und selber überströmt von ihr. An den Tisch gelehnt, die Arme über die Brust gekreuzt, blickte er von einem zum andern, diesen anlächelnd, jenen mit einem heimlichen Wink zur Gegenrede ermunternd, und angeregt wie gestern glänzte sein Auge: ich spürte, er mußte sich bändigen, um nicht selbst ihnen allen mit einem Griff das Wort vom Munde zu reißen. Aber er hielt sich gewaltsam zurück, ich sahs an den Händen, die sich immer fester über der Brust als eine Daube anpreßten, ich erriets an den springenden Mundwinkeln, die mit Mühe das schon aufzuckende Wort niederdrückten. Und plötzlich gelang es ihm nicht mehr, er warf sich wie ein Schwimmer rauschend hinein in die Diskussion – mit einer wuchtigen Geste der losfahrenden Hand zerhieb er den Tumult wie mit einem Taktstock: sofort verstummten alle, und nun faßte er in seiner wölbenden Art alle Argumente zusammen. Und aufstieg, indem er sprach, jenes Gesicht von gestern, die Falten vergingen hinter dem flatternden Nervenspiel, zu kühner herrschender Geste reckte sich Hals und Statur, und aus seiner lauschend geduckten Haltung warf er sich in die Rede wie in einen stürzenden Strom. Die Improvisation riß ihn hin: nun begann ich zu ahnen, daß er, nüchtern mit sich allein, im sachlichen Kolleg oder in der einsamen Schreibstube jenes Zündstoffs entbehrte, die ihm hier, in unserer gepreßten atemlosen Gebanntheit, die innere Wand aufsprengte; er brauchte, oh, wie fühlte ich das, unseren Enthusiasmus für den seinen, unser Aufgetansein für seine Verschwendung, uns Jugend für das Jungsein in der Begeisterung. Wie ein Zimbalschläger sich berauscht an dem immer wilderen Rhythmus seiner eifernden Hände, so wurde seine Rede immer besser, immer flammender, immer farbiger im heißeren Wort, und je tiefer wir schwiegen (man fühlte unwillkürlich unsere Atemlosigkeit im Raum), um so höher, um so spannender, um so hymnischer schwang seine Darstellung sich auf. Und alle gehörten wir einzig ihm in diesen Minuten, ganz eingelauscht, eingerauscht in jenen Überschwang.

Und wieder, als er plötzlich mit einem Anruf aus Goethes Shakespeare-Rede endigte, brach unsere Erregung ungestüm entzwei. Und wieder wie gestern lehnte er erschöpft an dem Tisch, das Gesicht bleich, aber noch überrieselt von kleinen zuckenden Läufen und Trillern der Nerven, und im Auge glimmerte merkwürdig die weiterströmende Wollust der Ergießung wie bei einer Frau, die eben sich übermächtiger Umarmung entrungen. Ich hatte Scheu, jetzt mit ihm zu sprechen; aber zufällig traf mich sein Blick. Und offenbar fühlte er meine begeisterte Dankbarkeit, denn er lächelte mir freundlich zu, und leicht mir zugeneigt, die Hand meiner Schulter umlegend, erinnerte er mich, heute abend, wie vereinbart, zu ihm zu kommen.

Pünktlich um sieben Uhr war ich dann bei ihm; mit welchem Zittern überschritt ich Knabe diese Schwelle zum erstenmal! Nichts ist ja leidenschaftlicher als die Verehrung eines Jünglings, nichts scheuer, nichts frauenhafter als ihre unruhige Scham. Man führte mich in sein Arbeitszimmer, einen halbdunklen Raum, in dem ich vorerst nur, ihre gläsernen Scheiben durchblinkend, die farbigen Rücken vieler Bücher sah. Über dem Schreibtisch hing Raffaels ›Schule von Athen‹, ein Bild, von ihm (wie er mir später ausführte) besonders geliebt, weil alle Arten des Lehrens, alle Gestaltungen des Geistes sich hier symbolisch zu vollkommener Synthese einen. Ich sah es zum erstenmal: unwillkürlich meinte ich in Sokrates' eigenwilligem Gesicht eine Ähnlichkeit mit seiner Stirn zu entdecken. Von rückwärts leuchtete etwas weißmarmorn, die Büste des Pariser Ganymed in schöner Verkleinerung, daneben der heilige Sebastian eines altdeutschen Meisters, tragische Schönheit neben die genießende wohl nicht zufällig gestellt. Pochenden Herzens wartete ich, atemstumm wie all die ringsum edel-schweigsamen Kunstgestalten; aus diesen Dingen sprach symbolisch eine mir neue Art der geistigen Schönheit, die ich nie geahnt und die mir noch nicht deutlich war, wenn ich auch sie brüderhaft zu spüren mich schon bereitet fühlte. Aber der Betrachtung blieb nur knappe Frist, denn eben trat der Erwartete ein und auf mich zu; wieder berührte mich jener weichumhüllende, jener wie verdecktes Feuer schwelende Blick, der zum eigenen Staunen das Geheimste in mir auftaute. Ich sprach sofort ganz frei zu ihm wie zu einem Freunde, und als er nach meinem Berliner Studiengang fragte, drängte sich mir plötzlich – ich erschrak in der gleichen Sekunde – jene Erzählung von dem Besuche meines Vaters auf die Lippe, und ich bekräftigte dem Fremden jenes geheime Gelöbnis, mit äußerstem Ernst mich dem Studium hinzugeben. Er sah mich bewegt an. »Nicht nur mit Ernst, mein Junge«, sagte er dann, »vor allem mit Leidenschaft. Wer nicht passioniert ist, wird bestenfalls ein Schulmann – von innen her muß man an die Dinge kommen, immer, immer von der Leidenschaft her.« Immer wärmer wurde seine Stimme, immer dunkler das Zimmer. Er erzählte viel von seiner eigenen Jugend, wie auch er töricht begonnen und erst spät sich die eigene Neigung entdeckt: ich solle nur Mut haben, und soweit es an ihm liege, wollte er mir förderlich sein; unbesorgt möge ich mit allen Wünschen und Fragen mich an ihn wenden. Noch nie hatte jemand so anteilnehmend, so tiefverständig in meinem Leben zu mir geredet; ich zitterte vor Dankbarkeit und war des Dunkels froh, daß es meine nassen Augen barg.

Stundenlang hätte ich, unachtsam der Zeit, so verweilen können, da klopfte es leise. Die Türe ging, eine schmale Gestalt trat herein, schattenhaft. Er stand auf und stellte vor: »Meine Frau.« Der schlanke Schatten kam undeutlich heran, legte eine schmale Hand in die meine und mahnte dann, an ihn gewandt: »Das Abendessen ist bereit.« »Ja, ja, ich weiß«, antwortete er hastig und (so dünkte es mich zumindest) ein wenig ärgerlich. Etwas Kaltes schien plötzlich in seine Stimme geraten, und wie jetzt das elektrische Licht aufflammte, war es wieder der gealterte Mann des nüchternen Schulsaals, der mit lässiger Gebärde mir Abschied bot.

Die nächsten beiden Wochen verbrachte ich in einem leidenschaftlichen Furor des Lesens und Lernens. Ich verließ kaum das Zimmer, nahm, um keine Zeit zu verlieren, stehend meine Mahlzeiten, ich studierte ohne Innehalten, ohne Pause, beinahe ohne Schlaf. Mir ging es wie jenem Prinzen im morgenländischen Zaubermärchen, der, ein Siegel nach dem andern von der Tür verschlossener Zimmer lösend, in jedem Zimmer immer noch mehr Juwelen und Edelsteine gehäuft findet und immer gieriger nun die ganze Flucht dieser Gemächer nachforscht, ungeduldig, zum letzten zu gelangen. Genau so stürzte ich aus einem Buch ins andere, von jedem berauscht, von keinem gesättigt: meine Unbändigkeit war nun ins Geistige gefahren. Eine erste Ahnung von der weglosen Weite der geistigen Welt hatte mich überkommen, ebenso verführerisch für mich als die abenteuerliche der Städte, zugleich aber auch die knabenhafte Angst, sie nicht bewältigen zu können; so sparte ich mit Schlaf, mit Vergnügen, mit Gespräch, mit jeder Form der Ablenkung, nur um die Zeit, die zum erstenmal als kostbar verstandene, zu nützen. Doch was vor allem meinen Fleiß dermaßen hitzte, war die Eitelkeit, vor meinem Lehrer zu bestehen, sein Vertrauen nicht zu enttäuschen, ein zustimmendes Lächeln zu erobern, von ihm gespürt zu werden, wie ich ihn spürte. Jeder flüchtigste Anlaß diente als Probe; unablässig spornte ich die ungelenken, nun aber merkwürdig beschwingten Sinne, ihm zu imponieren, ihn zu überraschen: nannte er im Vortrage einen Dichter, dessen Werk mir fremd war, so warf ich mich nachmittags auf die Suche, um tags darauf eitel meine Kenntnis in der Diskussion vorprahlen zu können. Ein zufällig geäußerter Wunsch, von den andern kaum bemerkt, verwandelte sich mir zu Befehl: so genügte eine lässig hingeworfene Bemerkung wider das ewige Qualmen der Studenten, daß ich sofort die brennende Zigarette wegwarf und mit einem Ruck die gerügte Gewohnheit für immer unterdrückte. Wie eines Evangelisten Wort war mir das seine gleichzeitig Gnade und Gesetz; unablässig auf der Lauer, griff meine starkgespannte Aufmerksamkeit jede seiner gleichgültig hingestreuten Bemerkungen gierig auf. Jedes Wort, jede Geste sackte ich habgierig ein, zu Hause das Erraffte mit allen Sinnen leidenschaftlich betastend und bewahrend; und wie ihn einzig als Führer, so empfand meine unduldsame Passioniertheit alle Kameraden einzig als Feinde, die zu überrennen und zu übertreffen tagtäglich sich der eifersüchtige Wille aufs neue beschwor.

Fühlte er nun, wieviel er mir bedeutete, oder hatte er dies Ungestüme meines Wesens liebgewonnen – jedenfalls zeichnete mich mein Lehrer bald durch offensichtliche Anteilnahme besonders aus. Er beriet meine Lektüre, schob den Neuling, fast ungebührlich, in den gemeinschaftlichen Diskussionen vor, und oftmals durfte ich abends zu vertraulichem Gespräche ihn besuchen. Dann nahm er meist eins der Bücher von der Wand und las mit jener sonoren Stimme, die in der Erregung immer um eine Skala heller und klingender wurde, aus Gedichten und Tragödien oder erklärte strittige Probleme; in diesen ersten beiden Wochen des Rausches habe ich mehr gelernt vom Wesenhaften der Kunst als bisher in neunzehn Jahren. Immer waren wir allein in dieser mir zu kurzen Stunde. Gegen acht Uhr klopfte es dann leise an die Tür: seine Frau mahnte zum Abendessen. Aber nie mehr betrat sie das Zimmer, offenbar einer Weisung gehorchend, unser Gespräch nicht zu unterbrechen.

So waren vierzehn Tage vergangen, prall gefüllte, durchhitzte Frühsommertage, als eines Morgens wie eine überspannte Stahlfeder die Arbeitskraft in mir absprang. Schon vordem hatte mich mein Lehrer gewarnt, ich solle den Eifer nicht übertreiben, ab und zu einen Tag aussetzen und ins Freie gehen – nun erfüllte sich plötzlich jene Voraussage: ich wachte dumpf von dumpfem Schlafe auf, alle Lettern flirrten stecknadelköpfig, sobald ich zu lesen versuchte. Auch dem geringsten Wort meines Lehrers sklavisch treu, beschloß ich sofort, zu gehorchen und einen freien, spielhaften Tag zwischen die bildungsgierigen einzuschalten. Ich zog gleich morgens los, besah zum erstenmal die teilweise altertümliche Stadt, stieg, nur um den Körper zu spannen, die Hunderte von Stufen zum Kirchturm hinauf, um dort von der Plattform im grünen Umkreis einen kleinen See zu entdecken. Nun liebte ich wasserkantiger Nordländer leidenschaftlich den Schwimmsport, und gerade hier oben auf dem Turme, zu dem selbst wie grünes Teichgelände die gesprenkelten

Wiesen emporschimmerten, überkam mich, als wäre es hergestürmt von heimatlichem Wind, plötzlich ein unbändiges Verlangen, mich wieder in das geliebte Element zu werfen. Und kaum daß ich nach Tisch jene Badeanstalt aufgefunden und mich im Wasser getummelt, begann mein Körper sich wieder lustvoll zu spüren, die Muskeln an meinen Armen streckten sich seit Wochen wieder in biegsamer Kraft, Sonne und Wind an meiner nackten Haut rückverwandelten mich innerhalb einer halben Stunde in den ungestümen Burschen von vordem, der sich wild mit Kameraden balgte, für eine Tollkühnheit sein Leben wagte; ich wußte nichts mehr, wild herumplusternd und mich reckend, von Büchern und Wissenschaft. Mit jener mir eigenen Besessenheit nun wieder der lang entbehrten Passion verfallen, hatte ich zwei Stunden in dem wiedergefundenen Element gewühlt, dreißigmal vielleicht war ich vom Brett gesprungen, um im Sturz den Überschwall von Kraft zu entladen, zweimal war ich quer über den See geschwommen, und noch immer mein Unband nicht erschöpft. Prustend und an allen aufgespannten Muskeln gerüttelt, suchte ich herum nach irgendeiner neuen Probe, ungeduldig, etwas Starkes, Verwegenes, Übermütiges zu tun.

Da knatterte drüben vom Damenbad her das Sprungbrett, ich spürte nachzitternd bis heran ins Gebälk den Schwung kräftigen Abstoßes. Und schon schnellte, von der Kurve des Sprungs zu stählernem Halbbogen wie ein Türkensäbel geformt, ein schlanker Frauenkörper hoch und kopfüber hinab. Einen Augenblick höhlte der Sprung einen klatschenden und gleich weiß aufschäumenden Wirbel, dann tauchte die straffe Gestalt wieder auf, mit nervigen Schwimmstößen der Teichinsel zustrebend. »Ihr nach! Einholen!« – Sportlust riß meine Muskeln an, mit einem Ruck schnellte ich mich ins Wasser und stieß, die Schulter vorgestemmt, mit erbitterten

Tempos ihrer Spur nach. Aber offenbar die Verfolgung bemerkend und gleichfalls sportbereit, nützte die Verfolgte wacker ihren Vorsprung, schrägte geschickt an der Insel vorbei, um dann hastig zurückzusteuern. Ich, ihre Absicht rasch erkennend, warf mich gleichfalls rechtsüber und paddelte so kräftig, daß meine vorstoßende Hand schon ihr ins Kielwasser kam, bloß eine Spanne trennte uns noch – da tauchte herzhaft listig die Verfolgte plötzlich unter, um dann, eine kleine Weile später, knapp an der Barriere der Damenabteilung emporzukommen, die weiterer Verfolgung wehrte. Triefend stieg die Siegerin die Treppe hinauf: einen Augenblick mußte sie innehalten, die Hand an die Brust gepreßt, offenbar versagte ihr der Atem; dann aber wandte sie sich um, und als sie mich an der Grenze gehemmt sah, lachte sie mit blanken Zähnen triumphierend herüber. Ihr Gesicht konnte ich gegen die schroffe Sonne und unter der Schwimmhaube nicht recht wahrnehmen, nur das Lachen glänzte höhnisch und blank auf den Besiegten zu.

Ich ärgerte mich und freute mich zugleich: zum erstenmal seit Berlin hatte ich wieder jenen anerkennenden Blick einer Frau gespürt – vielleicht winkte da ein Abenteuer. Mit drei Stößen schwamm ich hinüber ins Herrenbad, riß mir die Kleidung flink über die noch nasse Haut, nur um rechtzeitig beim Ausgang sie abpassen zu können. Zehn Minuten mußte ich warten, dann kam – durch die knabenhaft schmalen Formen unverkennbar – meine übermütige Gegnerin leichten Schrittes und beschleunigte ihn noch, sobald sie mich warten sah, in der offenbaren Absicht, mir die Möglichkeit eines Ansprechens abzuschneiden. Sie lief ebenso muskelhaft behend, wie sie vordem geschwommen, alle Gelenke gehorchten sehnig diesem ephebisch schmalen, vielleicht etwas zu schmalen Körper: ich hatte wahrhaftig keuchende Not, die fliegend Ausschreitende einzuholen, ohne mich auffällig zu machen. Endlich gelangs; an einer Wegwende querte ich geschickt vor, lüftete nach studentischer Art weitausholend den Hut und fragte, ehe ich ihr noch recht ins Auge gesehen, ob ich sie begleiten dürfe. Sie warf von der Seite einen spöttischen Blick, und ohne daß sich das hitzige Tempo verlangsamte, antwortete mir fast aufreizende Ironie: »Wenn ich Ihnen nicht zu rasch gehe, warum nicht! Ich habe große Eile.« Durch diese Unbefangenheit ermutigt, wurde ich zudringlicher, stellte ein Dutzend neugieriger, meist alberner Fragen, die sie aber bereitwillig und mit so verblüffender Freiheit beantwortete, daß meine Absichten eigentlich mehr verwirrt als gefördert wurden. Denn mein Berliner Ansprechkodex war mehr auf Widerstand und Spöttischkeit eingestellt als auf dermaßen franke Aussprache während eines Geschwindschrittes: so hatte ich zum zweitenmal das Gefühl, recht ungeschickt an eine überlegene Gegnerin geraten zu sein.

Aber es sollte noch schlimmer kommen. Denn als ich, meine indiskreten Eindringlichkeiten vermehrend, sie fragte, wo sie wohne – da wandten sich plötzlich scharf zwei haselbraune übermütige Augen herüber und blitzten, ein Lachen gar nicht mehr verbergend: »In Ihrer allernächsten Nähe.« Verblüfft starrte ich auf. Sie sah von der Seite noch einmal herüber, ob der Partherpfeil sitze. Und wirklich, er stak mir in der Kehle. Mit einmal war es vorbei mit dem frech berlinerischen Ansprechton; ganz unsicher, ja devot stammelte ich, ob ihr meine Begleitung denn nicht lästig sei. »Aber wieso denn«, lächelte sie von neuem, »wir haben ja nur mehr zwei Straßen, und die können wir doch gemeinsam laufen.« In diesem Augenblick schwirrte mir das Blut, ich konnte kaum weiter, aber was halfs, ein Abschwenken wäre noch beleidigender gewesen: so mußte ich mit bis zu dem Hause, wo ich wohnte. Da hielt sie plötzlich inne, bot mir die

Hand und sagte leichthin: »Dank für die Begleitung! Sie kommen ja heute um sechs Uhr zu meinem Mann.«

Ich muß blutrot geworden sein vor Scham. Aber noch ehe ich mich entschuldigen konnte, war sie schon flink die Treppe hinauf, und ich stand da, mit Schrecken die einfältigen Reden bedenkend, deren ich mich tölpelhaft erfrecht. Zum Sonntagsausflug hatte ich flunkernder Narr sie wie ein Nähmädel eingeladen, in schleißiger Weise ihren Körper gerühmt, dann die sentimentale Walze des vereinsamten Studenten gedreht – mir war, als müßte ich erbrechen vor Scham, so würgte mich der Ekel. Und nun ging sie lachend, bis zu den Ohren voll Übermut zu ihrem Mann, meine Albernheiten zu verraten an ihn, dessen Urteil mir am meisten von allen Menschen wog, und vor dem lächerlich zu erscheinen mir qualvoller ankam, als nackt auf dem offenen Marktplatz ausgepeitscht zu sein.

Entsetzliche Stunden bis zum Abend: tausendmal malte ich mirs aus, wie er mich empfangen würde mit seinem feinen ironischen Lächeln – oh, ich wußte ja, er meisterte die Kunst des sardonischen Wortes und wußte einen Scherz rotglühend zu spitzen, daß er stach bis aufs Blut. Ein Verurteilter kann nicht gewürgter das Schafott hinaufsteigen als ich damals die Treppe, und kaum ich, ein dickes Schlucken in der Kehle mühsam niederwürgend, sein Zimmer betrat, mehrte sich noch meine Verwirrung, war mir doch, als hätte ich vom Nebenraum flüsterndes Rauschen eines Frauenkleides gehört. Gewiß horchte sie da, die Übermütige, sich an meiner Verlegenheit zu weiden, die Blamage des mauldrescherischen Jungen mitzugenießen. Endlich kam mein Lehrer. »Was ist Ihnen denn?« fragte er besorgt. »Sie sind so blaß heute.« Ich wehrte ab, innerlich den Streich erwartend. Aber die gefürchtete Exekution blieb aus, er sprach ganz wie sonst von wissenschaftlichen Dingen: kein Wort, so ängstlich

ich jedes anhorchte, barg Anspielung oder Ironie. Und –
erst erstaunt und dann beglückt – erkannte ich: sie hatte
geschwiegen.

Um acht Uhr pochte es wieder an der Tür. Ich verabschiedete mich: das Herz stand mir wieder gerade in der
Brust. Als ich aus der Tür trat, kam sie vorbei: ich grüßte, und ihr Blick lächelte mir leicht zu. Und strömenden
Blutes deutete ich mir dies Verzeihen als ein Versprechen,
auch weiterhin zu schweigen.

Von jener Stunde begann für mich eine neue Art der Aufmerksamkeit; bisher hatte meine knabenhaft andächtige
Verehrung den vergötterten Lehrer dermaßen als Genius
einer andern Welt empfunden, daß ich sein privates, sein
irdisches Leben vollkommen zu beachten vergaß. In der
übertreiblichen Art, die jeder wahren Schwärmerei inne-
wohnt, hatte ich sein Dasein mir vollkommen wegge-
steigert von allen täglichen Verrichtungen unserer me-
thodisch geordneten Welt. Und so wenig etwa ein zum
erstenmal Verliebter wagt, das vergötterte Mädchen in
Gedanken zu entkleiden und als ebenso natürlich wie die
tausend andern rocktragenden Wesen zu betrachten, so
wenig wagte ich einen schleicherischen Blick in seine private Existenz: nur sublimiert empfand ich ihn immer,
abgelöst von allem Gegenständlich-Gemeinen als Boten
des Wortes, als Hülle des schöpferischen Geistes. Nun, da
jenes tragikomische Abenteuer mir plötzlich seine Frau in
den Weg stieß, konnte ich nicht umhin, seine familiäre,
seine häusliche Existenz intimer zu beobachten; eigentlich wider meinen Willen schlug eine unruhig späherische
Neugier in mir die Augen auf. Und kaum daß dieser
spürende Blick in mir begann, verwirrte er sich schon,
denn dieses Mannes Existenz innerhalb des eigenen Ge-
viers war eigentümlich und von beinahe beängstigender
Rätselhaftigkeit. Beim erstenmal schon, als ich kurz nach

jener Begegnung zu Tische geladen wurde und ihn nicht allein, sondern mit seiner Frau sah, regte sich merkwürdiger Verdacht einer eigenartig krausen Lebensgemeinschaft, und je mehr ich dann in den innern Kreis des Hauses vordrang, um so verwirrender wurde mir dies Gefühl. Nicht daß in Wort oder Geste sich eine Spannung oder Verstimmung zwischen beiden kundgetan hätte: im Gegenteil, das Nichts war es, das Nichtvorhandensein irgendeiner Spannung zu- oder gegeneinander, das so seltsam sie beide verhüllte und undurchsichtig machte, eine schwere föhnige Windstille des Gefühls, die jene Atmosphäre drückender machte als Sturm eines Streits oder Wetterleuchten verborgenen Grolls. Äußerlich verriet nichts eine Reizung oder Spannung; nur Entfernung von innen her fühlte sich stärker und stärker. Denn Frage und Antwort in ihrem seltenen Gespräch berührte sie nur gleichsam mit hastigen Fingerspitzen, nie ging es herzlich ineinander, Hand in Hand, und selbst mir gegenüber blieb bei den Mahlzeiten seine Rede stockig und gebunden. Und manchmal frostete das Gespräch, solange wir nicht wieder zur Arbeit zurückkehrten, zu einem einzigen breiten Blocke Schweigens zusammen, den schließlich keiner mehr anzubrechen wagte und dessen kalte Last mir noch stundenlang auf der Seele drückend blieb.

Vor allem erschreckte mich sein vollkommenes Alleinsein. Dieser aufgetane, durchaus expansiv veranlagte Mann hatte keinerlei Freund, seine Schüler allein waren ihm Umgang und Trost. An die Kollegen der Universität band ihn keine Beziehung als jene der höflichen Korrektheit, Gesellschaften besuchte er niemals; oft verließ er tagelang das Haus nicht zu anderm Weg als die zwanzig Schritte zur Universität. Alles grub er stumm in sich ein, sich weder Menschen noch der Schrift vertrauend. Und nun verstand ich auch das Eruptive, das Fanatisch-Überströmende seiner Reden im Kreise der Studenten: da brach aus tagelanger Stauung die Mitteilsamkeit hervor, alle Gedanken, die er schweigend in sich trug, stürzten mit jener Unbändigkeit, die der Reiter bei Pferden sinnvoll Stallfeuer nennt, brausend aus der Hürde des Schweigens in diese Wettjagd der Worte.

Zu Hause sprach er ganz selten, am wenigsten zu seiner Frau. Und mit einem ängstlichen, beinahe schamvollen Staunen erkannte selbst ich unerfahrener junger Bursche, daß hier zwischen zwei Menschen ein Schatten schwebte, ein wehender, immer gegenwärtiger Schatten aus unfühlbarem Stoff, aber doch vollkommen einen vom andern abschließend, und zum erstenmal ahnte ich, wieviel Geheimes eine Ehe nach außen verbirgt. Als sei ein Drudenfuß auf die Schwelle gezeichnet, so wagte niemals die Frau sein Arbeitszimmer ohne besondere Aufforderung zu betreten: damit markierte sich sichtbar ihre völlige Ausgesperrtheit von seiner geistigen Welt. Und niemals duldete mein Lehrer, daß von seinen Plänen und Arbeiten in ihrer Gegenwart gesprochen werde, ja die Art war mir geradezu peinlich, wie er, kaum daß sie eintrat, mit einem Riß mittendurch den leidenschaftlich geschwungenen Satz zerbrach. Etwas fast Beleidigendes und offenkundig Mißachtendes entbehrte da selbst der höflichen Verhüllung, brüsk und offen lehnte er ihre Teilnahme ab – sie aber schien das Beleidigende nicht zu bemerken oder daran schon gewöhnt. Mit ihrem übermütigen Jungengesicht, leicht und behend, muskelfreudig und rank, flog sie treppauf und -ab, hatte immer alle Hände voll zu tun und immer doch Zeit, ging in Theater, versäumte keine sportliche Betätigung – dagegen für Bücher, für den Hausstand, für alles Versperrte, Ruhige, Bedächtige fehlte der etwa fünfunddreißigjährigen Frau jeglicher Sinn. Ihr schien nur wohl zu sein, wenn sie – immer trällernd, gern lachend und stets zu spitzem Gespräch bereit – ihre Glieder im Tanz, im Schwimmen, im

Lauf, in irgend etwas Vehementem ausfahren lassen konnte; mit mir sprach sie niemals ernst, immer nur neckte sie mich wie einen halbwüchsigen Jungen, nahm mich bestenfalls als Partner übermütiger Kraftproben. Und diese ihre behende hellsinnliche Art stand in so verwirrend gegensätzlichem Kontrast zu der dunklen, ganz in sich gezogenen, nur vom Geistigen zu beflügelnden Lebensform meines Lehrers, daß ich mit immer neuem Staunen mich fragte, was jemals diese beiden urfremden Naturen hatte zusammenbinden können. Freilich, mich selbst förderte nur dieser merkwürdige Kontrast: trat ich von entnervender Arbeit in ein Gespräch mit ihr, so wars, als sei mir ein drückender Helm von der Stirn genommen; alle Dinge ordneten sich aus ekstatischer Erhitzung wieder tagfarben und klar ins Irdische zurück, das heiter Umgängliche des Lebens forderte spielhaft seine Rechte, und was ich beinahe in seiner anspannenden Gegenwart verlernte, das Lachen, entlastete wohltätig den übermächtigen Druck des Geistigen. Eine Art jungenhafter Kameradschaft knüpfte sich zwischen ihr und mir; gerade weil wir immer nur Gleichgültiges lässig plauderten oder gemeinsam ins Theater gingen, entbehrte unser Beisammensein jeder Spannung. Ein Einziges bloß unterbrach peinlich die völlige Unbesorgtheit unserer Gespräche, jedesmal mich verwirrend: und das war die Nennung seines Namens. Da stemmte sie unabänderlich meiner fragenden Neugier ein gereiztes Schweigen oder, wenn ich mich in Enthusiasmus redete, ein merkwürdig verdecktes Lächeln entgegen. Aber ihre Lippen blieben verschlossen: in anderer Art, aber mit gleich heftiger Gebärde stellte sie diesen Mann aus ihrem Leben wie er sie aus dem seinen. Und doch deckte beide schon fünfzehn Jahre das gleiche verschwiegene Dach.

Je undurchdringlicher aber dieses Geheimnis, um so mehr Verführung für meine leidenschaftliche Ungeduld.

Hier war ein Schatten, ein Schleier, sonderbar nah bei jedem Windzug des Wortes fühlte ich ihn schwanken; mehrmals schon meinte ich, seine Spur zu fassen, da glitt es wieder fort, dieses verwirrende Gewebe, um im nächsten Augenblick mich neu zu überrieseln, doch niemals ward es tastbares Wort, faßbare Form. Nichts aber wirkt aufstörender, aufweckender bei einem jungen Menschen als das entnervende Spiel vager Vermutungen; der Phantasie, müßig sonst umschweifend, plötzlich offenbart sich ihr jagdhaftes Ziel und schon fiebert sie in der neuentdeckten pürschenden Lust der Verfolgung. Ganz neue Sinne wuchsen mir bislang dumpfem Jungen in jenen Tagen zu, eine dünnhäutige Membran des Lauschens, die jeden Tonfall verräterisch abfing, ein spähender, weidhafter Blick voll Mißtrauen und Schärfe, eine umstöbernde, im Dunkel umgrabende Neugier – bis zur Schmerzhaftigkeit dehnten sich elastisch die Nerven, immer erregt vom Zugriff einer Ahnung und nie abklingend zu klarem Gefühl.

Doch ich mag sie nicht schelten, meine atemlos vorgebeugte Neugier, war sie doch rein. Was dermaßen alle Sinne in mir aufhob, dankte seine Erregtheit nicht lüsterner Schaulust, die hämisch ein Niedrig-Menschliches an einem Überlegenen zu ertappen liebt – im Gegenteil, sie färbte heimliche Angst, ein ratlos zögerndes Mitleid, das mit ungewisser Bangigkeit an diesen Schweigenden ein Leiden ahnte. Denn je näher ich seinem Leben trat, um so fühlsamer bedrückte mich der schon plastisch eingedrungene Schatten über meines Lehrers geliebtem Gesicht, jene edle, weil edel bemeisterte Melancholie, die niemals sich erniederte zu unwirscher Mürrischkeit oder fahrlässigem Zorn; hatte er mich, den Fremden, in erster Stunde angezogen durch das vulkanisch vorbrechende Geleucht seines Worts, nun erschütterte den Vertrauten noch tiefer seine Schweigsamkeit, die über seine Stirne wandernde

Wolke der Trauer. Nichts ergreift ja derart mächtig einen jugendlichen Sinn als erhaben männliche Düsternis: Michelangelos in den eigenen Abgrund niederstarrender Denker, Beethovens bitter nach innen gezogener Mund, diese tragischen Masken des Weltleidens rühren stärker das ungeformte Gemüt als Mozarts silberne Melodie und das klingende Licht um Lionardos Gestalten. Schönheit sie selbst, hat Jugend der Verklärung nicht not: im Übermaß lebendiger Kräfte drängt sie dem Tragischen zu, und gern gestattet sie der Schwermut, süßen Zuges an ihrem noch unerfahrenen Blute zu saugen: darum auch die ewige Bereitschaft aller Jugend für die Gefahr und ihre brüderlich entbotene Hand zu jedem Leiden im Geiste.

Und eines solchen wahrhaft Leidenden Antlitz, hier erlebte ich es zum erstenmal. Kleiner Leute Sohn, aus bürgerlicher Behaglichkeit ungefährdet entwachsen, kannte ich die Sorge nur in den lächerlichen Masken des Alltags, als Ärger gekleidet, im gelben Gewand des Neids, klirrend mit dem Kleinkram des Geldes – dieses Gesichtes Verstörung, sie aber entstammte, sofort fühlte ichs, heiligerem Element. Aus Dunkelheiten kam dies Dunkel, von innen hatte hier ein grausamer Griffel Falten und Schrunden in vorzeitig zermorschte Wangen gezeichnet. Manchmal, wenn ich sein Zimmer betrat (immer mit der Scheu eines Kindes, das einem Hause naht, in dem Dämonen hausen) und seine Versunkenheit mein Klopfen überhörte, wenn ich dann plötzlich, schamvoll und bestürzt vor dem Selbstvergessenen stand, dann war mir, als sitze hier bloß Wagner, die leibliche Larve, in Faustens Gewand, indes der Geist umschweifte in rätselhaftem Geklüft und schaurigen Walpurgisnächten. In solchen Augenblicken waren seine Sinne vollkommen verschlossen, er hörte weder nahenden Schritt noch einen schüchternen Gruß. Fuhr er dann, jählings sich besinnend, auf, so versuchte hastiges Wort die Verlegenheit zu überdecken: er ging auf und nieder und mühte sich, durch Fragen den beobachtenden Blick von sich abzulenken. Aber lange hing dann noch immer das Dunkel über seiner Stirne, und erst das erglühende Gespräch vermochte dies von innen gesammelte Gewölk zu zerstreuen.

Er mußte es manchmal spüren, wie sehr sein Anblick mich bewegte, an meinen Augen vielleicht, an meinen unruhigen Händen, mochte ahnen etwa, daß auf meinen Lippen unsichtbar eine Bitte schwebte um Zutrauen, oder in meiner vortastenden Haltung die heimliche Inbrunst erkennen, seinen Schmerz an mich, in mich zu nehmen. Sicherlich, er mußte es spüren, denn unvermutet unterbrach er das rege Gespräch und sah mich ergriffen an, ja es überströmte mich dieser merkwürdig warme, von seiner eigenen Fülle verdunkelte Blick. Dann faßte er oft meine Hand, hielt sie unruhig lange – immer erwartete ich: jetzt, jetzt, jetzt wird er zu mir sprechen. Aber statt dessen fuhr dann meist eine brüske Gebärde vor, manchmal sogar ein kaltes, absichtlich ernüchterndes oder ironisches Wort. Er, der den Enthusiasmus lebte, der ihn in mir genährt und erweckt, strich ihn dann plötzlich mir weg wie einen Fehler in einer schlecht geschriebenen Aufgabe, und je mehr er mich innig aufgetan sah, lechzend nach seinem Vertrauen, um so grimmiger stieß er mit solchen eiskalten Worten vor wie: »Das verstehen Sie nicht« oder »Lassen Sie doch derlei Übertreibungen«, Worte, die mich aufreizten und zur Verzweiflung brachten. Wie habe ich gelitten unter diesem wetterleuchtend grellen, vom Heißen zum Kalten fahrenden Menschen, der mich unbewußt hitzte, um mich plötzlich mit Frost zu übergießen, der mit seinem Ungestüm das eigene anstachelte, um dann plötzlich die Peitsche einer ironischen Bemerkung zu fassen – ja, ich hatte das grausame Gefühl, je mehr ich zu ihm drängte, desto härter, ja angstvoller stieß er mich zurück. Nichts sollte, nichts durfte an ihn heran, an sein Geheimnis.

Denn Geheimnis, immer brennender wards mir bewußt, Geheimnis hauste fremd und unheimlich in seiner magisch anziehenden Tiefe. Ich ahnte ein Verschwiegenes an seinem merkwürdig flüchtenden Blick, der glühend vordrang und scheu wegwich, wenn man ihm dankbar sich ergab; ich spürte es an den bitter gefältelten Lippen seiner Frau, an der merkwürdig kalten Zurückhaltung der Menschen in der Stadt, die beinahe indigniert blickten, wenn man ihn rühmte – an hundert Sonderbarkeiten und plötzlichen Verstörtheiten. Und welche Qual dabei, sich schon in dem innern Kreis eines solchen Lebens zu vermeinen und doch irr dort im Kreise zu gehen, wie in einem Labyrinth, unwissend des Weges zu seinem Ursprung und Herzen!

Das Unerklärlichste, das Erregendste aber waren für mich seine Eskapaden. Eines Tages, als ich ins Kolleg kam, hing dort ein Zettel, die Vorlesung sei für zwei Tage unterbrochen. Die Studenten schienen nicht verwundert, ich aber, der noch gestern bei ihm gewesen, eilte nach Hause, von Angst getrieben, er möchte erkrankt sein. Seine Frau lächelte nur trocken, als mein Hereinstürmen solche Aufregung verriet. »Das kommt öfter vor«, sagte sie merkwürdig kalt; »das kennen Sie nur noch nicht.« Und tatsächlich erfuhr ich von den Kollegen, daß er öfters so über Nacht verschwinde, manchmal nur telegraphisch sich entschuldigend: einmal hatte ihn ein Student um vier Uhr morgens in einer Berliner Straße getroffen, ein anderer in der Wirtsstube fremder Stadt. Er schnellte plötzlich fort wie ein Pfropf aus der Flasche, kam wieder zurück, und niemand wußte, wo er gewesen. Dieses plötzliche Ausbrechen erregte mich wie eine Krankheit: ich ging geistesabwesend, unruhig, fahrig diese zwei Tage herum. Unsinnig leer war mir plötzlich das Studium ohne seine gewohnte Gegenwart, ich verzehrte mich in wirren, eifersüchtigen Vermutungen, ja, etwas von Haß und Zorn gegen seine Verschlossenheit stieg in mir auf, daß er mich, den glühend Zudrängenden, so außen ließ von seinem wirklichen Leben wie einen Bettler im Frost. Vergebens beredete ich mich, daß mir, dem Knaben, dem Schüler, doch kein Recht zustünde, Rechenschaft und Auskunft zu fordern, da seine Güte mir hundertfach mehr Vertrauen gewährte, als einen akademischen Lehrer sein Amt verpflichtete. Aber Vernunft hatte keine Macht über die brennende Leidenschaft: zehnmal des Tages kam ich tölpischer Junge fragen, ob er schon zurückgekommen sei, bis ich schließlich an den immer brüsker werdenden Verneinungen seiner Frau schon Erbitterung spürte. Ich wachte die halbe Nacht und horchte nach seinem heimkehrenden Schritt, umschlich morgens unruhig die Tür, nun nicht mehr die Frage wagend. Und als er endlich am dritten Tag unvermutet in mein Zimmer trat, jappte ich auf: mein Erschrecken muß übermäßig gewesen sein, wenigstens merkte ichs am Widerschein seiner verlegenen Befremdung, die hastig ein paar gleichgültige Fragen übereinanderjagte. Sein Blick wich mir aus. Zum ersten Male ging unser Gespräch krumm im Kreise, ein Wort stolperte über das andere, und indes wir beide jede Anspielung auf sein Fernbleiben gewaltsam vermieden, sperrte eben dies Ungesprochene jeder Aussprache den Weg. Als er mich ließ, schlug die brennende Neugier wie eine Lohe auf: allmählich verzehrte sie mir Schlaf und Wachen.

Wochenlang währte dieser Kampf um Aufschluß und tieferes Erkennen: starrsinnig schraubte ich mich gegen den feurigen Kern, den ich unter dem felsigen Schweigen vulkanisch zu fühlen meinte. Endlich, in glücklicher Stunde, gelang mir erster Einbruch in seine innere Welt.

Ich hatte wieder einmal in seinem Zimmer bis zur Dämmerung gesessen, da holte er einige Shakespearesche Sonette aus verschlossener Lade, las erst in eigener Übertragung diese gleichsam in Bronze gegossenen knappen Gebilde, um dann ihre scheinbar undurchdringliche Chiffreschrift so magisch zu erleuchten, daß mich mitten in meiner Beglückung ein Bedauern ankam, all dies, was dieser strömende Mensch schenkte, sollte verloren sein im vergänglich fließenden Wort. Da – wo holte ich ihn nur her? – packte mich plötzlicher Mut, ihn zu fragen, warum er sein großes Werk ›Die Geschichte des Globe-Theaters‹ nicht vollendet habe – kaum aber daß ich das Wort gewagt, wurde ich schon erschrocken gewahr, wider Willen eine geheime und offenbar schmerzhafte Wunde groß angefaßt zu haben. Er stand auf, wandte sich ab und schwieg lange. Das Zimmer schien plötzlich überfüllt von Dämmerung und Schweigen. Endlich kam er auf mich zu, sah mich ernst an, und die Lippen zuckten mehrmals, ehe sie schmal aufgingen; schmerzlich stieß dann ihr Geständnis vor: »Ich kann nichts Großes arbeiten. Das ist vorbei: nur die Jugend plant so verwegen. Jetzt habe ich keine Ausdauer mehr. Ich bin – warum es verbergen? – ein Mensch der kurzen Augenblicke geworden, ich kann nicht durchhalten. Früher hatte ich mehr Kraft, jetzt ist sie weg. Ich kann nur reden: da trägt michs manchmal, da reißt mich etwas über mich fort. Aber stillsitzend arbeiten, immer allein, immer allein, das gelingt mir nicht mehr.«

Seine resignierte Gebärde erschütterte mich. Und aus innerster Überzeugung drängte ich, er möchte doch, was er uns mit lockerer Hand täglich hinstreute, endlich in harter Faust festhalten, nicht immer bloß austeilen, sondern das Eigene gestaltend bewahren. »Ich kann nicht schreiben«, wiederholte er müde, »ich bin nicht konzentriert genug.« »So diktieren Sie!« und hingerissen von dem Gedanken, fiel ich ihn beinahe flehend an: »So diktieren Sie mir. Versuchen Sie es einmal. Vielleicht nur den Beginn – dann werden Sie selbst nicht mehr zurückkönnen. Versuchen Sie das Diktat, ich bitte Sie darum, mir zuliebe!«

Er sah auf, verblüfft zuerst und dann nachdenklicher. Der Gedanke schien ihn irgendwie zu beschäftigen. »Ihnen zuliebe?« wiederholte er. »Meinen Sie wirklich, es könnte noch irgendeinem Menschen Freude machen, wenn ich alter Mann etwas unternehme?« Ich spürte, hier begann schon zögernd ein Nachgeben, an seinem Blick spürte ichs, der noch eben wolkig nach innen gegangen, nun aber, von warmer Hoffnung gelöst, allmählich vortrat und an ihr sich erhellend. »Meinen Sie wirklich?« wiederholte er; schon spürte ich innere Bereitschaft in seinen Willen strömen, und dann kam ein Ruck: »Also versuchen wirs! Die Jugend hat immer recht. Wer ihr nachgibt, ist klug.« Meine wild ausbrechende Freude, mein Triumph schien ihn zu beleben: er ging hastig auf und ab, beinahe jugendlich erregt, und wir vereinbarten: allabendlich um neun Uhr, unmittelbar nach dem Abendessen wollten wir es täglich eine Stunde zunächst versuchen. Und am nächsten Abend begannen wir mit dem Diktat.

Diese Stunden, wie soll ich sie schildern! Ich wartete ihnen entgegen den ganzen Tag. Schon nachmittags drückte eine schwüle, nervenauslaugende Unruhe elektrisch auf meine ungeduldigen Sinne, kaum konnte ich die Stunden ertragen, bis endlich der Abend kam. Wir gingen dann sofort von beendeter Mahlzeit in sein Arbeitszimmer, ich setzte mich an den Schreibtisch, den Rücken ihm zugekehrt, indes er unruhigen Schrittes im Raume auf und ab ging, bis der Rhythmus in ihm sich gleichsam gesammelt hatte und von erhobenem Wort der Auftakt absprang. Denn alles gestaltete dieser merkwürdige Mann aus einer Musikalität des Gefühls: er bedurfte immer eines Anschwunges, um seine Ideen in Bewegung zu bringen. Meist war es ein Bild, eine kühne Metapher, eine plastische Situation, die er, unwillkürlich am raschen Fortschreiten sich erregend, zu dramatischer Szene erweiterte. Etwas von dem großartig Naturhaften alles Schöpferischen wetterleuchtete dann oft aus dem stürzenden Geleucht dieser Improvisationen: ich erinnere mich an Zeilen, die Strophen schienen eines jambisch taktierten Gedichts, und an andere, die kataraktisch sich ergossen in großartig gedrängten Aufzählungen wie der Schiffskatalog Homers und die barbarischen Hymnen Walt Whitmans. Zum erstenmal war es mir jungem, werdendem Menschen gegeben, in das Geheimnis der Produktion einzudringen: ich sah, wie der Gedanke, farblos noch, nichts als eine reine flüssige Hitze, wie eine Glockenspeise aus dem Kessel der impulsiven Erregung vorströmte, dann allmählich erkaltend seine Form fand, und wie diese Form sich dann machtvoll rundete und enthüllte, bis endlich klar das Wort aus ihr schlug und, wie der Klöppel die Glocke erst tönend macht, dem dichterisch Erfühlten die Sprache der Menschen gab. Und so wie jeder einzelne Absatz aus Rhythmus, jede Darstellung aus szenisch gestaltetem Bild, so erhob sich das ganze groß angelegte Werk vollkommen unphilologisch aus einem Hymnus, einem Hymnus an das Meer als die irdisch sichtbare, irdisch fühlbare Form des Unendlichen, wogend von Ferne zu Ferne, zu Höhen aufschauend und Tiefen verbergend, dazwischen sinnlos-sinnvoll spielend mit irdischem Geschick, den schwanken Kähnen der Menschen: diesem Bildnis des Meeres erwuchs in großartig gestaltetem Vergleich eine Darstellung des Tragischen als der elementaren Macht, die unser Blut rauschend und zerstörend durchwaltet. Dann rollte die bildnerische Woge einem einzelnen Lande zu: England stieg auf, die Insel, ewig umbrandet von dem unruhigen Element, das alle Ränder der Erde, alle Breiten und Zonen des Erdballs gefährlich umschließt. Dort, in England formt es den Staat: bis ins gläserne Gehäuse des Auges, das graue, das blaue, dringt dort der kalte und klare Blick des Elements; jeder einzelne ist Meermensch und Insel zugleich, wie sein Land, und von Stürmen und Gefahr sind starke stürmische Leidenschaften lufthaft gegenwärtig in diesem Geschlecht, das in Hunderten Jahren Wikingerfahrt unablässig seine Kräfte erprobt. Nun aber dünstet Friede über das wasserumbrandete Land: sie jedoch, an Stürme gewöhnt, wollen noch weiter das Meer, den harten Sturz des Geschehens mit seiner täglichen Gefahr, und so schaffen sie sich die aufpeitschende Spannung noch einmal im blutigen Spiel. Erst wird für Tierhatz und Zwiekampf das hölzerne Gerüst erstellt. Bären verbluten, Hahnenkämpfe reizen die Wollust des Grauens bestialisch vor; doch bald will gesteigerter Sinn reiner aufwühlende Spannung aus menschlich-heroischem Widerstreit. Und da ersteht aus frommen Schaubühnen, aus kirchlichen Mysterien jenes andere große wogende Spiel vom Menschen, Wiederkehr all jener Abenteuer und Fahrten, nun aber auf den innern Meeren des Herzens; neue Unendlichkeit, ein anderer Ozean mit Springfluten der Leidenschaft und Aufschwall des Geistes, den erregt zu durchsteuern, in dem atemlos umhergeschleudert zu sein die neue Lust ist dieses späten und noch immer starken angelsächsischen Geschlechts: es entsteht das Drama der englischen Nation, das Drama der Elisabethaner.

Und volltönig aufrauschte, da er sich fanatisch in die Schilderung dieses barbarisch urweltlichen Anfangs warf, das bildnerische Wort. Seine Stimme, die anfangs flüsternd hineilte, spannte sonore Muskeln und Bänder, wurde metallen schimmerndes Flugzeug, das immer freier und höher forttrieb: zu eng ward ihr das Zimmer, die antwortend gedrängten Wände, so weit brauchte sie Raum. Ich fühlte Sturm über mir wehen, die brausende Lippe des Meeres schrie mächtig ihr dröhnendes Wort: hingeduckt an den Schreibtisch war mir, als stünde ich wieder in meiner Heimat an der Düne, und dies große Rauschen von tausend Wellen und sprühendem Wind käme atmend heran. Aller Schauer, der die Geburt so eines Menschen wie eines Wortes schmerzhaft umwittert, damals brach er zum erstenmal in mein staunend erschrecktes und schon beglücktes Gemüt.

Endete mein Lehrer, dann in dem Diktate, wo mächtige Inspiration herrlich der wissenschaftlichen Absicht das Wort entriß und Denken zur Dichtung wurde, so taumelte ich auf. Feurige Müdigkeit durchströmte mich schwer und stark, eine Ermattung sehr unähnlich der seinen, die eine Erschöpfung war, ein schon Entladensein, indes ich, der Überwogte, noch bebte von jener eingeströmten Fülle. Beide aber brauchten wir dann immer noch ein abklingendes Gespräch, um zu Schlaf oder Ruhe zurückzufinden: gewöhnlich wiederholte ich noch das Stenogramm; und seltsam, kaum die Zeichen sich zu Worten verwandelten, redete, atmete und hob sich aus meiner Stimme eine andere, als hätte mir ein Wesen die Sprache im Munde vertauscht. Und dann erkannte ichs: wiederholend skandierte und formte ich seine Intonierung derart hingegeben nach, so gleichartig, daß es war, als spräche er aus mir und nicht ich selbst – so sehr war ich schon Resonanz seines Wesens geworden. Widerklang seines Worts. Das alles ist vierzig Jahre her: und doch noch heute, mitten in einem Vortrag, wenn die Rede sich mir losreißt und schwingend wird, spüre ich plötzlich befangen, daß nicht ich selber spreche, sondern jemand anderer gleichsam aus meinem redenden Munde. Eines teuren Toten Stimme erkenne ich dann, eines Toten, der einzig noch Atem hat an meiner Lippe: immer wenn Enthusiasmus mich überflügelt, bin ich er. Und ich weiß: jene Stunden haben mich geprägt.

Die Arbeit wuchs, und sie wuchs um mich wie ein Wald, allmählich allen Ausblick in die äußere Welt verschattend; nur innen lebte ich im Dunkel des Hauses, im rauschenden, immer voller brausenden Geäst des sich verbreitenden Werkes, in der umfangenden, wärmenden Gegenwart dieses Menschen.

Außer den wenigen Lehrstunden an der Universität gehörte ihm mein ganzer Tag. Ich speiste an ihrem Tische, nachts und tags kletterte Botschaft von ihrer Wohnung die Treppe zu der meinen auf und nieder: ich hatte ihren Türschlüssel und er den meinen, so daß er zu jeder Stunde mich finden konnte, ohne die halbtaube alte Wirtsfrau heranzuschreien. Je mehr ich mich aber dieser neuen Gemeinschaft verband, um so vollkommener wurde ich der Außenwelt abwendig: mit der Wärme jener innern Sphäre teilte ich gleichzeitig die frostige Abgeschlossenheit ihrer ausgesperrten Existenz. Meine Kollegen kehrten einhellig eine gewisse Kälte und Verächtlichkeit gegen mich heraus: war es geheime Feme oder bloß gereizte Eifersucht über meine sichtliche Bevorzugung – jedenfalls isolierten sie mich von ihrem Umgang, und in den Diskussionen des Seminars vermied mich, scheinbar verabredet, Ansprache und Gruß. Selbst die Professoren verbargen nicht ihre feindselige Abneigung; einmal, als ich bei dem Dozenten der romanischen Philologie eine nichtige Auskunft erbat, fertigte er mich ironisch ab: »Sie als Intimus von Professor ... sollten doch darüber Bescheid wissen.« Vergeblich suchte ich so unverschuldete Ächtung mir zu erklären. Aber Wort und Blick wichen jeder Erklärung aus. Seit ich ganz mit den beiden Einsamen lebte, war ich selbst vollkommen vereinsamt.

Diese gesellschaftliche Aussperrung hätte mich nun weiter nicht bekümmert, war doch meine Aufmerksamkeit ganz dem Geistigen verschworen; aber der steten Zerrung hielten allmählich die Nerven nicht stånd. Man lebt nicht ungestraft wochenlang in einem unaufhörlichen geistigen Exzeß, zudem hatte ich wohl allzu plötzlich mein Leben umgestülpt, war zu wild von einem Extrem ins andere gefahren, um nicht jenes uns geheim zugewogene Gleichgewicht der Natur zu gefährden. Denn indes in Berlin das lockere Umschweifen meine Muskeln wohlig entspannte, Abenteuer mit Frauen als unruhig Gestaute spielhaft lockerten, preßte hier eine föhnig niederdrückende Atmosphäre so unablässig die gereizten Sinne, daß sie nur zuckend, mit elektrisch springenden Spitzen in mir umfuhren; ich verlernte den tiefen gesunden Schlaf, obwohl oder vielleicht weil ich immer bis zur Morgenfrühe das Diktat jedes Abends zu meiner eigenen Lust kopierte (fiebernd vor eitler Ungeduld, meinem geliebten Lehrer die Blätter ehestens zu überbringen). Dann forderte mich die Universität, die hastig betriebene Lektüre, zu erhöhter Bereitwilligkeit, und nicht zum mindesten erregte mich die Art des Gesprächs mit meinem Lehrer, weil ja jeder Nerv spartanisch sich straffte, niemals anteillos mich vor ihm erscheinen zu lassen. Der beleidigte Leib zögerte für diese Übertreiblichkeiten nicht lange mit seiner Rache. Mehrmals überfielen mich kurze Ohnmachten, Warnungssignale der gefährdeten Natur, die ich tollwütig überrannte – aber die hypnotischen Müdigkeiten mehrten sich, jede Äußerung des Gefühls wurde vehement, und die geschärften Nerven wuchsen mit ihren Spitzen nach innen, den Schlaf zerreißend und bisher verhaltene wirre Gedanken aufstachelnd.

Die erste, die eine deutsame Gefährdung meines Zustandes bemerkte, war die Frau meines Lehrers. Oftmals schon hatte ich ihren beunruhigten Blick mich übertasten gefühlt, mit Absicht streute sie immer häufiger mahnende Bemerkungen in unsere Gespräche, wie etwa, ich möchte nicht in einem Semester die Welt erobern wollen. Schließlich wurde sie deutlich. »Genug jetzt«, fuhr sie eines Sonntags auf mich zu, als ich bei schönstem Sonnenschein Grammatik büffelte, und riß mir das Buch weg; »wie kann man sich als junger lebendiger Mensch dermaßen vom Ehrgeiz versklaven lassen? Nehmen Sie sich nicht immer ein Vorbild an meinem Mann: er ist alt, und Sie sind jung, Sie müssen anders leben.« Immer funkelte, wenn sie von ihm sprach, dieser Unterton von Verächtlichkeit vor, gegen den ich Hingegebener mich immer wieder entrüstet empörte. Mit Absicht, ich spürte es, ja vielleicht in einer Art fehlgängerischer Eifersucht, suchte sie mich immer mehr von ihm wegzuhalten und mit ironischen Paraden meine Übertreiblichkeiten zu queren; saßen wir abends zu lange beim Diktat, so klopfte sie energisch an die Tür und erzwang, gleichgültig gegen seine zornige Abwehr, den Abbruch der Arbeit. »Er wird Ihnen noch Ihre Nerven verderben, er wird Sie noch ganz zerstören«, sagte sie mir einmal erbittert, als sie mich niedergebrochen fand. »Was hat er aus Ihnen schon gemacht in diesen paar Wochen! Ich kann es nicht länger mit ansehen, wie Sie gegen sich selber wüten. Und dabei . . .« Sie stockte und redete den Satz nicht zu Ende. Aber die Lippe bebte ihr blaß von niedergepreßtem Zorn.

Und wirklich, mein Lehrer machte es mir nicht leicht: je leidenschaftlicher ich ihm diente, um so gleichgültiger schien er meine hilfsbereite Verehrung zu werten. Selten, daß er mir dankte; brachte ich ihm morgens die bis in die Nacht geförderte Arbeit, so äußerte er trocken abwehrend: »Es hätte Zeit bis morgen gehabt.« Überbot sich mein ehrgeiziger Eifer zu unerbetener Gefälligkeit, so wurde plötzlich mitten im Gespräch die Lippe schmal, und ein ironisches Wort drängte mich ab. Freilich, sah er mich dann gedemütigt und verwirrt zurückweichen, so strömte wieder jener warme umfangende Blick meiner Verzweiflung tröstend zu, aber wie selten geschah das, wie selten! Und dieses Heiß und Kalt, dieses bald Aufwühlend-Nahe, bald Ärgerlich-Rückstoßende seines Wesens verwirrte vollkommen mein unbändiges Gefühl, das sich sehnte – nein, nie vermochte ich jemals deutlich zu benennen, was ich eigentlich ersehnte, was ich wünschte, forderte, anstrebte, welches Zeichen seiner Teilnahme meine enthusiastische Hingabe sich erhoffte. Denn ist verehrende Leidenschaft selbst reiner Weise einer Frau zugewandt, so strebt sie doch unbewußt einer körperlichen Erfüllung zu, ihr hat die Natur eine höchste Vereinigung im Besitz des Körpers bildnerisch zugeformt – Leidenschaft des Geistes aber, von Mann zu Mann dargeboten, wie will sie, die unerfüllbare, volle Erfüllung? Ruhelos umwandert sie die verehrte Gestalt, immer sich aufflackernd zur neuen Ekstase und nie noch beruhigt durch eine letzte Hingabe. Immer strömt sie und kann doch nie ganz sich entströmen, ewig ungenügsam wie immer der Geist. So wurde mir seine Nähe niemals nah genug, seine Gegenwart nie ganz sich enthüllend und erfüllend in den langen Gesprächen; selbst wenn er vertrauend alle Fremdheit von sich abwarf, wußte ich doch, der nächste Augenblick könnte mit schneidender Geste diese atemnahe Gebundenheit zerteilen. Immer wieder verwirrte der Wetterwendische von neuem mein Gefühl, und ich übertreibe nicht, wenn ich sage, daß ich in meiner Überreiztheit oft unsinniger Tat schon nahe war, nur weil er mit lockerem Handgriff ein Buch, auf das ich ihn aufmerksam gemacht, gleichgültig beiseite geschoben oder plötzlich, wenn abends vertieftes Gespräch uns band und ich ganz eingeströmt in seine Gedanken atmete, mit einem Ruck – nachdem er noch eben zärtlich die Hand mir auf die Schultern gelehnt – aufstand und brüsk sagte: »Nun gehen Sie aber! Es ist spät. Gute Nacht.« Solche Nichtigkeiten genügten schon, um Stunden, um Tage mir zu verstören. Vielleicht sah, unablässig zur Erregung herausgefordert, mein überreiztes Gefühl auch Kränkungen, wo sie gar nicht beabsichtigt waren – doch was hilft alle nachdeutende Selbstbeschwichtigung gegen eine Verstörung des innern Gemüts? Nur dies erneute sich täglich: ich litt glühend an seiner Nähe und frostete an seiner Ferne, immer enttäuscht an seiner Verhaltenheit, von keinem Zeichen beruhigt, von jeder Zufälligkeit verwirrt.

Und seltsam: immer wenn meine Empfindlichkeit von ihm sich beleidigt fühlte, flüchtete ich hin zu seiner Frau. Unbewußter Drang vielleicht, da einen Menschen zu finden, der gleichfalls unter diesem wortlosen Weghalten litt, vielleicht Bedürfnis bloß, zu irgend jemandem sprechen zu können und wenn schon nicht Hilfe, so doch Verständnis zu finden – jedenfalls flüchtete ich ihr wie einem heimlichen Bundesgenossen zu. Gewöhnlich spöttelte sie mir meine Empfindlichkeit weg oder erklärte mit achselzuckender Kälte, ich sollte schon diese schmerzhaften Sonderlichkeiten gewöhnt sein. Manchmal aber sah sie mich merkwürdig ernst, geradezu mit verwundertem Blick an, wenn plötzliche Verzweiflung mit einem Ruck so ein ganzes zuckendes Bündel von Vorwürfen, gestammelten Tränen, verkrampften Worten vor sie hinschleuderte, aber sie sprach kein Wort; nur um ihre Lippen ging dann verhaltenes Wetterspiel, und ich spürte, sie bedurfte aller Kraft, nicht etwas Zorniges oder Unbedachtes vorzustoßen. Auch sie hatte, kein Zweifel, mir etwas zu sagen, auch sie verschloß ein Geheimnis, vielleicht das gleiche wie er; indes er aber in brüsker Abwehr mich zurückstieß, sobald mein Wort ihm zu nahe kam, übersprang sie meistens mit einem Scherz oder einer improvisierten Eulenspiegelei jede weitere Aussprache.

Nur ein einziges Mal war ich nahe, ihr das Wort zu entreißen. Ich hatte morgens, als ich das Diktat überbrachte, nicht umhin können, meinem Lehrer begeistert zu erzählen, wie sehr mich gerade diese Darstellung (es war Marlowes Bildnis) erschüttert habe. Und heiß noch von meinem Überschwang, fügte ich bewundernd hinzu, niemand schreibe ihm ein derart meisterliches Porträt nach; da biß er, schroff sich abkehrend, die Lippe, warf das Blatt hin und murrte verächtlich: »Reden Sie nicht solchen Unsinn! Was verstehen Sie denn schon von Meisterschaft.« Dies brüske Wort (hastig vorgeholte Maske wohl nur für eine ungeduldige Schamhaftigkeit) genügte, um mir den Tag zu zerschlagen. Und nachmittags, eine Stunde allein mit seiner Frau, fiel ich sie plötzlich in einer Art hysterischen Ausbruchs an, faßte sie bei den Händen: »Sagen Sie mir, warum haßt er mich so? Warum verachtet er mich so? Was habe ich ihm getan, warum reizt jedes Wort von mir ihn dermaßen auf? Was soll ich tun, helfen Sie mir! Warum kann er mich nicht leiden – sagen Sie es mir, ich bitte Sie darum.«

Da starrte, überfallen von diesem wilden Ausbruch, ein grelles Auge mich an. »Sie nicht leiden?« – und ein Lachen klirrte aus den Zähnen, ein Lachen, das in so böser schriller Spitze ausfuhr, daß ich unwillkürlich zurückwich. »Sie nicht leiden?« wiederholte sie noch einmal und sah mir zornvoll in die verwirrten Augen. Dann aber beugte sie sich näher heran – ihre Blicke wurden allmählich weich und weicher, beinahe mitleidig wurden sie – und plötzlich strich sie mir (zum erstenmal) über das Haar. »Sie sind wirklich ein Kind, ein dummes Kind, das nichts merkt und nichts sieht und nichts weiß. Aber es ist besser so – sonst würden Sie noch unruhiger sein.«

Und mit einem plötzlichen Ruck wandte sie sich um.

Vergebens suchte ich Beruhigung: wie verschnürt in den schwarzen Sack eines unzerreißbaren Angsttraumes rang ich um eine Deutung, um ein Erwachen aus der geheimnisvollen Verwirrung dieser widerstreitenden Gefühle.

Vier Monate waren so vergangen, Wochen der ungeahntesten Selbststeigerung und Verwandlung. Das Semester sprang seinem Ende zu, mit Furchtgefühl sah ich den nahen Ferien entgegen, denn ich liebte mein Fegefeuer, und die nüchtern ungeistige Häuslichkeit meiner Heimat drohte mir wie Verbannung und Raub. Schon bosselte ich heimliche Pläne, meinen Eltern vorzutäuschen, wichtige Arbeit hielt mich hier zurück, schon flocht ich Lüge und Ausflucht geschickt ineinander, um die Dauer dieser verzehrenden Gegenwart zu verlängern. Aber längst war Zeit und Stunde in anderer Sphäre mir vorgezählt. Und diese Stunde stand über mir unsichtbar, wie der Glockenschlag des Mittags in dem Erze hängt, um dann unvermutet und ernst die müßig Weilenden zu Arbeit oder Abschied zu rufen.

Wie schön begann jener schicksalhafte Abend, wie verräterisch schön! Ich hatte mit beiden bei Tisch gesessen – die Fenster standen offen, und in ihren verdunkelten Rahmen trat allmählich dämmeriger Himmel mit weißen Wolken langsam herein: ein Lindes und Klares ging von ihrem majestätisch hinschwebenden Widerleuchten wesenhaft weiter, bis tief hinab mußte mans fühlen. Wir hatten lässiger, friedfertiger, geschäftiger geplaudert, die Frau und ich, als sonst. Mein Lehrer schwieg über unser Gespräch hinweg; aber sein Schweigen stand gleichsam mit stillgefalteten Flügeln über unserem Gespräch. Verstohlen sah ich ihn von der Seite an: etwas merkwürdig Erhelltes war heute in seinem Wesen, eine Unruhe, aber ohne alle Fahrigkeit, ganz wie in jenen Wolken, den sommerlichen. Manchmal hob er das Weinglas und hielt es gegen das Licht, sich der Farbe zu freuen;

und als mein Blick diese Geste freudig begleitete, lächelte er leicht und wendete das Glas mir zum Gruß. Selten hatte ich sein Gesicht dermaßen klar gesehen, seine Bewegungen so rund und gefaßt: beinahe feierlich froh saß er da, als hörte er Musik von der Straße her oder lausche einem unsichtbaren Gespräch. Seine Lippen, sonst ständig umflattert von winzigen Wellen, lagen still und weich wie eine aufgeschälte Frucht, und die Stirn, nun da er sie sanft gegen die Fenster wandte, nahm jene gelinde Helligkeit spiegelnd an sich und dünkte mir schön wie nie. Wunderbar, ihn so befriedet zu sehen: war es Abglanz des reinen Sommerabends, drang von der Mildigkeit der abgetönten Luft ein Wohltätiges in ihn ein, oder leuchtete von innen ein Tröstliches ihm zu – ich wußte es nicht. Aber vertraut, in seinem Antlitz wie in aufgeschlagener Schrift zu lesen, spürte ich nur: heute hatte ein milder Gott ihm die Schrunden und Falten des Herzens geglättet.

Und seltsam feierlich auch, wie er nun aufstand und mit gewohnter Kopfwendung einlud, ihm in sein Studio zu folgen: er ging, der sonst Hastige, sonderbar ernst. Dann wandte er sich noch einmal um, holte – auch dies ungewohnterweise – eine geschlossene Flasche Wein aus dem Spind und trug sie bedächtig hinüber. Genau wie ich schien seine Frau ein Wunderliches in seiner Art zu bemerken, mit staunendem Blick blickte sie von ihrer Näharbeit auf und beobachtete stumm neugierig, da wir nun zur Arbeit hinübergingen, seine ungewohnt gemessene Haltung.

Das Zimmer, wie immer vollkommen abgedunkelt, erwartete uns mit vertrauter Dämmerung, nur die Lampe rundete goldenen Kreis um dies wartende Weiß der gehäuften Blätter. Ich setzte mich an meinen gewohnten Platz und wiederholte die letzten Sätze aus dem Manuskript; immer bedurfte er zur innern Abstimmung den

Rhythmus als einer Stimmgabel, um das Wort weiter-
strömen zu lassen. Aber indes er sonst unmittelbar an den
ausschwingenden Satz ansetzte, blieb diesmal der Fort-
klang aus. Das Schweigen stellte sich breit in den Raum,
schon drückte es von den Wänden auf uns als Spannung
zurück. Noch schien er nicht ganz gesammelt, denn ich
hörte hinter meinem Rücken seinen nervös auf und nieder schreitenden Schritt. »Lesen Sie es noch einmal!« –
seltsam, wie unruhig mit einmal die Stimme vibrierte.
Ich wiederholte die letzten Absätze: nun setzte er unmittelbar an mein Wort an, ruckhaft, rascher und geschlos-
sener diktierend als sonst. In fünf Sätzen war die Szene
gebaut; was er bislang dargestellt, waren die kulturellen
Vorbedingungen des Dramas gewesen, ein Fresko zur
Zeit, ein Abriß der Geschichte. Nun wandte er mit plötz-
lichem Ruck sich dem Theater selbst zu, das aus Vaga-
bundentum und Karrenfahrt endlich seßhaft wird und
sich eine Heimstatt baut, verbrieft mit Recht und Privi-
legium, das ›Rose-Theater‹ zuerst und die ›Fortuna‹, hölzerne Bretterbuden für selbst hölzerne Spiele; dann aber
zimmern, der weiteren Brust der mannhaft wachsenden
Dichtung gemäß, die Werkleute ein neues bretternes
Kleid: am Strand der Themse, eingepfählt dem feuchten,
wertlosen Schlammgrund, ersteht der ungefüge Holzbau
mit dem ungeschlachten sechseckigen Turm, das Globe-
Theater, auf dessen Szene Shakespeare, der Meister, erscheint. Wie ausgeworfen vom Meere, ein seltsames
Schiff, piratisch rote Flagge am obersten Mast, steht es
dort fest angeankert im schlammigen Grund. Im Parterre
drängt sich lärmend wie in einem Hafen das niedere
Volk, von den Galerien lächelt und plaudert eitel die vornehme Welt herab zu den Schauspielern. Ungeduldig fordern sie den Beginn. Sie stampfen und poltern, klirren
mit dem Degenknauf lärmend gegen die Bretter, bis endlich sich zum erstenmal an paar flackernd vorgetragenen

Kerzen die niedere Szene erleuchtet, Gestalten, lässig kostümierte, vortreten zu scheinbar improvisierter Komödie. Und da, ich erinnere mich noch heute seiner Worte, »braust plötzlich ein Sturm der Worte auf, jenes Meer, das unendlich der Leidenschaft, das von dieser bretternen Grenze zu allen Zeiten und allen Zonen des menschlichen Herzens seine bluthafte Welle hinschlägt, unerschöpflich, unergründlich, heiter und tragisch, aller Vielfalt voll und der Menschen ureigenstes Bild – das Theater Englands, das Drama Shakespeares«.

Bei diesen erhobenen Worten riß die Rede plötzlich durch. Ein langes dumpfes Schweigen kam. Beunruhigt wandte ich mich um: mein Lehrer stand mit einer Hand den Tisch ankrampfend, in jener ausgeschöpften Gebärde da, die ich an ihm kannte. Aber diesmal hatte die Starre etwas Erschreckendes. Ich sprang auf in der Besorgnis, etwas sei ihm zugestoßen, und fragte ängstlich, ob ich aufhören sollte. Er sah mich nur an, atemlos, unverwandt, starr vorerst. Aber dann stieg der Stern seines Auges wieder blau leuchtend vor, entspannter Lippe trat er auf mich zu – »Nun, haben Sie nichts bemerkt?« – eindringlich sah er mich an. »Was denn?« stammelte ich unsicher. Da tat er einen tiefen Atemzug, lächelte ein wenig; seit Monaten spürte ich wieder jenen umfangreichen, weichen, zärtlichen Blick: »Der erste Teil ist fertig.« Ich hatte Mühe, einen Freudenschrei zu unterdrücken, so heiß durchfuhr mich die Überraschung. Wie hatte ichs übersehen können, ja, das war der ganze Bau, herrlich emporgestuft vom Urgrund der Vergangenheit bis zur Schwelle der Gestaltung: nun konnten sie kommen, Marlowe, Ben Jonson, Shakespeare, sie sieghaft zu überschreiten. Das Werk feierte seinen ersten Geburtstag: hastig eilte ich hin, zählte die Blätter. Hundertsiebzig enggeschriebene Seiten umfaßte dieser erste Teil, der schwerste; denn was nun kam, war freie nachbildende

Gestaltung, indes bis nun die Darstellung an historisches Zeugnis eng gefesselt war. Kein Zweifel, er würde es vollenden, sein Werk, unser Werk!

Habe ich gelärmt, bin ich umhergetanzt vor Freude, vor Stolz, vor Glück – ich weiß es nicht. Aber meine Begeisterung muß unvorhergesehene Formen des Überschwangs angenommen haben, denn sein Blick wanderte mir lächelnd nach, indes ich bald die letzten Worte überlas, bald eilfertig die Blätter zählte, sie befaßte, wog und verliebt befühlte und schon in voreiligen Berechnungen phantasierte, wann wir das ganze Werk vollendet haben könnten. Sein gestauter, tief verborgener Stolz, in meiner Freude sah er sich gespiegelt: gerührt, lächelnd blickte er mir zu. Dann kam er langsam ganz, ganz nahe, beide Hände vorgestreckt, heran, faßte die meinen; unbewegt sah er mich an. Allmählich füllten sich seine Pupillen, die sonst nur ein zuckendes Blinkfeuer von Farbe hatten, mit jenem klaren beseelten Blau, das von allen Elementen nur die Tiefe des Wassers und die Tiefe menschlichen Gefühls zu bilden vermögen. Und dieses glanzhafte Blau stieg auf aus den Augensternen, trat vor, drang in mich ein; ich fühlte, wie diese warme Welle von ihnen weich bis in mein Innerstes ging, strömend sich dort verbreiternd und zu seltsamer Lust das Gefühl mir dehnend: die ganze Brust ward mit einmal weit von dieser wölbenden quellenden Gewalt, und ich spürte einen großen Mittag italisch in mir aufgehen. »Ich weiß«, überflog nun seine Stimme diesen Glanz, »daß ich niemals diese Arbeit begonnen hätte ohne Sie, nie werde ich es Ihnen vergessen. Sie haben meiner Mattigkeit den rettenden Schwung gegeben, und was von meinem verstreuten verlorenen Leben nun zurückbleibt, das haben Sie gerettet, Sie allein! Niemand hat mehr für mich getan, keiner so treulich mir geholfen. Und darum sage ich nicht, *Ihnen* habe ich es zu danken, sondern . . . *dir* habe ich es zu danken. Komm! Nun wollen wir eine Stunde ganz brüderlich sein!«

Er zog mich sanft zu dem Tisch und nahm die bereitgestellte Flasche. Auch zwei Gläser standen da: als offenkundigen Dank hatte er mir diesen symbolischen Trunk zugedacht. Ich zitterte vor Freude, nichts verwirrt ja gewalttätiger unsern innern Sinn als eines glühenden Wünschens plötzliche Erfüllung. Das Zeichen, dieses offenbarste des Vertrauens, jenes Zeichen, nach dem ich unbewußt mich sehnte, sein Dank hatte das schönste gefunden: das brüderliche Du, hingeboten über die Kluft der Jahre und siebenfach kostbar durch so schwierige Ferne. Schon klirrte die Flasche, die noch stumme Täuferin, die mein ängstliches Gefühl nun für immer im Glauben beschwichtigen wollte, schon klangs mir innen gleich hell wie dieser zitternde klare Ton – da hemmte noch ein kleines Hindernis verzögernd den festlichen Augenblick: die Flasche war verkorkt und kein Pfropfenzieher zur Stelle. Er wollte auf, ihn zu holen, aber seine Absicht erratend, stürmte ich ungeduldig ins Eßzimmer voraus – brannte ich doch dieser Sekunde entgegen als der endlichen Beruhigung meines Herzens, als der offensichtlichsten Beglaubigung seiner Zuneigung.

Wie ich so stürmisch durch die Tür in den beleuchteten Gang hinüberfuhr, stieß ich im Dunkel mit etwas Weichen zusammen, das hastig nachgab: es war die Frau meines Lehrers, die offenbar an der Tür gelauscht hatte. Aber sonderbar: so wuchtig ich auch gegen sie angerannt, sie gab keinen Ton, sie wich nur stumm zurück, und auch ich, unfähig einer Bewegung, schwieg erschrocken. Das dauerte einen Augenblick; beide standen wir stumm, einer vor dem andern beschämt, sie im Lauschen ertappt, ich starr vor der zu unvermuteten Entdeckung. Aber dann ging leiser Schritt im Dunkel, Licht flammte auf, und ich sah sie blaß und herausfordernd mit dem Rücken an den Schrank gelehnt; ihr Blick maß mich ernst, und ein Dunkles, Mahnendes und Drohendes war in ihrer unbeweglichen Haltung. Aber sie sprach kein Wort.

Meine Hände zitterten, als ich nach längerem nervösem, halbblindem Tasten endlich den Pfropfenzieher fand; zweimal mußte ich an ihr vorbei, und jedesmal, wenn ich aufsah, stieß ich an gegen diesen starren Blick, der hart und dunkel glänzte wie poliertes Holz. Nichts an ihr verriet Beschämung, bei dem heimlichen Lauschen an der Tür erspäht worden zu sein; im Gegenteil, schroff und entschlossen funkelte jetzt ihr Auge eine mir unverständliche Drohung zu, und ihre trotzige Gebärde zeigte, daß sie gesonnen sei, nicht von dieser ungeziemlichen Stelle zu weichen und weiter horchende Wacht zu halten. Und diese Überlegenheit des Willens verwirrte mich, unbewußt duckte ich mich unter diesem fest und warnend auf mich gehefteten Blick. Und als ich endlich mit unsicherem Schritt in das Zimmer zurückschlich, wo mein Lehrer schon ungeduldig die Flasche in Händen hielt, war die eben noch maßlose Freudigkeit ganz eingefrostet zu einer sonderbaren Angst.

Er aber, wie sorglos er mich erwartete, wie heiter sein Blick mir entgegenging: Immer hatte ich geträumt, ihn einmal so sehen zu dürfen, die Wolke entwandert von der schwermütigen Stirn! Aber nun sie zum ersten Male so von Frieden leuchtete, innig mir zugewandt, stockte mir jedes Wort; wie durch geheime Poren rieselte die ganze geheime Freude aus. Verworren, ja beschämt vernahm ich, wie er mir nochmals dankte, nun mit dem vertrauten Du, silbern klangen die Gläser zusammen. Den Arm mir freundschaftlich umbreitend, führte er mich zu den Fauteuils, wir saßen einander gegenüber, locker lag seine Hand in der meinen: zum erstenmal fühlte ich ihn ganz offen und frei im Gefühl. Aber mir versagte das Wort;

unwillkürlich tastete ich immer mit dem Blick an die Tür, voll Angst, daß sie dort noch horchend stünde. Sie horcht, dachte ich unablässig, sie horcht auf jedes Wort, das er zu mir spricht, auf jedes, das ich sage: warum gerade heute, warum gerade heute? Und als er, mit jenem warmen Blick mich umfangend, plötzlich sagte: »Ich möchte dir heute von mir, von meiner eigenen Jugend erzählen«, da fuhr ich dermaßen erschreckt mit abwehrend bittender Hand gegen ihn auf, daß er verwundert emporsah. »Nicht heute«, stammelte ich, »nicht heute ... verzeihen Sie.« Der Gedanke war mir zu furchtbar, er könnte sich einem Lauscher verraten, dessen Gegenwart ich ihm verschweigen mußte.

Unsicher sah mein Lehrer mich an. »Was ist dir denn?« fragte er in leiser Verstimmung. »Ich bin müde ... verzeihen Sie ... es hat mich irgendwie überwältigt ... ich glaube«, und dabei stand ich zitternd auf – »Ich glaube, es ist besser, daß ich gehe.« Unwillkürlich bog mein Blick an ihm vorbei zur Tür, wo ich, verborgen im Gebälk, noch immer jene feindliche Neugier auf eifersüchtiger Lauer vermuten mußte.

Schwerfällig hob er sich nun gleichfalls aus dem Fauteuil. Ein Schatten flog über sein mit einmal müd gewordenes Gesicht. »Willst du wirklich schon gehen ... heute ... gerade heute?« Er hielt meine Hand: ein unmerklicher Zug machte sie schwer. Aber plötzlich ließ er sie brüsk wie einen Stein fallen: »Schade«, stieß er enttäuscht heraus, »ich hatte mich so gefreut, einmal freimütig mit dir zu sprechen! Schade!« Einen Augenblick schwang der tiefe Seufzer wie ein dunkler Schmetterling durch das Zimmer. Ich war voll Scham und einer ratlos unerklärlichen Angst; unsicher trat ich zurück und schloß leise hinter mir die Tür.

Ich tastete mich mühsam hinauf in mein Zimmer und warf mich auf das Bett. Aber ich konnte nicht schlafen.

Nie hatte ich so stark gespürt, daß nur mit dünner Mauerwand meine Wohnwelt über der ihren hing, einzig abgehoben durch das undurchlässige dunkle Gebälk. Und nun spürte ich magisch mit spitzgeschliffenen Sinnen sie beide jetzt unten wachen, ich sah, ohne zu sehen, ich hörte, ohne zu hören, wie er jetzt unten in seinem Zimmer unruhig auf und ab ging, indes sie irgendwo anders stumm saß oder horchend umhergeisterte. Aber ich spürte ihre beiden Augen offen, und ihr Wachsein ging grauenvoll in mich ein: ein Alp, lag plötzlich das ganze schwere schweigende Haus mit seinen Schatten und Schwärze auf mir.

Ich warf die Decke ab. Meine Hände glühten. Wohin war ich geraten? Ganz nahe hatte ich das Geheimnis gespürt, seinen heißen Atem schon hart im Gesicht, und nun war es wieder fern, aber sein Schatten, sein schweigender undurchsichtiger Schatten, noch ging er raunend um, ich fühlte ihn gefährlich im Haus, schleichend wie eine Katze auf leisen Pfoten, immer da, zuspringend und abspringend, immer mit seinem elektrischen Fell anstreifend und verwirrend, warm und doch gespensterhaft. Und immer spürte ich aus dem Dunkeln seinen umfangenden Blick, weich wie seine dargebotene Hand, und jenen andern, den scharfen, drohenden und erschreckten seiner Frau. Was sollte ich in ihrem Geheimnis, was stellten die beiden mich in der Mitte ihrer Leidenschaft mit verbundenen Augen, was jagten sie mich in ihren unfaßbaren Zwist und drängten mir jeder sein brennendes Bündel von Zorn und Haß in die Sinne?

Noch immer glühte mir die Stirn. Ich warf mich hoch und stieß das Fenster auf. Draußen lag friedlich unter sommerlichem Gewölk die Stadt; noch leuchteten Fenster vom Scheine der Lampe, aber die dort saßen, einte friedliches Gespräch, wärmte ein Buch oder häusliche Musik. Und wo hinter den weißen Fensterrahmen schon

Dunkel stand, gewiß, dort atmete beruhigter Schlaf. Über allen diesen ruhenden Dächern schwebte wie der Mond in silbrigem Dunste ein mildes Ruhn, eine entlokkerte, sanft niedergeschwebte Stille, und die elf Schläge der Turmuhr fielen ihnen allen ohne Wucht in das zufällig lauschende oder träumende Ohr. Nur ich hier im Haus spürte noch Wachsein, böse Umlagerung fremder Gedanken. Fiebernd mühte sich ein innerer Sinn, dies wirre Raunen zu verstehen.

Plötzlich schrak ich zurück. War das nicht Schritt auf der Treppe? Ich richtete mich lauschend auf. Und wirklich, es tappte da etwas wie blind, Stufen steigend, vorsichtigen, zögernden, unsicheren Schritts: ich kannte dies Ächzen und Stöhnen im ausgetretenen Holz. Nur zu mir konnte dieser Schritt kommen, nur zu mir, wohnte doch keiner sonst hier oben im Giebel außer der tauben alten Frau, die längst schlief und niemanden empfing. War es mein Lehrer? Nein, das war nicht sein stolprig hastiger Gang; dieser Schritt da zögerte und zottelte feig – jetzt wiederum! – bei jeder Stufe: ein Einschleicher, ein Verbrecher mochte so nahen, nicht aber ein Freund. Ich horchte dermaßen angespannt, daß mir die Ohren dröhnten. Und mit einmal fuhr es wie Frost mir die nackten Beine empor.

Da knackte leise das Schloß: schon mußte er bei der Tür sein, der unheimliche Gast. Ein dünner Luftzug auf meine nackten Zehen zeigte, daß die äußere Tür geöffnet war, den Schlüssel aber hatte er, nur er, mein Lehrer. Doch wenn er – warum so zaghaft, so fremd? War er besorgt, wollte er nach mir sehen? Und warum zögerte dieser unheimliche Gast jetzt draußen im Vorraum, denn erstarrt war mit einmal der diebisch anschleichende Schritt. Und ebenso erstarrt stand ich selbst vor Grauen. Mir war, als müßte ich schreien, doch die Kehle klebte mir schleimig zu. Ich wollte aufschließen; die Füße staken starr mir im Boden. Nur eine dünne Wand war jetzt noch zwischen uns beiden, zwischen mir und dem unheimlichen Gast, aber nicht er tat einen Schritt und nicht ich einen, dem andern entgegen.

Da schlug die Glocke vom Turm: einen Schlag nur, Viertel zwölf. Aber er löste meine Starre. Ich riß die Tür auf.

Und wirklich, da stand mein Lehrer, die Kerze in der Hand. Der Luftzug der brüsk aufgeschwungenen Tür ließ die Flamme blau emporspringen, und hinter ihm taumelte, riesenhaft losgerissen von seinem starren Dastehen, der zuckende Schatten wie ein Trunkenbold quer über die Wand. Aber auch er selbst machte, als er mich sah, eine Bewegung; er zog sich zusammen wie ein Mensch, der von einem jähen Luftzug aus dem Schlaf geschreckt, unwillkürlich die Decke fröstelnd an sich heranzieht. Dann erst wich er zurück, die Kerze schwankte tropfend in seiner Hand.

Ich zitterte, tödlich erschrocken: »Was ist Ihnen?« konnte ich nur stammeln. Er sah mich an, ohne zu sprechen, auch ihm würgte etwas das Wort. Endlich stellte er die Kerze auf die Kommode, und sofort beruhigte sich das fledermaushaft im Raum umflatternde Schattenspiel. Schließlich stammelte er: »Ich wollte . . . ich wollte. . .«

Wieder blieb die Stimme ihm stecken. Er stand und sah zu Boden wie ein ertappter Dieb. Unerträglich war diese Angst, dieses Dastehen, ich im Hemd, zitternd vor Frost, er, in sich hineingebückt, wirr vor Beschämung.

Plötzlich gab sich die schwache Gestalt einen Ruck. Er trat auf mich zu: ein Lächeln, böse, faunisch, ein Lächeln, das nur aus den Augen gefährlich glitzerte, indes die Lippen sich enge verpreßten, ein Lächeln grinste mich wie eine fremde Maske erst starr an einen Augenblick – dann stieß spitz wie gespaltene Schlangenzunge die Stimme vor: »Ich wollte Ihnen nur sagen . . . wir lassen lieber das

Du ... Das ... das ... paßt sich nicht zwischen einem Mulus und seinem Lehrer ... verstehen Sie? ... Man muß Distanz halten ... Distanz ... Distanz.«

Und dabei sah er mich an, so voll Haß, so voll beleidigender ohrfeigender Bosheit, daß seine Hand sich unwillkürlich krallte. Ich taumelte zurück. War er wahnsinnig? War er betrunken? Er stand da, die Faust geballt, als ob er sich auf mich werfen wollte oder mir ins Gesicht schlagen.

Aber eine Sekunde nur währte dies Grauen, dann stürzte dieser stoßhafte Blick in sich krumm zusammen. Er wandte sich um, murmelte etwas, das wie eine Entschuldigung klang, faßte die Kerze. Ein schwarzer, dienstfertiger Teufel, fuhr der schon zu Boden geduckte Schatten wieder auf und wirbelte ihm voraus zur Tür. Und dann ging er selbst, ehe ich die Kraft beisammen hatte, ein Wort zu erdenken. Die Tür fiel hart ins Schloß; und schwer und gequält knirschte die Treppe unter seinen gleichsam stürzenden Schritten.

Ich werde diese Nacht nicht vergessen; ein kalter Zorn wechselte wild mit einer ratlos glühenden Verzweiflung. Wie Raketen fuhren mir die Gedanken grell durcheinander. Warum martert er mich, fragte meine zerrende Qual sich hundertmal, warum haßt er mich so, daß er eigens des Nachts die Treppe sich emporschleicht, nur um mir dann feindselig solche Beleidigung ins Gesicht zu schlagen? Was hatte ich ihm getan, was sollte ich tun? Wie ihn versöhnen, ohne zu wissen, wie ich ihn gekränkt? Ich warf mich glühend ins Bett, stand auf, grub mich wieder unter die Decke, immer aber stand jenes gespenstige Bild vor mir, mein Lehrer, schleichend und von meiner Gegenwart verwirrt, und hinter ihm, rätselhaft fremd, dieser ungeheure Schatten, hintaumelnd an der Wand.

Als ich dann morgens nach kurzer schwacher Versunkenheit erwachte, beredete ich mich zuerst, geträumt zu haben. Aber auf der Kommode klebten noch rund und gelb die abgetropften Stearinflecken der Kerze. Und mitten in das strahlend helle Zimmer stellte immer wieder und wieder mein gräßliches Erinnern den diebisch emporgeschlichenen Gast dieser Nacht.

Ich ging den ganzen Vormittag nicht aus. Der Gedanke, ihm zu begegnen, zerknickte meine Kraft. Ich versuchte zu schreiben, zu lesen; nichts gelang. Meine Nerven waren unterminiert, jeden Augenblick konnten sie ausfahren in einen schütternden Krampf, ein Schluchzen, ein Brüllen – sah ich doch meine eigenen Finger zittern wie fremdes Geblätter an einem Baum, unfähig, ihnen Ruhe zu gebieten, und die Kniekehlen wankten, als seien ihre Sehnen durchschnitten. Was tun? Was tun? Ich durchfragte mich bis zur Erschöpfung; das Blut flirrte mir schon in den Schläfen und blau unter dem Blick. Aber nur nicht fort, nur nicht hinab, nur nicht plötzlich ihm gegenüberstehen, ohne sicher zu sein, ohne wieder Kraft in den Nerven zu haben. Von neuem warf ich mich auf das Bett, hungrig, verwirrt, ungewaschen, verstört, und wieder versuchten meine Sinne sich hindurchzudenken durch das dünne Mauerwerk: wo saß er jetzt, was tat er, war er wach wie ich, verzweifelt wie ich selbst?

Es wurde Mittag, und noch lag ich im Feuerbett meiner Verworrenheit, da hörte ich endlich einen Schritt auf der Treppe. Alle Nerven klirrten Alarm: dieser Schritt jedoch ging leicht, unbesorgt, nahm zwei Stufen auf einmal in fliegendem Sprung – jetzt rührte eine Hand schon pochend die Tür. Ich sprang auf, ohne zu öffnen: »Wer ist es?« fragte ich. »Warum kommen Sie denn nicht zum Essen?« antwortete etwas ärgerlich die Stimme seiner Frau. »Sind Sie krank?« – »Nein, nein«, stotterte ich verwirrt, »ich komme schon, ich komme schon.« Und nun blieb mir nichts übrig, als rasch in meine Kleider zu fahren und hinunterzugehen. Aber ich mußte mich an das Geländer der Treppe halten, so taumelten mir die Glieder.

Ich trat ins Speisezimmer. Vor dem einen der beiden Gedecke wartete die Frau meines Lehrers und grüßte mit leichtem Vorwurf, daß ich mich mahnen ließe. Sein eigener Platz war leer. Ich fühlte das Blut mir zu Kopf steigen. Was bedeutete dieses unvermutete Wegbleiben? Fürchtete er die Begegnung noch mehr als ich selbst? Schämte er sich oder wollte er hinfort nicht mehr den Tisch mit mir teilen? Endlich entschloß ich mich zu fragen, ob der Professor nicht käme.

Erstaunt blickte sie empor: »Wissen Sie denn nicht, daß er heute morgen weggefahren ist?« – »Weggefahren«, stammelte ich, »wohin?« Sofort spannte sich ihr Gesicht: »Das hat mein Mann nicht geruht mir mitzuteilen, wahrscheinlich – wieder einer seiner üblichen Ausflüge.« Dann wandte sie sich plötzlich scharf und fragend mir zu. »Aber daß *Sie* das nicht wissen? Er ist doch gestern nachts noch eigens zu Ihnen hinaufgegangen – ich dachte, das sei, um Abschied zu nehmen ... Seltsam, wirklich seltsam ... daß er auch Ihnen nichts gesagt hat.«

»Mir« – nur einen Schrei konnte ich herausstoßen. Und dieser Schrei riß zu meiner Scham, zu meiner Schande alles mit, was die letzten Stunden so gefährlich aufgestaut. Plötzlich fuhr es aus mir heraus, ein Schluchzen, ein heulender tobender Krampf – ich erbrach einen gurgelnden Schwall von übereinanderstürzenden Worten und Schreien als eine einzige ineinandergequirlte Masse wirrer Verzweiflung, ich weinte, nein, ich schüttelte, ich schwemmte in hysterischem Schluchzen die ganze zurückgestaute Qual aus zuckendem Munde. Die Fäuste trommelten irr auf dem Tisch, ein reizbar rasendes Kind, tobte ich aus, das Gesicht von Tränen überströmt, was seit Wochen wie ein Gewitter über mir hing. Und indes ich Erleichterung empfand in diesem tobenden Vorsturz, spürte ich zugleich grenzenlose Scham vor ihr dermaßen mich zu verraten.

»Was haben Sie! Um Gottes willen!« Sie war aufgesprungen, fassungslos. Dann aber eilte sie rasch herzu, führte mich vom Tisch zum Sofa. »Legen Sie sich hin! Beruhigen Sie sich.« Sie streichelte meine Hände, sie fuhr über mein Haar, indes nachwellende Stöße noch immer meinen zitternden Leib rüttelten. »Quälen Sie sich nicht, Roland – lassen Sie sich nicht quälen. Ich kenne das alles, ich habe es kommen gefühlt.« Sie strich noch immer mein Haar. Aber plötzlich wurde ihre Stimme hart. »Ich weiß es selbst, wie er einen verwirren kann, niemand weiß es besser. Aber glauben Sie mir, immer wollte ich Sie warnen, als ich sah, daß Sie sich ganz an ihn hielten, der selbst ohne Halt ist. – Sie kennen ihn nicht, Sie sind blind. Sie sind ein Kind – Sie ahnen nichts, ja heute, heute noch immer nichts. Oder vielleicht haben Sie heute zum erstenmal begonnen, etwas zu verstehen – um so besser dann für ihn und für Sie.«

Sie blieb warm über mich gebeugt, ich fühlte wie aus einer gläsernen Tiefe ihre Worte und den schmerzeinschläfernden Strich beruhigender Hände. Das tat wohl, endlich, endlich wieder einmal ein Hauch Mitleid zu fühlen, und dann auch dies, endlich wieder mal eine Frauenhand zärtlich nah zu spüren, beinahe mütterlich. Vielleicht auch das hatte ich allzulange entbehrt, und nun ich, durch den Schleier der Trübnis, Teilnahme einer zärtlich bemühten Frau empfing, überkam mich Wohliges mitten im Schmerz. Aber doch, wie schämte ich mich, wie schämte ich mich dieses verräterischen Anfalles, dieser preisgegebenen Verzweiflung! Und wider meinen Willen geschahs, daß ich, mühsam mich aufrichtend, nun in

stürzender stockender Flut nochmals anklagend heraus-
schrie, was er alles an mir getan – wie er mich zurückge-
stoßen und verfolgt und wieder angezogen, wie er sich
hart stellte wider mich ohne Grund, ohne Ursache – ein
Peiniger, an den ich doch liebend gebunden war, den ich
liebend haßte und hassend liebte. Wieder begann ich dermaßen mich zu erregen, daß sie von neuem mich beruhigen mußte. Wieder drückten mich weiche Hände
sachte auf die Ottomane zurück, von der ich eifernd
aufgesprungen. Endlich ward ich ruhiger. Sie schwieg
merkwürdig nachdenklich: ich spürte, daß sie alles verstand und vielleicht noch mehr als ich selbst . . .

Ein paar Minuten band uns dieses Schweigen. Dann
stand die Frau auf. »So – jetzt waren Sie lang genug Kind,
jetzt seien Sie wieder Mann. Setzen Sie sich her an den
Tisch und essen Sie. Es ist nichts Tragisches geschehen –
ein Mißverständnis, das sich klären wird«, und als ich
irgendwie abwehrte, fügte sie heftig hinzu: »Es wird sich
klären, denn ich lasse Sie nicht länger so hinziehen und
verwirren. Da muß ein Ende sein, er muß schließlich ein
wenig sich beherrschen lernen. Sie sind zu gut für seine
abenteuerlichen Spiele. Ich werde mit ihm sprechen, verlassen Sie sich auf mich. Jetzt aber kommen Sie zu
Tisch.«

Beschämt und willenlos ließ ich mich zurückführen.
Sie redete mit einer gewissen Hast und Eilfertigkeit von
gleichgültigen Dingen, und ich war ihr innerlich dankbar
dafür, daß sie meinen unbeherrschten Ausbruch gleichsam überhört und schon wieder vergessen zu haben
schien. Morgen sei Sonntag, drängte sie, da mache sie
gemeinsam mit dem Dozenten W. und seiner Braut einen
Ausflug an einen nachbarlichen See, ich solle mitkom-
men, mich erheitern, mich von den Büchern befreien.
All mein Unbehagen verrate nur Überarbeitung und
Überreiztheit der Nerven; einmal im Wasser oder in

Wanderschaft, würde mein Körper sofort wieder das Gleichgewicht finden.

Ich versprach, zu kommen. Alles, nur jetzt nicht Einsamkeit, nur nicht mein Zimmer, nur nicht diese im Dunkel umkreisenden Gedanken. »Und bleiben Sie auch nachmittags heute nicht zu Hause! Gehen Sie spazieren, rennen Sie sich aus, amüsieren Sie sich!« drängte sie nach. ›Seltsam‹, dachte ich, ›wie sie meine innersten Gefühle errät, wie sie immer, die mir doch fremd ist, weiß, was mir not tut und weh tut, indes er, der Wissende, mich verkennt und zerschlägt.‹ Auch dies versprach ich ihr. Und dankbar aufsehend, fand ich ein neues Gesicht: das Spöttische, Übermütige, das ihr sonst etwas von einem frechen lockeren Jungen gab, war vergangen in einem weichen teilnehmenden Blick: niemals hatte ich sie derart ernst gesehen. ›Warum blickt er mich nie so gütig an?‹ fragte sich sehnsüchtig in mir ein verworrenes Gefühl. ›Warum fühlt er niemals, wenn er mir weh tut? Warum hat er nicht so hilfreiche, so zärtliche Hände an mein Haar, an die meinen gelegt?‹ Dankbar küßte ich die ihre, die sie unruhig, fast heftig mir entzog. »Quälen Sie sich nicht«, wiederholte sie noch einmal, und ihre Stimme beugte sich nah heran.

Aber dann kam wieder das Harte in ihre Lippen; schroff sich aufrichtend, stieß sie leise heraus: »Glauben Sie mir, er verdient es nicht.«

Und dieses Wort, kaum hörbar geflüstert, stieß wieder Schmerz in das beinahe schon beruhigte Herz.

Was ich an jenem Nachmittag und Abend zunächst begann, scheint derart lächerlich und kindisch, daß ich mich jahrelang geschämt habe, daran zu denken – ja daß eine innere Zensur mir jedes Erinnern daran sofort hastig abblendete. Nun, heute schäme ich mich jener ungeschickten Tölpeleien nicht mehr – im Gegenteil, wie sehr

verstehe ich heute den unbändigen, wirr leidenschaftlichen Jungen, der sich gewaltsam hinüberturnen wollte
über die eigene Unsicherheit seines Gefühls.

Wie vom Ende eines ungeheuer langen Ganges, wie
durch ein Teleskop sehe ich mich selbst: den zerfahrenen,
verzweifelten Jungen, der in sein Zimmer hinaufsteigt
und nicht weiß, was er gegen sich selbst beginnen will.
Und der plötzlich in den Rock fährt, sich einen andern
Gang anstrafft, wild entschlossene Gesten aus sich holt
und dann plötzlich mit gewaltsam energischem Schritt
auf die Straße geht. Ja, das bin ich, ich erkenne mich, ich
weiß jeden Gedanken dieses dummen, verquälten, armen
Jungen von damals, ich weiß: plötzlich habe ich mich
aufgestrafft, vor dem Spiegel sogar, und mir gesagt: »Ich
pfeif auf ihn! Hol ihn der Teufel! Was quäle ich mich
wegen des alten Narren! Sie hat recht: lustig sein, sich
einmal amüsieren! Vorwärts!«

Wirklich, so bin ich damals auf die Straße gegangen.
Es war ein Ruck, um mich zu befreien – und dann ein
Rennen, ein einziges feiges Davonlaufen vor der Erkenntnis, daß diese fröhliche Festigkeit gar nicht so fröhlich sei und der Eisblock, der starre, mir noch ebenso-
schwer über dem Herzen hing. Ich weiß noch, wie ich
ging, den schweren Stock fest in der Hand, scharf jeden Studenten fixierend; in mir wütete eine gefährliche
Lust, mit irgend jemand Streit vom Zaun zu brechen, den
ohne Ausweg umherirrenden Zorn in den Erstbesten
hineinzuprügeln, der mir gerade in den Weg kam. Aber
günstigerweise würdigte mich niemand einer Aufmerksamkeit. So steuerte ich zu jenem Café, wo meist meine
Kameraden aus dem Seminar beisammensaßen, bereit,
mich unaufgefordert an ihren Tisch zu setzen und die
geringste Stichelei zum Anlaß einer Provokation zu nehmen. Doch wiederum stieß meine rauferische Bereitschaft ins Leere – der schöne Tag hatte die meisten zu

Ausflügen verlockt, und die zwei oder drei, die dort beisammensaßen, grüßten höflich und boten meiner fiebrigen Gereiztheit nicht den geringsten Vorwand. Verärgert
stand ich bald auf und ging nun in ein gar nicht mehr
zweifelhaftes Lokal der Vorstadt, wo bei dröhnender Da-
menkapellenmusik der Abhub der amüsierlustigen
Kleinstädter zwischen Bier und Qualm knollig beisammen drängte. Ich stürzte zwei, drei Gläser hastig hinun-
ter, lud mir eine übelberüchtigte Weibsperson und ihre
Freundin, gleichfalls eine geschminkte dürre Halbwelt-
lerin an meinen Tisch und hatte eine krankhafte Freude,
mich recht auffallend zu benehmen. Jeder kannte mich in
der kleinen Stadt, jeder wußte, daß ich der Schüler des
Professors war; jene wiederum machten sich durch freche Tracht und ihr Benehmen unverkennbar – so genoß
ich die läppische verlogene Lust, mich und (wie ich töl-
pisch meinte) damit auch ihn zu kompromittieren; mögen sie nur sehen, dachte ich, daß ich auf ihn pfeife, daß
ich mich nicht kümmre um ihn – und vor allen Leuten
hofierte ich diese dickbusige Weibsperson in der taktlose-
sten, schamlosesten Art. Es war ein Rausch wütiger Bosheit und bald auch ein wirklicher Rausch, denn wir tran-
ken alles wild durcheinander, Wein, Schnaps, Bier, und
stießen so wüst um uns, daß Sessel zu Boden fielen und
die Nachbarn vorsichtig abrückten. Aber ich schämte
mich nicht, im Gegenteil; er soll es nur erfahren, wütete
ich Narr, er soll sehen, wie gleichgültig er mir ist, ah, ich
bin nicht traurig, nicht gekränkt – im Gegenteil: »Wein
her, Wein!« klirrte ich mit der Faust auf den Tisch, daß
die Gläser zitterten. Schließlich zog ich mit beiden ab,
rechts die eine am Arm, links die andere, quer durch die
Hauptstraße, wo die gewohnte Korsostunde um neun
Uhr Studenten und Mädchen, Bürger und Militär zu
stillbehaglichem Bummel vereinte: ein schwankes,
schmieriges Kleeblatt, randalierten wir drei auf dem

Fahrdamm derart laut daher, daß endlich ein Schutzmann geärgert herantrat und uns energisch Ruhe gebot. Was dann weiter geschah, vermag ich nicht mehr genau zu schildern – ein blauer fuseliger Dunst verqualmt mir die Erinnerung, ich weiß nur, daß ich, angeekelt von den beiden betrunkenen Weibsbildern und selbst kaum mehr mächtig meiner Sinne, mich von ihnen loskaufte, noch irgendwo Kaffee und Kognak trank, vor dem Gebäude der Universität zum Gaudium herbeigelaufener Burschen eine Philippika gegen die Professoren hielt. Dann wollte ich, aus dem dumpfen Instinkt, mich noch mehr zu besudeln und ihm – wahnwitziger Gedanke eines wirr-leidenschaftlichen Zornes! – einen Tort zu tun, in ein öffentliches Haus, aber ich fand nicht den Weg und torkelte schließlich verdrossen heim. Das Tor aufzuschließen bereitete meiner taperigen Hand Mühe, mit arger Not schleppte ich mich die ersten Stufen hinauf.

Aber dann, vor seiner Tür, fiel, als sei mir der Kopf plötzlich in eiskaltes Wasser getaucht, der ganze dumpfe Rausch ab. Mit einmal nüchtern, starrte ich meiner eigenen, ohnmächtig wütenden Narrheit ins verzerrte Gesicht. Scham duckte mich zusammen. Und ganz leise, ganz kriecherisch wie ein geprügelter Hund, nur daß niemand mich höre, schlich ich in mein Zimmer hinauf.

Wie ein Toter hatte ich geschlafen; als ich aufwachte, überschwemmte Sonne schon den Fußboden und stieg langsam bis zum Bettrand empor, mit einem Ruck stieß ich mich heraus. Im schmerzenden Kopf zuckte allmählich Erinnerung an den gestrigen Abend auf; aber ich drückte die Scham zurück, ich wollte mich nicht mehr schämen. Seine Schuld war es doch, redete ich mir geflissentlich zu, seine Schuld allein, wenn ich so mich verluderte. Ich beruhigte mich, dies Gestrige sei nur ein rechter studentischer Spaß gewesen, wohl erlaubt einem, der seit Wochen und Wochen nichts als Arbeit und Arbeit gekannt; aber mir ward nicht wohl bei der eigenen Rechtfertigung, und ziemlich beklommen stieg ich in kleinmütiger Haltung hinab zu der Frau meines Lehrers, meines gestrigen Ausflugsversprechens gedenkend.

Seltsam: kaum daß ich an die Klinke seiner Tür rührte, war Er wieder gegenwärtig in mir, damit aber auch schon jener brennende, unvernünftig wühlende Schmerz, jene wütige Verzweiflung. Ich klopfte leise, seine Frau kam mir entgegen mit seltsam weichem Blick: »Was treiben Sie für Unsinn, Roland?« sagte sie, doch eher mitleidig als vorwurfsvoll. »Warum quälen Sie sich so!« Ich stand bestürzt: so hatte auch sie bereits von meinem narrenhaften Treiben gehört. Doch sie munterte sofort meine Verlegenheit auf: »Heute aber wollen wir vernünftig sein. Um zehn Uhr kommt Dozent W. und seine Braut, dann fahren wir hinaus und rudern und schwimmen alle Dummheiten tot.« Noch wagte ich ganz ängstlich die unnötige Frage, ob der Professor zurückgekommen sei. Sie sah mich an, ohne zu antworten, wußte ich doch selbst, daß die Frage vergeblich war.

Pünktlich um zehn Uhr rückte der Dozent an, ein junger Physiker, der, als Jude in der akademischen Gesellschaft ziemlich isoliert, eigentlich der einzige verblieb, der mit uns Abgesonderten verkehrte; ihn begleitete seine Braut, wahrscheinlich wohl eher seine Geliebte, ein junges Mädel, der das Lachen unablässig vom Mund fuhr, einfältig und ein wenig dalbrig, aber darum die rechte Gesellschaft für eine solche improvisierte Eskapade. Wir fuhren zuerst, ununterbrochen essend, plaudernd und einander zulachend, mit der Bahn zu einem nahegelegenen winzigen See, und die Wochen angestrengten Ernstes hatten mich aller gesprächiger Heiterkeit dermaßen entwöhnt, daß schon diese eine Stunde mich wie ein leichter prickelnder Wein berauschte. Wirklich, es gelang ihnen vollkommen mit ihrem kindisch übermütigen Treiben, meine Gedanken von der dunkel quellenden Wabe wegzulocken, die sie sonst immer summend umkreisten, und kaum, daß ich ins Freie tretend, bei einem zufälligen Wettrennen mit dem jungen Mädchen meine Muskeln wieder spürte, so war ich wieder der straffe, unbesorgte Bursche von ehedem.

Am See nahmen wir zwei Ruderboote, die Frau meines Lehrers steuerte das meine, in dem andern teilte der Dozent mit seiner Freundin den Ruderplatz. Und kaum abgestoßen, kam schon die sporthaft wetteifernde Lust über uns, einander zu überholen, wobei ich freilich im Nachteil war, denn indes jene zu zweit ruderten, mußte ich allein gegen beide ankämpfen; aber den Rock von mir werfend, legte ich mich, ein gelernter Athlet dieses Sports, so mächtig in die Riemen, daß ich immer wieder dem Nachbarboot mit wuchtigen Schlägen vorkam. Ununterbrochen hagelte es hinüber und herüber von anfeuernden Spottreden, einer reizte den andern, und achtlos der glühenden Julihitze, gleichgültig gegen den Schweiß, der uns schmählich überströmte, roboteten wir unbändige Galeerensträflinge unserer Sportlust hitzig gegeneinander. Endlich war das Ziel nahe, eine bewaldete kleine Landzunge am See: noch wütiger legten wir uns ins Zeug, und zum Triumph meiner Mitfahrenden, die selbst von dem wetteifernden Spiel gepackt war, knirschte unser Kiel zuerst an den Strand. Ich stieg aus, heiß, überströmt, berauscht von der ungewohnten Sonne, vom klingend erregten Blut, von der Freude des Erfolges: das Herz hämmerte mir aus der Brust, die Kleider klebten schwitzig eng am Körper. Dem Dozenten erging es nicht besser, und statt belobt, wurden wir verbissene Kämpen von den übermütigen Frauen wegen unseres Schnaubens und ziemlich pitoyablen Aussehens noch ausgiebig belacht. Endlich gewährten sie uns eine Frist, um uns abzukühlen; unter Scherzworten wurden zwei Abteilungen, ein Herren- und Damenbad, improvisiert – rechts und links vom Gebüsch. Wir zogen rasch die Schwimmkleider an, hinter dem Gebüsch blitzten blanke Wäsche und nackte Arme, und schon plätscherten, inden wir uns gleichfalls rüsteten, die beiden Frauen wohlig ins Wasser. Der Dozent, weniger ermattet als ich, der einer gegen sie beide gesiegt, sprang sofort ihnen nach, ich aber, der ein wenig zu scharf gerudert und das Herz noch vehement gegen die Rippen hämmern fühlte, legte mich vorerst gemächlich in den Schatten und ließ wohlig die Wolken über mich hinziehen, das summende süße Brausen der Müdigkeit wollüstig genießend im umrollenden Blut.

Doch schon nach wenigen Minuten begann ein stürmisches Rufen vom Wasser her: »Roland, vorwärts! Wettschwimmen! Preisschwimmen! Preistauchen!« Ich rührte mich nicht: mir war, als könnte ich tausend Jahre so liegen bleiben, die Haut sanft brennend von der einsickernden Sonne und gleichzeitig gekühlt von zart anstreifender Luft. Aber wieder flatterte Lachen her, die Stimme des Dozenten: »Er streikt! Den haben wir gründlich abgekappt! Holen Sie den Faulenzer.« Und wirklich, schon hörte ich ein Näherplätschern und jetzt von ganz nah ihre Stimme: »Roland, vorwärts! Wettschwimmen! Wir müssens den beiden zeigen!« Ich antwortete nicht, mir machte es Spaß, mich suchen zu lassen. »Wo sind Sie denn?« Schon knirschte der Kies, ich hörte nackte Sohlen suchend den Strand ablaufen, und plötzlich stand sie vor mir, angestrafft das nasse Schwimmkleid um den knabenhaft schlanken Körper. »Da sind Sie. Ach, wie träge! Aber jetzt vorwärts, Faulenzer, die andern sind schon fast drüben bei der Insel.« Ich lag wohlig auf dem Rücken, dehnte mich faul: »Es ist viel schöner hier. Ich komme später nach.«

»Er will nicht«, trompetete sie lachend durch die hohle

Hand in die Richtung des Wassers hinüber. »Hinein mit dem Prahlhans!« hallte von weither die Stimme des Dozenten zurück. »Also kommen Sie«, drängte sie ungeduldig, »blamieren Sie mich nicht.« Aber ich gähnte nur träge. Da brach sie spaßend und geärgert zugleich eine Gerte vom Strauch. »Vorwärts!« wiederholte sie energisch und strich mir mit aufmunterndem Hieb über den Arm. Ich fuhr auf: sie hatte zu scharf getroffen, ein dünner Strich wie von Blut lief rot über meinen Arm. »Jetzt erst recht nicht«, sagte ich, gleichfalls spaßend und leicht erbittert zugleich. Aber nun, in wirklichem Zorn, befahl sie: »Kommen Sie! Sofort!« und als ich aus Trotz mich nicht rührte, schlug sie nochmals und jetzt heftiger einen scharfen brennenden Hieb. Mit einem Ruck sprang ich wütig auf, ihr die Gerte zu entreißen, sie wich zurück, aber ich packte ihren Arm. Unwillkürlich gerieten in dem Ringen um die Gerte unsere halbnackten Körper nah aneinander. Und als ich jetzt ihren Arm packte und das Gelenk drehte, um sie zu zwingen, die Gerte fallen zu lassen, und die Ausweichende sich weit zurückbog, da knackte es plötzlich – die haltende Achselspange ihres Schwimmkleids war gerissen, die linke Hülle fiel von ihrem entblößten Busen, starr und rot stach mir die Knospe ihrer Brust entgegen. Unwillkürlich blickte ich hin, eine Sekunde bloß, aber es verwirrte mich: zitternd und beschämt ließ ich ihre umklammerte Hand. Sie wandte sich errötend, mit einer Haarnadel die zerrissene Spange notdürftig zusammenzurichten. Ich stand dabei und wußte nichts zu sagen. Auch sie schwieg. Und von diesem Augenblick war eine würgende, erstickte Unruhe zwischen uns beiden.

»Hallo . . . Hallo . . . Wo seid ihr denn?« – schon vor der kleinen Insel hallten die Stimmen herüber. »Ja, ich komme schon«, antwortete ich hastig und warf mich, froh, einer neuen Verwirrung zu entrinnen, mit einem Schwung hinein ins Wasser. Ein paar Tauchstöße, die begeisternde Lust des Sich-selber-Fortstoßens, Klarheit und Kälte des unfühlsamen Elements, und schon schien dieses gefährliche Rieseln und Zischen des Blutes wuchtig weggeschwemmt von stärkerer, hellerer Lust. Ich holte bald die beiden ein, forderte den schwächlichen Dozenten zu einer Reihe von Wettkämpfen, in denen ich obsiegte, wir schwammen zurück zur Landzunge, wo die Zurückgebliebene bereits angekleidet uns erwartete, um dann aus mitgebrachten Körben ein Picknick im Freien heiter zu veranstalten. Aber so übermütig die Scherzrede zwischen uns vieren die Runde ging, unwillkürlich hatten wir beide vermieden, das Wort aneinander zu richten: wir sprachen, wir lachten gleichsam über uns hinweg. Und wenn unsere Blicke sich begegneten, wichen sie in ungesprochener Gleichempfindung hastig aus: die Peinlichkeit jenes Zwischenfalls war noch nicht geglättet, und einer spürte des andern Erinnern mit beschämter Beunruhigung.

Der Nachmittag verging dann rasch mit erneuter Ruderpartie, aber die Hitzigkeit der sportlichen Leidenschaft gab immer mehr einer wohligen Ermüdung nach: der Wein, die Wärme, die eingesogene Sonne filterte sich mählich tiefer ins Blut und gab ihm röteren Gang. Schon erlaubten sich der Dozent und seine Freundin kleine Vertraulichkeiten, die wir beide mit einer gewissen Peinlichkeit dulden mußten, sie rückten immer näher zusammen, während wir um so ängstlicher Distanz bewahrten; aber das Paarhafte formte sich schon dadurch bewußter heraus, daß jene beiden Übermütigen im Waldweg gerne zurückblieben, offenbar um sich ungestörter zu küssen, und während dieses Alleingelassenseins hemmte immer ein Befangensein unser Gespräch. Schließlich waren wir alle vier zufrieden, wieder im Zuge zu sein, jene im Vorgefühl bräutlichen Abends, wir, endlich derart peinlichen Situationen zu entrinnen.

Der Dozent und seine Freundin begleiteten uns bis zur Wohnung. Die Treppe stiegen wir allein hinauf; kaum ins Haus getreten, spürte ich wieder die quälende, sehnsüchtig wirre Mahnung seiner Gegenwart. ›Wäre er doch schon zurück!‹ dachte ich ungeduldig. Und gleichsam, als ob sie den ungebrochenen Seufzer mir von der Lippe gelesen, sagte sie: »Wir wollen doch sehen, ob er schon zurück ist.«

Wir traten ein. Die Wohnung lag still. In seinem Zimmer stand alles verlassen: unbewußt zeichnete mein erregtes Gefühl in den leeren Stuhl seine gedrückte, tragische Gestalt. Aber unberührt lagen die Blätter, wartend wie ich selbst. Und da kam wieder die Erbitterung: warum war er geflüchtet, warum ließ er mich allein? Immer grimmiger stieg mir der eifersüchtige Zorn in die Kehle, wieder wogte dumpf aus mir jenes töricht verworrene Gelüst, etwas Böses, etwas Haßvolles gegen ihn zu tun.

Die Frau war mir gefolgt. »Sie bleiben doch hier zum Abendessen? Sie sollten heute nicht allein sein.« Wieso wußte sies, daß ich mich fürchtete vor dem leeren Zimmer, vor dem Knirschen der Stiege, vor der grübelnden Erinnerung: alles erriet sie immer in mir, jeden ungesprochenen Gedanken, jedes böse Gelüst.

Irgendeine Angst kam mich an, eine Angst vor mir selbst und meinem wirr in mir umfahrenden Haß, ich wollte ablehnen. Aber ich war feig und wagte kein Nein.

Ich habe von je den Ehebruch verabscheut, nicht aber um einer rechthaberischen Moral willen, aus Prüderie und Sittsamkeit, nicht so sehr, weil er Diebstahl im Dunkeln bedeutet, Besitznahme fremden Leibs, sondern weil fast jede Frau in solchen Augenblicken das Heimlichste ihres Gatten verrät – jede eine Delila, die dem Hintergangenen sein menschlichstes Geheimnis wegstiehlt und einem Fremden hinwirft, das Geheimnis seiner Kraft oder seiner Schwäche. Nicht daß Frauen selber sich geben, scheint mir Verrat, sondern daß sie fast immer dann, um sich zu rechtfertigen, das Schamtuch lüpfen von ihres Mannes Scham und den Ahnungslosen gleichsam im Schlafe einer fremden Neugier, einem höhnisch genießenden Gelächter aufbreiten.

Nicht also, daß ich damals, von blindwütiger Verzweiflung verwirrt, in der anfangs bloß mitleidigen und dann erst zärtlichen Umarmung seiner Frau Zuflucht fand – verhängnisvoll rasch glitt ein Gefühl ins andere hinüber –, nicht dies empfinde ich noch heute als die erbärmlichste Niedrigkeit meines Lebens (denn es geschah ohne Willen, beide stürzten wir unwissend-unbewußt in diesen brennenden Abgrund), sondern daß ich auf gehitzten Kissen mir über ihn noch Vertraulichkeiten erzählen ließ, daß ich der gereizten Frau erlaubte, Geheimstes ihrer Ehe zu verraten. Warum duldete ich, ohne sie wegzustoßen, daß sie mir berichtete, seit Jahren meide er sie körperlich, und in dunklen Andeutungen sich erging: warum hieß ich sie nicht herrisch schweigen über dies Geheimste seines Geschlechts? Aber ich brannte so sehr nach seinem Geheimnis, ich dürstete dermaßen, ihn schuldig zu wissen gegen mich, gegen sie, gegen alle, daß ich taumlig dies zornige Bekenntnis ihrer Vernachlässigung aufnahm – war es doch so ähnlich meinem eigenen Gefühl des Zurückgestoßenseins! So geschah, daß wir beide aus wirrem, gemeinsamen Haß etwas taten, das wie Liebe sich gebärdete: aber indes unsere Körper sich suchten und ineinanderdrängten, dachten wir beide, sprachen wir beide immer wieder und immer nur von ihm. Manchmal tat mir ihr Wort weh, und ich schämte mich, daß ich verstrickt blieb, wo ich verabscheute. Aber der Körper unter mir gehorchte nicht mehr dem Willen, er wühlte wild in seiner eigenen Lust. Und schaudernd küßte ich die Lippe, die meinen liebsten Menschen verriet.

Am nächsten Morgen schlich ich, die Zunge bitter vor Ekel und Scham, hinauf in mein Zimmer. In der Minute, wo das Warme ihres Leibes nicht mehr mir die Sinne trübte, empfand ich die grelle Wirklichkeit und Widerlichkeit meines Verrats. Nie wieder, sofort wußte ichs, würde ich ihm vor Augen treten können, nie mehr seine Hand nehmen: nicht ihn, mich selbst hatte ich um mein Bestes bestohlen.

Jetzt gab es nur eine Rettung: Flucht. Im Fieber packte ich alle meine Sachen, schichtete meine Bücher, bezahlte meiner Wirtin: er durfte mich nicht mehr finden, auch ich sollte verschwunden sein, grundlos und geheimnisvoll, genau wie er mir.

Aber inmitten des geschäftigen Tuns erstarrte mir plötzlich die Hand. Ich hatte das Knirschen der Holztreppe gehört, ein Schritt hastete die Stiege herauf – sein Schritt.

Ich muß leichenfahl geworden sein. Denn kaum eingetreten, schrak er schon auf. »Was ist dir, Junge? Bist du krank?«

Ich wich zurück. Ich bog ihm aus, als er jetzt näher wollte und mich helfend anfassen.

»Was hast du?« fragte er erschreckt. »Ist dir etwas zugestoßen? Oder ... oder ... bist du mir noch böse?«

Krampfhaft hielt ich mich zum Fenster hin. Ich konnte ihn nicht ansehen. Seine teilnehmende warme Stimme riß in mir etwas auf wie eine Wunde: einer Ohnmacht nahe, fühlte ich es aufströmen in mir, heiß, ganz heiß, brennend und verbrennend, einen glühenden Guß von Scham.

Aber auch er stand verwundert, verwirrt. Und plötzlich – ganz klein, ganz zaghaft duckte sich seine Stimme – flüsterte er eine sonderbare Frage: »Hat dir ... hat dir jemand ... etwas über mich gesagt?«

Ich machte, ohne mich ihm zuzuwenden, eine abwehrende Bewegung. Aber irgendein ängstlicher Gedanke schien ihn zu beherrschen, er wiederholte hartnäckig:

»Sag mirs ... gesteh mirs ... hat irgend jemand über mich etwas gesagt ... irgend jemand, ich frage nicht, wer.«

Ich verneinte wieder. Er stand ratlos. Aber mit einmal schien er bemerkt zu haben, daß meine Koffer gepackt, meine Bücher zusammengerafft waren und sein Kommen gerade meine letzten Reisevorbereitungen unterbrochen hatte. Erregt trat er heran: »Du willst fort, Roland, ich sehe es ... sag mir die Wahrheit.«

Da raffte ich mich auf. »Ich muß fort ... verzeihen Sie mir ... aber ich kann darüber nicht sprechen ... ich werde Ihnen schreiben.« Mehr würgte ich nicht aus der verklemmten Kehle, und in jedes Wort schlug mir das Herz.

Er blieb starr. Dann plötzlich kam wieder jene müde Art über ihn. »Es ist vielleicht besser so, Roland ... ja gewiß, es ist besser so ... für dich und für alle. Aber ehe du gehst, möchte ich dich noch einmal sprechen. Komm um sieben Uhr, zur gewohnten Stunde ... dann wollen wir Abschied nehmen, Mann zu Mann ... Nur keine Flucht vor sich selber, nur keine Briefe ... das wäre kindisch und unser nicht würdig ... und dann, was ich dir sagen möchte, will in keine Feder ... Also du kommst, nicht wahr?«

Ich nickte nur. Mein Blick wagte sich noch immer nicht vom Fenster weg. Aber ich sah nichts von der Helligkeit des Morgens mehr, ein dichter dunkler Schleier stand zwischen mir und der Welt.

Um sieben Uhr betrat ich zum letztenmal den geliebten Raum: verfrühtes Dunkel dämmerte durch die Por-
tieren, kaum glänzte von der Tiefe noch der fließende
Stein der Marmorgestalten, und die Bücher schliefen alle
schwarz hinter ihren perlmuttern flimmernden Gläsern.
Geheimnisort meiner Erinnerungen, wo das Wort mir
magisch geworden und ich Rausch und Verzückung des
Geistigen wie nirgends erlebt – immer sehe ich dich aus
dieser Abschiedsstunde und immer die verehrte Gestalt,
wie sie jetzt der Lehne des Sessels sich langsam, langsam
enthebt und mir schattend entgegenkommt: bloß die
Stirne glänzt rund wie eine alabasterne Lampe im Dunkel, und drüber wogt ein wehender Rauch, das weiße
Haar des alten Mannes. Jetzt steigt, mühsam gehoben,
von unten eine Hand empor, sie sucht die meine, jetzt
erkenne ich die Augen ernst mir zugewandt, und schon
fühle ich sanft meinen Arm umfaßt und mich niederge-
leitet zu seinem Stuhl.

»Setz dich nieder, Roland, und sprechen wir klar. Wir
sind Männer und müssen aufrichtig sein. Ich dränge dich
nicht – aber wäre es nicht besser, die letzte Stunde schaff-
te auch volle Klarheit zwischen uns? Also sag, warum
willst du weg? Bist du böse auf mich wegen jener unsinnigen Beleidigung?«

Ich verneinte mit einer Gebärde. Entsetzlich der Gedanke, daß er noch, er, der Betrogene, der Verratene, die
Schuld auf sich nehmen wollte!

»Habe ich dir sonst bewußt oder unbewußt eine Krän-
kung zugefügt? Ich bin manchmal sonderbar, ich weiß
es. Und ich habe dich gereizt, gequält wider meinen eigenen Willen. Ich habe dir nie genug gedankt für alle
deine Anteilnahme – ich weiß es, ich weiß es, ich habe es
immer gewußt, selbst in den Minuten, wo ich dir wehe
tat. Ist das der Grund – sag es mir, Roland – denn ich
möchte, daß wir ehrlich voneinander Abschied nehmen.«

Wieder schüttelte ich den Kopf: ich konnte nicht sprechen. Noch immer ging seine Stimme fest: jetzt begann sie sich leicht zu verwirren.

»Oder ... ich frage dich nochmals ... hat irgend jemand dir irgend etwas über mich zugetragen ... etwas, das du als niedrig, als ... abstoßend empfindest ... etwas, was dich ... was dich mich verachten läßt?«

»Nein! nein! ... nein! ...« Wie ein Schluchzen fuhr mir der Protest heraus: ich ihn verachten! Ich ihn!

Ungeduldig wurde jetzt seine Stimme. »Was ist es dann? ... Was kann es denn sonst sein? ... Bist du der Arbeit müde? ... Oder zieht dich sonst etwas fort? ... Eine Frau ... ist es eine Frau?«

Ich schwieg. Und dieses Schweigen war wohl derart anders, daß er die Bejahung spürte. Er beugte sich näher heran und flüsterte ganz leise, aber ohne Erregung, ganz ohne Erregung und Zorn:

»Ist es eine Frau? ... *meine* Frau?«

Ich schwieg noch immer. Und er verstand. Ein Zittern lief mir über den Leib: jetzt, jetzt, jetzt würde er ausbrechen, mich anfallen, mich schlagen, mich züchtigen ... und ... ich sehnte mich beinahe danach, daß er mich peitschte, mich, den Dieb, den Verräter, daß er mich wie einen räudigen Hund wegpeitschte aus seinem geschändeten Haus. Aber seltsam ... er blieb vollkommen still ... und beinahe wie eine Erleichterung klangs, als er zu sich selber sinnend murmelte: »Das hätte ich mir eigentlich denken können.« Zweimal ging er im Zimmer auf und ab. Dann blieb er vor mir stehen und sagte, fast schien mirs, verächtlich:

»Und das ... das nimmst du so schwer? Hat sie dir denn nicht gesagt, daß sie frei ist, zu tun, zu nehmen, was ihr beliebt, daß ich kein Recht habe über sie? ... Kein Recht, ihr etwas zu verbieten, und auch nicht die geringste Lust dazu ... Und warum hätte sie sich beherrschen sollen, wem zuliebe und gerade gegen dich ... Du bist jung, du bist hell und schön ... du warst uns nah ... wie sollte sie dich nicht lieben, du ... du Schöner, du Junger, wie sollte sie dich nicht lieben ... Ich ...« Plötzlich begann seine Stimme zu zittern. Und er beugte sich nahe, so nah, daß ich seinen Atem spürte. Wieder fühlte ich die warme Umfangung seiner Blicke, wieder dies seltsame Licht, so ... so wie in jenen seltenen sonderbaren Sekunden zwischen ihm und mir. Immer näher kam er heran.

Und dann flüsterte er leise, kaum regten sich die Lippen. »Ich ... ich liebe dich doch auch.«

War ich aufgefahren? Hatte mich es unwillkürlich zurückgeschreckt? Aber irgendeine Geste der Überraschung, der Flucht mußte aus meinem Körper vorgefahren sein,' denn er taumelte weg wie ein Zurückgestoßener. Ein Schatten dunkelte über sein Gesicht. »Verachtest du mich jetzt?« fragte er ganz leise. »Bin ich dir jetzt widerlich?«

Warum fand ich damals kein Wort? Warum saß ich nur stumm da, lieblos, verlegen, betäubt, statt auf den Liebenden zuzutreten und ihm die irrige Sorge zu nehmen? Aber in mir wogten wild alle Erinnerungen; als hätte eine Chiffre mit einmal die Sprache all jener unfaßbaren Botschaften gelöst, so verstand ich alles jetzt in furchtbarer Klarheit, sein zärtliches Kommen und seine brüske Verteidigung, ich verstand erschüttert jenen Besuch in der Nacht und die verbissene Flucht vor meiner begeistert zudrängenden Leidenschaft. Liebe, ich hatte sie ja immer bei ihm gefühlt, zärtlich und scheu, bald anflutend, bald wieder übermächtig gehemmt, ich hatte sie geliebt und genossen in jedem flüchtig mir zugefallenen Strahl – aber doch, wie Liebe, das Wort, jetzt von bärtigem Munde kam, sinnlich-zärtlichen Klangs, da dröhnte mir ein

Grauen süß und furchtbar zugleich in den Schläfen. Und so sehr ich brannte in Demut und Mitleid für ihn, ich fand, ich verwirrter, zitternder, überfallener Knabe, kein Wort für seine unvermutet mir aufgetane Leidenschaft.

Er saß vernichtet und starrte in mein Schweigen. »So furchtbar also ist dirs, so furchtbar«, murmelte er, »auch du ... auch du verzeihst mirs also nicht, auch du, gegen den ich meine Lippen verpreßt, daß ich beinahe erstickte ... dem ich mich verborgen habe, wie ich mich keinem verbarg ... Aber besser, du weißt es jetzt, nun erdrückts mich nicht mehr ... Denn es war schon zuviel für mich ... oh, viel zuviel ... besser, besser ein Ende als dies Schweigen und Verschweigen ...«

Wie das voll Trauer war, voll Zärtlichkeit und Scham; bis ins Innerste drang mir der zuckende Ton. Ich schämte mich, dermaßen kalt, derart fühllos frostig vor dem Manne zu schweigen, von dem ich mehr empfangen als von irgendeinem Menschen und der so unsinnig vor mir sich erniedrigte. Die Seele brannte mir, ihm ein Tröstliches zu sagen, aber die Lippe, die zitternde, gehorchte nicht. Und so verlegen, so jämmerlich klein hockte ich da und bog mich im Sessel herum, daß er, beinahe unwillig, mich aufmunterte. »Sitz doch nicht so da, Roland, so grauenhaft stumm ... Faß dich doch ... Ist es dir wirklich so fürchterlich? Schämst du dich meiner so sehr? ... Jetzt ist ja doch alles vorbei, ich habe dir alles gesagt ... laß uns doch wenigstens anständig Abschied nehmen, wie es zwei Männern, zwei Freunden geziemt.«

Aber ich hatte noch immer nicht Macht über mich. Da rührte er meinen Arm: »Komm, Roland, setz dich zu mir! ... Mir ist leichter, seitdem du es weißt, seit endlich Klarheit zwischen uns besteht ... Erst habe ich immer gefürchtet, du möchtest erraten, wie lieb du mir bist ... dann habe ich wieder gehofft, du selbst würdest es spüren, nur damit mir dies Geständnis erspart sei ... Aber nun ists geschehen, nun bin ich frei ... nun kann ich zu dir sprechen wie nie zu einem andern Menschen. Denn du warst mir näher als irgendeiner in all diesen Jahren ... wie keinen habe ich dich geliebt ... Wie keiner hast du, Kind, das Letzte meines Wesens wach gemacht ... So sollst du auch zum Abschied mehr wissen von mir als irgendein anderer Mensch, ich habe ja in all diesen Stunden dein Fragen, dein stummes, so deutlich gespürt ... Du allein sollst mein ganzes Leben kennen. Willst du, daß ich dirs erzähle?«

An meinen Blicken, an meinen verwirrten und erschütterten Blicken sah er mein Ja.

»So komm nahe ... hierher zu mir ... Ich kann diese Dinge nicht laut sagen. « Ich beugte mich – fromm, muß ichs nennen. Aber kaum daß ich wartend, lauschend ihm gegenübersaß, stand er wieder auf. »Nein, so geht es nicht ... Du darfst mich nicht ansehen dabei ... sonst ... sonst kann ich nicht sprechen.« Und mit einem Griff löschte er das Licht.

Dunkel fiel über uns. Ich fühlte, daß er nahe war, fühlte es an seinem Atem, der schwer und wie röchelnd irgendwo im Unsichtbaren ging. Und plötzlich stand zwischen uns eine Stimme auf und erzählte mir sein ganzes Leben.

Seit jenem Abend, wo dieser verehrteste Mann mir sein Schicksal wie eine harte Muschel aufschloß, seit jenem Abend vor vierzig Jahren scheint mir noch immer alles spielhaft und belanglos, was unsere Schriftsteller und Dichter in Büchern als außerordentlich erzählen, was Schauspiele den Bühnen als tragisch maskieren. Ist es Bequemlichkeit, Feigheit oder ein zu kurzes Gesicht, daß sie alle immer nur den obern erhellten Lichtrand des Lebens zeichnen, wo die Sinne offen und gesetzhaft spielen, indes unten in den Kellergewölben, in den Wurzelhöhlen und Kloaken des Herzens phosphorhaft funkelnd die wahren, die gefährlichen Bestien der Leidenschaft umfahren, im Verborgenen sich paarend und zerfleischend in allen phantastischen Formen der Verstrickung? Schreckt sie der Atem, der heiße und zehrende der dämonischen Triebe, der Dunst des brennenden Blutes, fürchten sie die Hände zu schmutzen, die allzu zarten, an den Schwären der Menschheit, oder findet ihr Blick, an mattere Helligkeiten gewöhnt, nicht hinab diese glitschigen, gefährlichen, von Fäulnis triefenden Stufen? Und doch ist dem Wissenden keine Lust gleich als jene am Verborgenen, kein Schauer so urmächtig stark, als der das Gefährliche umfröstelt, und kein Leiden heiliger, als das sich aus Scham nicht zu entäußern vermag.

Hier aber schlug ein Mensch sich mir auf in äußerster Nacktheit, hier zerriß sich einer die innerste Brust, gierig bereit, das zerhämmerte, vergiftete, verbrannte, vereiterte Herz zu entblößen. Eine wilde Wollust folterte sich flagellantisch frei in diesem durch Jahre und Jahre verhaltenen Geständnis. Nur wer ein Leben lang sich geschämt, sich geduckt und verdeckt, nur der konnte so rauschhaft überwältigt ausfahren in die Unerbittlichkeit eines solchen Gestehens. Stück für Stück brach sich hier ein Mensch sein Leben aus der Brust, und in dieser Stunde starrte ich Knabe zum erstenmal hinab in die unausdenkbaren Tiefen des irdischen Gefühls.

Erst wogte seine Stimme nur körperlos im Raum, unklarer Qualm der Erregung, unsichere Andeutung geheimen Geschehens, und doch fühlte man gerade an dieser mühsamen Beherrschung der Leidenschaft ihre kommende Gewalt, so wie man an gewissen gewaltsam verlangsamten Takten, die einem jagenden Rhythmus vorausgehen, das Furioso schon in den Nerven voraus spürt. Dann aber begannen die Bilder aufzuflackern, vom innern Sturm der Leidenschaft zuckend emporgerissen und allmählich erst sich erhellend. Einen Knaben sah ich zuerst, einen scheuen, in sich geduckten Knaben, der kein Wort zu den Kameraden wagt, den aber ein wirres, körperlich-forderndes Verlangen gerade den Schönsten der Schule leidenschaftlich zudrängt. Doch mit erbittertem Rückstoß hat der eine ihn bei allzu zärtlicher Annäherung von sich weggejagt, ein zweiter ihn mit gräßlich deutlichem Wort verspottet, und ärger noch: beide haben sie das abwegige Gelüst den andern verprangert. Und sofort schließt eine einhellige Feme von Hohn und Erniedrigung den Verwirrten wie einen Aussätzigen von ihrer heitern Gemeinschaft aus. Täglicher Kreuzgang wird der Weg zur Schule, und die Nächte von Selbstekel dem früh Gezeichneten verstört: als Wahnwitz und entehrendes Laster empfindet der Ausgestoßene sein abwegiges und doch vorerst nur in Träumen verdeutlichtes Gelüst.

Unsicher schwankt die erzählende Stimme: einen Augenblick ists, als wollte sie verlöschen im Dunkel. Aber ein Seufzer stößt sie wieder empor, und aus dem düstern Qualm flackern nun neue Bilder, schattenhaft und gespenstisch gereiht. Der Knabe ist Student in Berlin geworden, zum erstenmal gewährt ihm die untergründige Stadt Erfüllung der langbeherrschten Neigung, aber wie beschmutzt sind sie von Ekel, wie vergiftet von Angst, diese zwinkernden Begegnungen an dunklen Straßenekken, im Schatten von Bahnhöfen und Brücken, wie arm in ihrer zuckenden Lust und wie grauenhaft durch Gefahr, meist erbärmlich in Erpressungen endend und jede noch wochenlang eine schleimige Schneckenspur kalter Furcht hinter sich ziehend! Höllenwege zwischen Schatten und Licht: indes am hellen arbeitsamen Tag das kristallene Element des Geistigen den Forschenden durchläutert, stößt der Abend immer wieder den Leidenschaftlichen in den Abhub der Vorstädte hinab, in die Gemeinschaft fragwürdiger, vor der Pickelhaube jedes Schutzmannes wegflüchtender Gesellen, in dünstige Bierkeller, deren mißtrauische Tür nur einem gewissen Lächeln sich auftut. Und eisern muß der Wille sich straffen, diese Doppelschichtigkeit des täglichen Lebens vorsichtig zu verbergen, das medusische Geheimnis fremdem Blick zu verhüllen, tagsüber die ernst-würdehafte Haltung eines Dozenten untadelig bewahrend, um dann nachts die Unterwelt jener verschämten, im Schatten flackernder Laternen geschlossenen Abenteuer ungekannt zu durchwandern. Immer wieder spannt sich der Gequälte auf, mit der Peitsche der Selbstbeherrschung die von gewohnter Bahn ausbrechende Leidenschaft in die Hürde zurückzutreiben, immer wieder reißt ihn der Trieb zum Dunkel-Gefährlichen hin. Zehn, zwölf, fünfzehn Jahre nervenzerreißenden Ringens wider die unsichtbar magnetische Kraft unheilbarer Neigung spannen sich wie ein einziger Krampf. Genießen ohne Genuß, würgende Scham und allmählich der verdunkelte, in sich scheu verborgene Blick der Furcht vor der eigenen Leidenschaft.

Endlich, spät schon, nach dem dreißigsten Lebensjahr, ein gewaltsamer Versuch, das Gespann auf die rechte Bahn zu reißen. Bei einer Verwandten lernt er seine spätere Frau kennen, ein junges Mädchen, die vom Geheimnisvollen seines Wesens unklar angezogen, ihm aufrichtige Neigung entgegenbringt. Und zum erstenmal vermag dieser knabenhafte Körper und ihr jugendhaft übermütiges Gebaren seine Leidenschaft für kurze Zeit zu täuschen. Ein flüchtiges Verhältnis bezwingt den Widerstand gegen das Weibliche, zum erstenmal ist er überwunden, und in der Hoffnung, dank dieser geraden Beziehung Herr seiner fehlgängerischen Neigung zu werden, ungeduldig, sich festzuketten, wo er erstmalig Halt gegen dies innere Zeichen ins Gefährliche gefunden, heiratet er rasch – nach vorherigem freiem Geständnis – das junge Mädchen. Nun meint er den Rückweg in die schreckhaften Zonen versperrt. Ein paar knappe Wochen lassen ihn sorglos sein; aber bald erweist sich der neue Reiz als wirkungslos, das urtümliche Verlangen wieder eigensinnig übermächtig. Und von nun ab dient die enttäuschende Enttäuschte nur mehr als Attrappe, um gesellschaftlich die rückfälligen Neigungen zu maskieren. Wieder geht der Weg halsbrecherisch am Rand des Gesetzes und der Gesellschaft hinab ins Dunkel der Gefährlichkeiten.

Und besondere Qual zu der inneren Verwirrung: eine Stellung ist ihm ausersehen, wo solche Neigung zum Fluche wird. Dem Dozenten und bald darauf dem wohlbestallten Professor wird der ständige Umgang mit jungen Menschen amtliche Pflicht, immer wieder schiebt ihm die Versuchung atemnah neue Blüte der Jugend her, Epheben eines unsichtbaren Gymnasions innerhalb der preußischen Paragraphenwelt. Und alle – neuer Fluch! neue Gefährdung! – lieben ihn leidenschaftlich, ohne das Antlitz des Eros hinter der Maske des Lehrenden zu erkennen, sind sie beglückt, wenn jovial seine Hand (die heimlich erzitternde) sie anstreift, sie verschwenden ihre Begeisterung an einen, der ständig wider sie sich bemeistern muß. Qualen des Tantalus: hart zu sein gegen zudrängende Neigung, unablässig mit der eigenen Schwäche in nie endendem Kampf! Und immer, wenn er einer Versuchung sich fast erliegen fühlte, dann ergriff er plötzlich die Flucht. Das waren jene Eskapaden, deren blitzhaftes Kommen und Wiederkommen mich damals so verwirrt: nun sah ich in den grausigen Weg dieser Flucht vor sich selbst, Flucht in das Grauen der Winkelwege und Abgründe. Er reiste dann immer in eine Großstadt, wo er an abseitiger Stelle Vertraute fand, Menschen niederen Standes, deren Begegnung beschmutzte, hurenhafte Jugend statt der heilig hingegebenen, aber dieser Ekel, dieser Sumpf, diese Widrigkeit, diese giftige Beize der Enttäuschung tat ihm not, um dann daheim, im vertrauend gescharten Kreise der Studenten seiner Sinne wieder standhaft gewiß zu sein. Oh, was für Begegnungen – welche gespenstische und doch stinkend irdische Gestalten, die sein Geständnis mir beschwor! Denn dieser hohe geistige Mann, dem Schönheit der Formen ureingeboren und atemhaft notwendig war, dieser lautere Meister aller Gefühle, er mußte den letzten Erniedrigungen der Erde begegnen in jenen rauchigen, verschwelten Kaschemmen, die nur Eingeweihte einlassen: er kannte die frechen Forderungen geschminkter Promenadejungen, die süßliche Vertraulichkeit parfümierter Friseurgehilfen, das erregte Kichern der Transvestiten aus ihren Weiberröcken, die rabiate Geldgier vazierender Schauspieler, die plumpe Zärtlichkeit tabakkauender Matrosen – alle diese verkrümmten, verängstigten, verkehrten und phantastischen Formen, in denen das fehlwandernde Geschlecht sich am untersten Rande der Städte sucht und erkennt. Alle Erniedrigungen, alle Schmach und Gewaltsamkeit waren ihm auf diesen glitschigen Wegen begegnet: mehrmals war er vollkommen ausgestohlen worden (zu schwach, zu edel, sich mit einem Reitknecht zu balgen), ohne Uhr, ohne Mantel, und dazu noch ausgehöhnt von dem betrunkenen Kameraden jenes üblen Vorstadthotels heimgekehrt. Erpresser hatten sich an seine Fersen geheftet, Schritt für Schritt hatte ihn einer monatelang bis in die Universität verfolgt, frech sich in die erste Bank seiner Hörer gesetzt und dann mit schuftigem Lächeln zu dem stadtbekannten Professor aufgesehen, der, zitternd unter seinem vertraulichen Augenzwinkern, das Kolleg nur mit letzter Mühe vorwürgte. Einmal – das Herz stand mir still, da er auch dieses mir beichtete – war er mitternachts in Berlin mit einem ganzen Klüngel in einer anrüchigen Bar von der Polizei ausgehoben worden; mit jenem bauchblähenden höhnischen Lächeln des Subalternen, der sich einmal aufspielen kann über einen Intellektuellen, notierte ein feister, rotbackiger Wachtmeister des Zitternden Namen und Stand, schließlich ihm gnädig bedeutend, für diesmal sei er noch straflos entlassen, doch bleibe von nun ab sein Name auf der gewissen Liste. Und wie an eines Menschen Gewand, der lange in fuseligen Stuben gesessen, schließlich jener Geruch fühlbar anhaftet, so mußte allmählich hier in der eigenen Stadt, an irgendeiner unerfindlichen Stelle beginnend, schon munkelndes Gerede durchgesickert sein, denn genau wie damals in der Schulklasse, frostete jetzt im Kreise der Kollegen immer ostentativer Rede und Gruß, bis auch hier schließlich jener gläserne, durchsichtige Raum von Fremdheit den immer Einsamen von allen absonderte. Und in all seiner Verborgenheit im siebenfach verschlossenen Haus fühlte er sich noch immer bespäht und erkannt.

Nie aber war diesem gequälten, verängstigten Herzen die Gnade des reinen Freundes, des Edelgesinnten widerfahren, würdige Erwiderung männlich-übermächtiger Zärtlichkeit: immer mußte er sein Gefühl zerteilen in ein Unten und Oben, in den zart sehnsüchtigen Verkehr mit den jungen geistigen Gefährten der Universität und jenen im Dunkel geworbenen Genossen, deren er morgens sich nur mehr schauernd besann. Nie hatte dem schon Alternden das Erlebnis einer reinen Zuneigung, der seelenvollen eines Jünglings, sich geschenkt, und matt von Enttäuschung, die Nerven zermürbt von dieser Dornenjagd im Dickicht, hatte der Resignierte schon sich verschüttet gemeint – da trat noch einmal ein junger Mensch in sein Leben, leidenschaftlich auf ihn, den Gealterten, zu, brachte mit seinem Wort, seinem Wesen opferfreudig sich selber dar, ihm zuglühend, dem ahnungslos Übermannten, der erschreckt vor nicht mehr erhofftem Wunder stand, nicht mehr sich würdig fühlend so reinen, so unbewußt dargebotenen Geschenks. Noch einmal war ein Bote der Jugend gekommen, schöne Gestalt und leidenschaftlicher Sinn, glühend für ihn in geistigem Feuer, zärtlich an ihn gebunden durch sympathetisches Band, dürstend nach seiner Neigung und ohne Gefühl ihrer Gefahr. Die Fackel des Eros in der unwissenden Seele, kühn und ahnungslos wie Parzival, der Tor, beugte er sich nah über die vergiftete Wunde, unkund des Zaubers und daß schon sein Kommen die Heilung trug – der Langerwartete eines Lebens, zu spät, in der letzten sinkenden Abendstunde trat er ins Haus.

Und mit dieser geschilderten Gestalt stieg auch die Stimme aus dem Dunkel. Ein Helles schien sie zu durchläutern, eine tiefe mitschwingende Zärtlichkeit gab ihr Musik, da dieser sprachmächtige Mund von diesem jungen Menschen sprach, dem Spätgeliebten. Ich zitterte mit vor Erregung und mitfühlender Beglückung, aber plötzlich – da schlug es mir wie ein Hammer aufs Herz. Denn dieser junge glühende Mensch, von dem mein Lehrer sprach, das war ja – ... das war ja ... – Scham fuhr mir über die Wangen ... das war ja ich selbst: wie aus brennendem Spiegel sah ich mich vortreten, gehüllt in einen solchen Glanz ungeahnter Liebe, daß ihr Widerschein mich noch versengte. Ja, das war ich – immer näher erkannte ich mich, meine andrängende, begeisterte Art, dies fanatische Ihm-nahe-sein-Wollen, die begehrliche Ekstase, der ein Geistiges nicht genügte, mich, den törichten, wilden Jungen, der unkund seiner Macht den quellenden Samen des Schöpferischen noch einmal in dem Verschlossenen erweckt, noch einmal die schon müd hingesunkene Fackel des Eros in seiner Seele entzündet. Staunend erkannte ichs nun, was ich, der Schüchterne, ihm bedeutet, dessen zudrängenden Überschwang er als heiligste Überraschung seines Alters liebte – und schauernd erkannte ich zugleich, wie übermächtig hier sein

Wille mir entgegengerungen: denn gerade von mir, dem rein Geliebten, wollte er nicht Hohn- und Rückstoß, den Schauer beleidigter Leiblichkeit erfahren, gerade diese letzte Gnade unwilligen Geschicks nicht den Sinnen zum lusthaften Spiele geben. Darum setzte er meinem Zudrängen so erbitterten Widerstand entgegen, scheuchte mein flutendes Gefühl mit jähem Guß eiskalter Ironie, spitzte das weichflutende Freundeswort zu konventioneller Härte, bändigte die zärtlich umfassende Hand – nur um meinetwillen erzwang er von sich all die Schroffheiten, die mich ernüchtern sollten und ihn bewahren, und die mir durch Wochen die Seele verstörten. Grauenhaft klar ward mir nun das wüste Wirrsal jener Nacht, da er, Traumwandler seiner übermächtigen Sinne, die knirschende Treppe emporgestiegen, um dann mit jenem beleidigenden Wort sich selbst und unsere Freundschaft zu retten. Und schauernd, ergriffen, erregt wie im Fieber, zergehend in Mitleid, verstand ich, wie sehr er um meinetwillen gelitten, wie heldisch er sich um meinetwillen bemeistert.

Diese Stimme im Dunkel, diese Stimme im Dunkel, wie fühlte ich sie eindringen bis in das innerste Gebälk meiner Brust! Es war ein Ton in ihr, wie ich ihn nie vordem vernommen, nie vordem, nie nachdem – ein Ton aus Tiefen, die mittleres Schicksal nie ertastet. So sprach ein Mensch nur einmal in seinem Leben zu einem Menschen, um dann für immer zu schweigen, so wie in der Sage vom Schwane gesagt ist, daß er bloß sterbend ein einziges Mal die rauhe Stimme aufheben könne zum Gesang. Und ich nahm diese heiß vorstoßende, diese glühend eindringliche Stimme in mich auf, schauernd und schmerzhaft, wie ein Weib den Mann in sich empfängt ...

Und mit einemmal schwieg diese Stimme, und es war nur noch Dunkel zwischen uns. Ich wußte ihn nah. Nur die Hand mußte ich heben, und die ausgestreckte rührte ihn an. Und mächtig drangs aus mir, dem Leidenden tröstlich zu sein.

Aber da machte der eine Bewegung. Licht zuckte auf. Müde, alt, verquält raffte vom Sessel eine Gestalt sich empor – ein alter, ein erschöpfter Mann ging langsam auf mich zu. »Leb wohl, Roland . . . jetzt kein Wort mehr zwischen uns! Es war gut, daß du gekommen bist . . . und es ist gut für uns beide, daß du gehst . . . Lebe wohl . . . Und laß . . . dich küssen zum Abschied!«

Wie von magischer Macht gerissen, schwankte ich ihm entgegen. Jenes schwelende, sonst wie von wirrem Rauch niedergehaltene Licht glomm jetzt offen in seinen Augen: brennende Flamme schlug aus ihnen hoch. Er zog mich nahe, seine Lippen preßten durstig die meinen, nervig, in einem zuckenden Krampf drängte er meinen Körper an sich.

Es war ein Kuß, wie ich ihn nie von einer Frau empfing, ein Kuß, wild und verzweifelt wie ein Todesschrei. Der zitternde Krampf seines Leibes ging in mich über. Ich schauerte von einem fremd-furchtbaren Empfinden zwiefältig gefaßt – hingegeben mit meiner Seele und doch zutiefst erschreckt von einem widrigen Wehren des männlich berührten Körpers – unheimliche Verwirrung des Gefühls, die mir verpreßte Sekunde zu betäubender Dauer zerdehnend.

Da ließ er mich los – es war ein Ruck, als risse gewaltsam ein Leib auseinander –, wandte sich mühsam um und warf sich in den Sessel, den Rücken mir zugewandt: ganz starr lehnte er einige Minuten vor sich ins Leere. Allmählich aber ward ihm der Kopf zu schwer, er beugte sich erst müder und matter, dann aber, so wie ein Übergewicht, ein lange schwankendes, plötzlich zur Tiefe

stürzt, fiel mit einem dumpfen trockenen Ton die gebeugte Stirn schwer über den Schreibtisch hin.

Unendlich durchwogte mich Mitleid. Unwillkürlich
trat ich nah. Aber da krampfte sich plötzlich der einge-
stürzte Rücken noch einmal auf, und sich rückwendend,
heiser und dumpf aus der Höhle seiner verklammerten
Hände stöhnte er drohend: »Weg! ... weg! ... Nicht! ...
nicht nahekommen! ... um Gottes willen ... um unser
beider willen ... geh jetzt ... geh!«

Ich verstand. Und schaudernd trat ich zurück: wie ein
Flüchtender verließ ich den geliebten Raum.

Nie wieder habe ich ihn gesehen. Nie einen Brief empfangen oder eine Botschaft. Sein Werk ist nie erschienen,
sein Name vergessen; niemand weiß mehr um ihn als ich
allein. Aber noch heute, wie einstmals der ungewisse
Knabe, fühl ich: Vater und Mutter vor ihm, Frau und
Kinder nach ihm, keinem danke ich mehr. Keinen habe
ich mehr geliebt.

Angst

Als Frau Irene die Treppe von der Wohnung ihres Geliebten hinabstieg, packte sie mit einem Male wieder jene
sinnlose Angst. Ein schwarzer Kreisel surrte plötzlich
vor ihren Augen, die Knie froren zu entsetzlicher Starre,
und hastig mußte sie sich am Geländer festhalten, um
nicht jählings nach vorne zu fallen. Es war nicht das erstemal, daß sie den gefahrvollen Besuch wagte, dieser
jähe Schauer ihr keineswegs fremd, immer unterlag sie
trotz aller innerlichen Gegenwehr bei jeder Heimkehr
solchen grundlosen Anfällen unsinniger und lächerlicher
Angst. Der Weg zum Rendezvous war unbedenklich
leichter. Da ließ sie den Wagen an der Straßenecke halten,
lief hastig und ohne aufzuschauen die wenigen Schritte
bis zum Haustor und dann die Stufen eilend empor,
wußte sie doch, er warte schon innen auf sie hinter der
rasch geöffneten Tür, und diese erste Angst, in der doch
auch Ungeduld brannte, zerfloß heiß in einer grüßenden
Umarmung. Aber dann, wenn sie heim wollte, stieg es
fröstelnd auf, dies andere geheimnisvolle Grauen, nun
wirr gemengt mit dem Schauer der Schuld und jenem
törichten Wahn, jeder fremde Blick auf der Straße vermöchte ihr abzulesen, woher sie käme, und mit frechem
Lächeln ihre Verwirrung erwidern. Noch die letzten Minuten in seiner Nähe waren schon vergiftet von der steigenden Unruhe dieses Vorgefühls; im Fortwollen zitterten ihre Hände vor nervöser Eile, zerstreut fing sie seine
Worte auf und wehrte hastig den Nachzüglern seiner Leidenschaft; fort, nur fort wollte dann immer schon alles in

ihr, aus seiner Wohnung, seinem Haus, aus dem Abenteuer in ihre ruhige bürgerliche Welt zurück. Kaum wagte sie in den Spiegel zu schauen, aus Furcht vor dem
Mißtrauen im eigenen Blick, und doch war es nötig zu
prüfen, ob nichts an ihrer Kleidung die Leidenschaft der
Stunde durch Verwirrung verriete. Dann kamen noch
jene letzten, vergeblich beruhigenden Worte, die sie vor
Aufregung kaum hörte, und jene horchende Sekunde
hinter der bergenden Tür, ob niemand die Treppe hinauf
und hinab ginge. Draußen aber stand schon die Angst,
ungeduldig sie anzufassen, und hemmte ihr so herrisch
den Herzschlag, daß sie immer schon atemlos die wenigen Stufen niederstieg, bis sie die nervös zusammenge-
raffte Kraft versagen fühlte.

Eine Minute stand sie so mit geschlossenen Augen und
atmete die dämmerige Kühle des Treppenhauses gierig
ein. Da fiel von einem oberen Stockwerk eine Tür ins
Schloß, erschreckt raffte sie sich zusammen und hastete,
indes ihre Hände unwillkürlich den dichten Schleier noch
fester zusammenrafften, die Stufen hinab. Jetzt drohte
noch jener letzte furchtbarste Moment, das Grauen, aus
fremdem Haustor auf die Straße zu treten und vielleicht
in die vordringliche Frage eines vorübergehenden Bekannten hinein, woher sie käme, in die Verwirrung und
Gefahr einer Lüge: sie senkte den Kopf wie ein Springer
beim Anlauf und eilte mit jähem Entschluß gegen das
halboffene Tor.

Da stieß sie hart mit einer Frauensperson zusammen,
die offenbar eben eintreten wollte. »Pardon«, sagte sie
verlegen und mühte sich, rasch an ihr vorbeizukommen.
Aber die Person sperrte ihr breit die Tür und starrte sie
zornig und zugleich mit unverstelltem Hohn an. »Daß
ich Sie nur einmal erwische!« schrie sie ganz unbekümmert mit einer derben Stimme. »Natürlich, eine anständige Frau, eine sogenannte! Das hat nicht genug an einem

Mann und dem vielen Geld und an allem, das muß noch einem armen Mädel ihren Geliebten abspenstig machen ...«

»Um Gottes willen ... was haben Sie ... Sie irren sich ...«, stammelte Frau Irene und machte einen linkischen Versuch durchzuwischen, aber die Person pfropfte ihren massigen Körper breit in die Tür und keifte ihr grell entgegen: »Nein, ich irre mich nicht ... ich kenne Sie ... Sie kommen von Eduard, meinem Freund ... Jetzt habe ich Sie endlich einmal erwischt, jetzt weiß ich, warum er so wenig Zeit für mich in der letzten Zeit hat ... Wegen Ihnen also ... Sie gemeine ...!«

»Um Gottes willen«, unterbrach sie Frau Irene mit erlöschender Stimme, »schreien Sie doch nicht so«, und trat unwillkürlich in den Hausflur wieder zurück. Die Frau sah sie höhnisch an. Diese schlotternde Angst, diese sichtliche Hilflosigkeit schien ihr irgendwie wohlzutun, denn mit einem selbstbewußten und spöttisch zufriedenen Lächeln musterte sie jetzt ihr Opfer. Ihre Stimme wurde vor gemeinem Wohlbehagen ganz breit und beinahe behäbig.

»So sehen sie also aus, diese verheirateten Damen, die nobeln, vornehmen Damen, wenn sie einem die Männer stehlen gehen. Verschleiert, natürlich verschleiert, damit man nachher überall die anständige Frau spielen kann ...«

»Was ... was wollen Sie denn von mir? ... Ich kenne Sie ja gar nicht ... Ich muß fort ...«

»Fort ... ja natürlich ... zum Herrn Gemahl ... in die warme Stube, die vornehme Dame spielen und sich auskleiden lassen von den Dienstboten ... Aber was unsereiner treibt, ob das krepiert vor Hunger, das schert ja so eine vornehme Dame nicht ... So einer stehlen sie auch das letzte, diese anständigen Frauen ...«

Irene gab sich einen Ruck und griff, einer vagen Eingebung gehorchend, in ihr Portemonnaie und faßte, was ihr gerade an Banknoten in die Hand kam. »Da ... da haben Sie ... aber lassen Sie mich jetzt ... Ich komme nie mehr her ... ich schwöre es Ihnen.«

Mit einem bösen Blick nahm die Person das Geld. »Luder«, murmelte sie dabei. Frau Irene zuckte unter dem Wort zusammen, aber sie sah, daß die andere ihr die Tür freigab und stürzte hinaus, dumpf und atemlos, wie ein Selbstmörder vom Turm. Sie spürte Gesichter als verzerrte Fratzen vorbeigleiten, wie sie vorwärts lief, und rang sich mühsam mit schon verdunkeltem Blick durch bis zu einem Automobil, das an der Ecke stand. Wie eine Masse warf sie ihren Körper in die Kissen, dann wurde alles in ihr starr und regunglos, und als der Chauffeur endlich verwundert den sonderbaren Fahrgast fragte, wohin der Weg ginge, starrte sie ihn einen Augenblick ganz leer an, bis ihr benommenes Gehirn seine Worte schließlich erfaßte. »Zum Südbahnhof«, stieß sie dann hastig heraus und, plötzlich vom Gedanken erfaßt, die Person könnte ihr folgen, »rasch, rasch, fahren Sie schnell!«

In der Fahrt erst spürte sie, wie sehr diese Begegnung sie ins Herz getroffen hatte. Sie tastete ihre Hände an, die erstarrt und kalt wie abgestorbene Dinge an ihrem Körper niederhingen, und begann mit einem Male so zu zittern, daß es sie schüttelte. In der Kehle klomm etwas Bitteres empor, sie spürte Brechreiz und zugleich eine sinnlose, dumpfe Wut, die wie ein Krampf das Innere ihrer Brust herauswühlen wollte. Am liebsten hätte sie geschrien oder mit den Fäusten getobt, sich freizumachen von dem Grauen dieser Erinnerung, die fest wie ein Angelhaken in ihrem Gehirn saß, dieses wüste Gesicht mit seinem höhnischen Lachen, dieser Dunst von Gemeinheit, der aufstieg vom schlechten Atem der Proletarierin, dieser wüste Mund, der voll Haß ihr hart bis ins Gesicht die niedrigen Worte gespien, und die gehobene rote Faust, mit der sie ihr gedroht hatte. Immer stärker wurde das Übelkeitsgefühl, immer höher klomm es in die Kehle, dazu schleuderte der rasch rollende Wagen hin und her, und eben wollte sie dem Chauffeur bedeuten, langsamer zu fahren, als ihr noch rechtzeitig einfiel, sie hätte vielleicht nicht mehr genug Geld bei sich, ihn zu bezahlen, da sie doch alle Banknoten an diese Erpresserin gegeben. Hastig gab sie das Signal zum Halten und stieg zu neuerlicher Verwunderung des Chauffeurs plötzlich aus. Glücklicherweise reichte der Rest ihres Geldes. Aber dann fand sie sich in einen fremden Bezirk verschlagen, in einem Geschiebe geschäftiger Menschen, die ihr physisch weh taten mit jedem Wort und jedem Blick. Dabei waren ihre Knie wie aufgeweicht von der Angst und trugen unwillig die Schritte vorwärts, aber sie mußte heim, und alle Energie zusammenraffend, stieß sie sich von Gasse zu Gasse fort mit einer übermenschlichen Anstrengung, als ob sie durch einen Morast watete oder knietiefen Schnee. Endlich kam sie zu ihrem Hause und stürzte mit einer nervösen Hast, die sie aber sofort wieder mäßigte, um nicht durch ihre Unruhe aufzufallen, die Treppe hinauf.

Jetzt erst, da ihr das Dienstmädchen den Mantel abnahm, sie nebenan ihren kleinen Knaben mit der jüngeren Schwester laut spielen hörte und der beruhigte Blick überall Eigenes faßte, Eigentum und Geborgenheit, gewann sie wieder einen äußeren Schein von der Gefaßtheit zurück, indes unterirdisch die Woge der Erregung noch schmerzhaft die gespannte Brust durchrollte. Sie nahm den Schleier ab, glättete mit dem starken Willen, arglos zu scheinen, ihr Gesicht und trat in das Speisezimmer, wo ihr Mann bei dem abendlich gedeckten Tisch die Zeitung las.

»Spät, spät, liebe Irene«, grüßte er mit sanftem Vorwurf, stand auf und küßte sie auf die Wange, was ihr unwillkürlich ein peinliches Gefühl der Scham erweckte. Sie setzten sich zu Tische, und gleichgültig, kaum von der Zeitung weg, fragte er: »Wo warst du so lange?«

»Ich war ... bei ... bei Amélie ... sie mußte da noch etwas besorgen ... und ich ging mit«, ergänzte sie und schon zornig über die eigene Unbedachtsamkeit, so schlecht gelogen zu haben. Sonst rüstete sie immer im voraus eine sorgfältig ausgeklügelte, allen Möglichkeiten der Überprüfung trotzende Lüge, heute aber hatte die Angst sie daran vergessen lassen und zu einer so ungeschickten Improvisation gezwungen. Wenn, fuhr es ihr durch den Sinn, ihr Mann, wie jüngst in dem Stück, das sie im Theater sahen, hintelefonierte und sich erkundigte ...

»Was hast du denn? ... Du scheinst mir so nervös ... und warum nimmst du denn den Hut nicht ab?« fragte ihr Mann. Sie schrak zusammen, als sie sich neuerdings in ihrer Verlegenheit ertappt fühlte, stand eilig auf, ging in ihr Zimmer, den Hut abzunehmen, und sah dabei im Spiegel ihr unruhiges Auge so lange an, bis der Blick ihr wieder sicher und fest schien. Dann kehrte sie in das Speisezimmer zurück.

Das Mädchen kam mit der Abendmahlzeit, und es wurde ein Abend wie alle anderen, vielleicht etwas mehr wortkarg und weniger gesellig als sonst, ein Abend mit einem armen, müden, oft hinstolpernden Gespräch. Ihre Gedanken wanderten den Weg unablässig zurück und schraken immer entsetzt empor, wenn sie zu jener Minute kamen, in die grauenhafte Nähe der Erpresserin: dann hob sie immer den Blick, um sich geborgen zu fühlen, griff Ding um Ding der beseelten Nähe, jedes durch Erinnerung und Bedeutung in die Zimmer gestellt, zärtlich an, und eine leichte Beruhigung kehrte in sie zurück.

Und die Wanduhr, gemächlich mit ihrem stählernen Schritt das Schweigen durchschreitend, gab ihrem Herzen unmerklich wieder etwas von seinem gleichmäßigen, sorglos-sicheren Takt.

Am nächsten Morgen, als ihr Mann in seine Kanzlei, die Kinder spazierengegangen waren und sie endlich mit sich allein blieb, verlor im klaren Vormittagslicht jene schreckhafte Begegnung bei nachträglicher Überprüfung viel von ihrer Beängstigung. Frau Irene besann sich zunächst, daß ihr Schleier sehr dicht und es jener Person dadurch unmöglich gewesen war, die Züge ihres Gesichtes genau wahrzunehmen und wiedererkennen zu können. Ruhig erwog sie nun alle Maßnahmen der Vorbeugung. Auf keinen Fall würde sie ihren Geliebten nochmals in seiner Wohnung aufsuchen – und damit war wohl die eheste Möglichkeit eines solchen Überfalls beseitigt. Blieb also nur die Gefahr einer zufälligen Wiederbegegnung mit dieser Person, doch auch eine solche war unwahrscheinlich, denn nachgefolgt konnte sie ihr, die doch im Automobil geflüchtet war, nicht sein. Name und Wohnung waren ihr fremd und ein sonstiges zuverlässiges Erkennen nach dem undeutlichen Gesichtsbilde nicht zu befürchten. Aber auch für diesen äußersten Fall war Frau Irene gerüstet. Dann, nicht mehr im Schraubstock der Angst, würde sie einfach, so beschloß sie sofort, ruhige Haltung bewahren, alles ableugnen, kühl einen Irrtum behaupten und, da ein Beweis jenes Besuches anders als zur Stelle kaum zu erbringen war, diese Person eventuell der Erpressung bezichtigen. Nicht umsonst war Frau Irene die Gattin eines der bekanntesten Verteidiger der Residenz, sie wußte genug aus dessen Gesprächen mit Fachkollegen, daß Erpressungen nur sofort und durch größte Kaltblütigkeit gedrosselt werden könnten, weil jede Verzögerung, jeder Schein von Unruhe von seiten des Verfolgten die Überlegenheit seines Gegners nur steigert.

Die erste Gegenmaßregel war ein knapper Brief an ihren Geliebten, sie könne morgen zur vereinbarten Stunde nicht kommen, auch in den nächsten Tagen nicht. Beim Überlesen schien ihr das Billett, in dem sie zum erstenmal ihre Schrift verstellte, etwas frostig im Ton, und schon wollte sie die ungefälligen Worte durch intimere ersetzen, als die Erinnerung an die gestrige Begegnung plötzlich einen unterirdisch regen Groll, der unbewußt die Kälte der Zeilen verschuldet hatte, ihr erklärte. Ihr Stolz war gereizt durch jene peinliche Entdeckung, in der Gunst ihres Liebhabers eine so niedere und unwürdige Vorgängerin abgelöst zu haben, und mit gehässigerem Gefühl die Worte prüfend, freute sie sich nun rachsüchtig der kühlen Art, mit der sie ihr Kommen darin gewissermaßen in die Sphäre ihrer gütigen Laune erhob.

Sie hatte diesen jungen Menschen, einen Pianisten von Ruf, in einem freilich noch begrenzten Kreise, bei einer gelegentlichen Abendunterhaltung kennengelernt und war bald, ohne es recht zu wollen und beinahe ohne es zu begreifen, seine Geliebte geworden. Nichts in ihrem Blute hatte eigentlich nach dem seinen verlangt, nichts Sinnliches und kaum ein Geistiges sie seinem Körper verbunden: sie hatte sich ihm hingegeben, ohne seiner zu bedürfen oder ihn nur stark zu begehren, aus einer gewissen Trägheit des Widerstandes gegen seinen Willen und einer Art unruhigen Neugier. Nichts in ihr, weder ihr durch eheliches Glück voll befriedigtes Blut, noch das bei Frauen so häufige Gefühl, in ihren geistigen Interessen zu verkümmern, hatte ihr einen Liebhaber zum Bedürfnis gemacht, sie war vollkommen glücklich an der Seite eines begüterten, geistig ihr überlegenen Gatten, zweier Kinder, träge und zufrieden gebettet in ihrer behaglichen, breitbürgerlichen, windstillen Existenz. Aber es gibt eine

Schlaffheit der Atmosphäre, die ebenso sinnlich macht als Schwüle oder Sturm, eine Wohltemperiertheit des Glückes, die aufreizender ist als Unglück, und für viele Frauen durch ihre Wunschlosigkeit ebenso verhängnisvoll als eine dauernde Unbefriedigung durch Hoffnungslosigkeit. Sattheit reizt nicht minder wie Hunger, und das Gefahrlose, Gesicherte ihres Lebens gab ihr Neugier nach dem Abenteuer. Nirgends war Widerstand in ihrer Existenz. Überall griff sie ins Weiche, überall war Vorsorglichkeit, Zärtlichkeit, laue Liebe und häusliche Achtung hingebreitet, und ohne zu ahnen, daß diese Gemäßigtheit der Existenz niemals von äußeren Dingen bemessen wird, sondern immer nur Widerspiel einer inneren Beziehungslosigkeit ist, fühlte sie sich irgendwie um das wirkliche Leben durch diese Behaglichkeit betrogen.

Ihre dämmernden Mädchenträume von der großen Liebe und der Ekstase des Gefühls, eingeschläfert von den freundlichen Beruhigungen der ersten Ehejahre und dem spielhaften Reiz junger Mütterlichkeit, begannen jetzt, da sie sich dem dreißigsten Jahre näherte, wieder zu erwachen, und wie jede Frau maß sie sich innerlich die Fähigkeit zu großer Leidenschaft bei, ohne aber dem Willen zum Erleben den Mut beizugesellen, der das Abenteuer mit seinem wahrhaften Preis, der Gefahr, bezahlt. Als ihr nun in diesen Augenblicken einer Zufriedenheit, die sie selbst nicht zu steigern vermochte, dieser junge Mensch mit starkem, unverhehltem Begehren sich ihr näherte und, von der Romantik der Kunst umwittert, in ihre bürgerliche Welt trat, wo sonst die Männer nur mit lauen Späßen und kleinen Koketterien die »schöne Frau« in ihr respektvoll feierten, ohne je ernstlich das Weib in ihr zu begehren, fühlte sie sich zum erstenmal seit ihren Mädchentagen wieder in ihrem Innersten gereizt. An seinem Wesen hatte sie vielleicht nichts verlockt als ein

Schatten von Trauer, der über seinem etwas zu interessant arrangierten Gesicht lag und von dem sie nicht zu unterscheiden wußte, daß er eigentlich ebenso erlernt sei wie das Technische seiner Kunst und jene melancholisch verdüsterte Nachdenklichkeit, aus der er ein (längst vorausstudiertes) Impromptu erhob. In dieser Traurigkeit lag für sie, die sich von lauter satten und bürgerlichen Menschen umringt fühlte, eine Ahnung jener höheren Welt, die ihr farbig aus den Büchern entgegenblickte und romantisch in den Theaterstücken sich regte, und unwillkürlich beugte sie sich über den Rand ihrer täglichen Gefühle, um sie zu betrachten. Ein Kompliment, aus der Hingerissenheit der Sekunde, vielleicht etwas heißer als schicklich dargebracht, ließ ihn vom Klavier zu der Frau aufschauen, und schon dieser erste Blick griff nach ihr. Sie erschrak und fühlte gleichzeitig die Wollust aller Angst: ein Gespräch, in dem alles wie von unterirdischen Flammen durchleuchtet und erhitzt schien, beschäftigte und reizte ihre nun schon rege Neugier so sehr, daß sie einer neuerlichen Begegnung in einem öffentlichen Konzert nicht auswich. Sie sahen sich dann öfter, und bald nicht mehr durch Zufall. Der Ehrgeiz, daß sie, die ihrem musikalischen Urteil bisher wenig Wert zugemutet hatte und mit Recht ihrem künstlerischen Gefühl Bedeutung versagte, ihm, einem wirklichen Künstler, als Verstehende und Beratende viel bedeute, wie er ihr wiederholt versicherte, ließ sie wenige Wochen später voreilig seinem Vorschlage vertrauen, er wolle ihr und nur ihr allein sein neuestes Werk bei sich vorspielen – ein Versprechen, das in seiner Absicht vielleicht halb aufrichtig war, aber doch in Küssen und schließlich ihrer überraschten Hingabe unterging. Ihr erstes Gefühl war Erschrecken vor dieser unerwarteten Wendung ins Sinnliche, der geheimnisvolle Schauer, der diese Beziehung umwitterte, war jählings gebrochen, und das Schuldbewußtsein für diesen ungewollten Ehebruch wurde nur teilweise beruhigt durch die prickelnde Eitelkeit, zum erstenmal durch einen, wie sie glaubte, eigenen Entschluß die bürgerliche Welt, in der sie lebte, verneint zu haben. Den Schauer vor ihrer eigenen Schlechtigkeit, der sie in den ersten Tagen erschreckte, verwandelte ihre Eitelkeit so in gesteigerten Stolz. Aber auch diese geheimnisvollen Erregungen hatten ihre volle Spannung nur in den ersten Augenblicken. Ihr Instinkt wehrte sich unterirdisch gegen diesen Menschen und am meisten gegen das Neue in ihm, das Andersartige, das ihre Neugier eigentlich verlockt hatte. Die Extravaganz seiner Kleidung, das Zigeunerische seines Hausstandes, das Ungeregelte seiner finanziellen Existenz, die zwischen Verschwendung und Verlegenheit ewig pendelte, waren ihrem bourgeoisen Empfinden antipathisch; wie die meisten Frauen wollte sie den Künstler sehr romantisch von der Ferne und sehr gesittet im persönlichen Umgang, ein funkelndes Raubtier, aber hinter den Eisenstäben der Sitte. Die Leidenschaft, die sie an seinem Spiel berauschte, beunruhigte in seiner körperlichen Nähe, sie mochte eigentlich diese plötzlichen und herrischen Umarmungen nicht, deren eigenwillige Rücksichtslosigkeit sie unwillkürlich mit der nach Jahren noch scheuen und verehrungsvollen Glut ihres Mannes verglich. Aber nun sie einmal in die Untreue geraten war, kam sie wieder und wieder zu ihm, ohne beglückt, ohne enttäuscht zu sein, aus einem gewissen Gefühl der Verpflichtung und einer Trägheit der Gewöhnung. Sie war eine jener Frauen, die selbst unter den leichtsinnigen und sogar den Kokotten nicht selten sind, deren innere Bürgerlichkeit so stark ist, daß sie selbst in den Ehebruch eine Ordnung, in die Ausschweifung eine Art Häuslichkeit mitbringen und selbst das seltenste Gefühl mit geduldiger Maske in eine Alltäglichkeit zu verspinnen suchen. Nach wenigen Wochen schon paßte sie diesen jungen Menschen, ihren Geliebten, irgendwo säuberlich in ihr Leben ein, bestimmte ihm, so wie ihren Schwiegereltern, einen Tag in der Woche, aber sie gab mit dieser neuen Beziehung nichts von ihrer alten Ordnung auf, sondern legte nur gewissermaßen ihrem Leben etwas hinzu. Dieser Geliebte änderte bald gar nichts mehr am behaglichen Mechanismus ihrer Existenz, er wurde irgendein Zuwachs von temperiertem Glück, wie ein drittes Kind oder ein Automobil, und das Abenteuer schien ihr bald so banal wie der erlaubte Genuß.

Das erstemal nun, da sie das Abenteuer mit seinem wirklichen Preis, der Gefahr, bezahlen sollte, begann sie kleinlich auf seinen Wert zu berechnen. Vom Schicksal verwöhnt, verzärtelt von ihrer Familie, fast wunschlos gemacht durch günstige Vermögensverhältnisse, schien schon die erste Unbequemlichkeit ihrer Wehleidigkeit zu viel. Sie weigerte sich sofort, etwas von ihrer seelischen Sorglosigkeit herzugeben, und war eigentlich ohne Überlegung bereit, den Geliebten ihrer Gemächlichkeit zu opfern.

Die Antwort ihres Geliebten, ein aufgeschreckter, nervös hingestammelter Brief, noch am Nachmittag von einem Boten überbracht, ein Brief, der verstört flehte, klagte und anklagte, machte sie wieder unsicher in ihrem Entschluß, das Abenteuer zu enden, weil diese Gier ihrer Eitelkeit schmeichelte und sie durch seine ekstatische Verzweiflung entzückte. Ihr Geliebter bat sie in dringendsten Worten wenigstens um eine flüchtige Begegnung, damit er doch wenigstens seine Schuld aufklären könne, falls er sie durch irgend etwas unwissend verletzt haben sollte, und nun reizte sie das neue Spiel, weiter mit ihm zu schmollen und durch unmotiviertes Verweigern sich ihm noch kostbarer zu machen. Sie empfand sich jetzt inmitten einer Aufregung, und das tat ihr, wie allen innerlich kühlen Menschen, wohl, umbrandet zu sein von Leidenschaften und doch selbst nicht zu brennen. So bestellte sie ihn in eine Konditorei, von der sie sich plötzlich wieder erinnerte, dort als junges Mädchen ein Rendezvous mit einem Schauspieler gehabt zu haben, eines freilich, das ihr jetzt kindisch dünkte, in seiner Ehrerbietung und Sorglosigkeit. Seltsam, lächelte sie in sich hinein, daß die Romantik in ihrem Leben jetzt wieder aufzublühen begann, die in all den Jahren ihrer Ehe verkümmert war. Und beinahe war sie schon jener brüsken Begegnung mit der Weibsperson von gestern innerlich froh, bei der sie seit langem wieder ein wirkliches Gefühl so stark und stimulierend empfunden hatte, daß ihre sonst ganz leicht entspannten Nerven noch unterirdisch davon bebten.

Sie nahm diesmal ein dunkles, unauffälliges Kleid und einen anderen Hut, um bei der möglichen Begegnung die Erinnerung jener Person irrezumachen. Einen Schleier hatte sie schon bereit, um sich unkenntlicher zu machen, aber ein plötzlich aufsteigender Trotz ließ sie ihn beiseite legen. Sollte sie es denn nicht wagen dürfen, sie, eine geachtete, angesehene Frau, auf die Straße zu gehen, aus Angst vor irgendeiner Person, die sie gar nicht kannte? Und schon mengte sich der Furcht vor der Gefahr ein fremdartig lockender Reiz, eine kampfbereite, gefährlich prickelnde Lust, ähnlich der, mit den Fingern die kühle Schneide eines Dolches zu fühlen oder in die Mündung eines Revolvers zu schauen, in dessen schwarzer Hülse der Tod zusammengepreßt sitzt. In diesem Schauer des Abenteuers war etwas ihrem geborgenen Leben Ungewohntes, dem wieder nahe zu sein es sie spielhaft verlockte, eine Sensation, die ihre Nerven jetzt wundervoll spannte und elektrische Funken durch ihr Blut sprühte.

Ein flüchtiges Angstgefühl überflog sie nur in der ersten Sekunde, da sie die Straße betrat, ein nervöser Schauer von rieselnder Kälte, wie wenn man die Fußspitze prüfend ins Wasser taucht, ehe man sich der Welle voll hingibt. Aber eine Sekunde bloß flog diese Kühle durch sie hin, dann rauschte mit einemmal in ihr eine seltene Lebensfreude auf, die Lust, so leicht, stark und elastisch auszuschreiten, mit einem gespannten, gehobenen Schritt, den sie an sich selber nicht kannte. Fast leid war es ihr, daß die Konditorei so nahe lag, denn irgendein Wille trieb sie jetzt rhythmisch weiter fort in die geheimnisvoll magnetische Anziehung des Abenteuers. Aber die Stunde war knapp, die sie der Begegnung bestimmt hatte, und eine angenehme Sicherheit im Blut verhieß ihr, daß ihr Geliebter sie bereits erwartete. Er saß in einer Ecke, als sie eintrat, und sprang mit einer Erregung auf, die sie angenehm und peinlich zugleich berührte. Sie mußte ihn mahnen, die Stimme zu dämpfen, so heiß sprudelte er aus dem Tumult seiner inneren Erregtheit einen Wirbel von Fragen und Vorwürfen ihr entgegen. Ohne den wahrhaften Grund ihres Ausbleibens auch nur anzudeuten, spielte sie mit Andeutungen, die ihn durch ihre Unbestimmtheit noch mehr entzündeten. Für seine Wünsche blieb sie diesmal unnahbar und zögerte selbst mit Versprechungen, weil sie spürte, wie sehr dies geheimnisvoll plötzliche Entziehen und Versagen ihn aufreizte . . . Und als sie ihn nach einer halben Stunde heißen Gesprächs verließ, ohne ihm das mindeste an Zärtlichkeit gewährt oder auch nur verheißen zu haben, loderte sie innen von einem sehr seltsamen Gefühl, wie sie es nur als Mädchen gekannt hatte. Es war ihr, als glimme eine kleine, prickelnde Flamme tief unten und warte nur auf den Wind, der das Feuer aufpeitschte, daß es über ihrem Haupte zusammenschlage. Sie nahm jeden Blick, den ihr die Gasse zusprengte, hastig mit im Vorüberschreiten, und der unerwartete Erfolg vieler solcher männlicher Lockungen reizte ihre Neugier nach dem eigenen Gesicht so sehr, daß sie plötzlich vor dem Spiegel an der Auslage einer Blumenhandlung stehen blieb, um im Rahmen roter Rosen und tauglitzernder Veilchen ihre eigene Schönheit zu sehen. Funkelnd blickte sie sich an, leicht und jung, ein wollüstig halbgeöffneter Mund lächelte ihr von drüben Zufriedenheit zu, und beflügelt fühlte sie nun ihre Glieder im Weiterschreiten; ein Verlangen nach einer körperlichen Entkettung, nach Tanz oder Taumel löste den gewohnten gemächlichen Rhythmus aus ihren Schritten, und ungern hörte sie jetzt von der Michaelerkirche, an der sie vorbeieilte, die Stunde, die sie nach Hause rief, in ihre enge, ordentliche Welt. Seit ihren Mädchentagen hatte sie nie sich so leicht empfunden, nie so beseelt in allen Sinnen, nicht die ersten Tage der Ehe und nicht die Umarmungen ihres Geliebten hatten derart mit Funken ihren Leib gestachelt, und der Gedanke wurde ihr unerträglich, jetzt schon all diese seltene Leichtigkeit, diese süße Besessenheit des Blutes an geregelte Stunden zu verschwenden. Müde ging sie weiter. Vor dem Hause blieb sie noch einmal zögernd stehen, die feurige Luft, das Verwirrende dieser Stunde noch einmal mit geweiteter Brust in sich einzuatmen, sie tief bis ans Herz zu spüren, diese letzte verebbende Welle des Abenteuers.

Da rührte sie jemand an der Schulter. Sie wandte sich um. »Was . . . was wollen Sie denn schon wieder?« stammelte sie tödlich erschreckt, als sie plötzlich das verhaßte Gesicht sah, und erschrak noch mehr, sich selbst diese verhängnisvollen Worte sagen zu hören. Sie hatte sich doch vorgenommen, diese Frau nicht mehr zu erkennen, wenn sie ihr jemals wieder begegnen sollte, alles abzuleugnen, Stirn an Stirn der Erpresserin entgegenzutreten . . . Jetzt war es zu spät.

»Ich warte schon eine halbe Stunde hier auf Sie, Frau Wagner.«

Irene zuckte zusammen, als sie ihren Namen hörte. Die Person wußte ihren Namen, ihre Wohnung. Jetzt war alles verloren, sie ihr rettungslos ausgeliefert. Sie hatte Worte zwischen ihren Lippen, die sorgsam vorbereiteten und berechnenden Worte, aber ihre Zunge war gelähmt und ohne Kraft, einen Laut hervorzubringen.

»Eine halbe Stunde warte ich schon, Frau Wagner.«

Drohend wie einen Vorwurf wiederholte die Person ihre Worte.

»Was wollen Sie... was wollen Sie denn von mir...«

»Sie wissen schon, Frau Wagner« – Irene zuckte bei dem Namen wieder zusammen –, »Sie wissen ganz genau, warum ich komme.«

»Ich habe ihn nie mehr gesehen... lassen Sie mich jetzt... nie mehr werde ich ihn sehen... nie...«

Die Person wartete gemächlich, bis Irene in ihrer Erregung nicht mehr weiter konnte. Dann sagte sie barsch wie zu einem Untergebenen:

»Lügen Sie nicht! Ich bin Ihnen ja nachgegangen bis an die Konditorei«, und fügte, als sie Irene zurückweichen sah, noch höhnisch hinzu: »Ich habe ja keine Beschäftigung. Aus dem Geschäft haben sie mich entlassen, wegen Arbeitsmangels, wie sie sagen, und wegen der schlechten Zeiten. Na, das nützt man halt aus, und da geht unsereins auch ein bissl spaziern... ganz so wie die anständigen Frauen.«

Sie sagte das mit einer kalten Bosheit, die Irene ins Herz stach. Wehrlos fühlte sie sich gegen die nackte Brutalität dieser Gemeinheit, und immer wirbeliger faßte sie der Angstgedanke, die Person könnte jetzt wieder laut zu sprechen anfangen oder ihr Mann vorbeikommen, und dann wäre alles verloren. Rasch tastete sie in den Muff, riß ihre Silbertasche auf und holte alles Geld heraus, das ihr in die Finger kam. Mit Ekel stieß sie es ihr in die Hand, die sich schon langsam in sicherer Erwartung der Beute frech entgegenstreckte.

Aber diesmal sank die freche Hand, sobald sie das Geld

spürte, nicht wie damals demütig in sich zusammen, sondern blieb starr in der Luft schweben und offen wie eine Kralle.

»Geben S' mir doch auch die Silbertasche, damit ich das Geld nicht verlier'!« sagte dazu der höhnisch aufgeworfene Mund mit einem leisen, kollernden Lachen.

Irene blickte ihr in das Auge, aber nur eine Sekunde. Dieser freche, gemeine Hohn war nicht zu ertragen. Wie einen brennenden Schmerz spürte sie Ekel ihren ganzen Körper durchdringen. Nur fort, fort, nur dies Gesicht nicht mehr sehen! Abgewandt, mit rascher Bewegung streckte sie ihr die kostbare Tasche hin, dann lief sie, von Grauen gejagt, die Treppe empor.

Ihr Mann war noch nicht zu Hause, so konnte sie sich hinwerfen auf das Sofa. Regunglos, wie von einem Hammer getroffen, blieb sie liegen, nur durch die Finger sprang ein wildes Zucken und rüttelte den Arm bis zu den Schultern hinauf, aber nichts in ihrem Körper vermochte sich zu wehren gegen diese aufstürmende Gewalt des entfesselten Grauens. Erst als sie die Stimme ihres Mannes von draußen hörte, raffte sie sich mit äußerster Anstrengung auf und schleppte sich in das andere Zimmer mit automatischen Bewegungen und entseelten Sinnen.

Nun saß das Grauen bei ihr im Haus und rührte sich nicht aus den Zimmern. In den vielen leeren Stunden, die immer wieder Welle auf Welle die Bilder jener entsetzlichen Begegnung in ihr Gedächtnis zurückspülten, wurde ihr das Hoffnungslose ihrer Situation vollkommen klar. Die Person wußte – unbegreiflich war ihr, wie das geschehen konnte – ihren Namen, ihre Wohnung und würde, da ihre ersten Versuche so vortrefflich gelungen waren, nun unzweifelhaft kein Mittel scheuen, ihre Mitwisserschaft zu dauernder Erpressung nutzbar zu machen. Jahre und

Jahre lang würde sie wie ein Alp auf ihrem Leben lasten, nicht abzuschütteln, durch keine, auch die verzweifeltste Anstrengung, denn obzwar vermögend und die Gattin eines begüterten Mannes, war es Frau Irene doch nicht möglich, ohne ihren Gemahl zu verständigen, eine so bedeutende Summe aufzubringen, die sie ein für allemal von dieser Person befreite. Und außerdem – dies wußte sie aus zufälligen Erzählungen ihres Mannes und dessen Prozessen – waren doch Verträge und Versprechungen so abgefeimter und ehrloser Personen gänzlich unwertig. Einen Monat oder zwei vielleicht, so rechnete sie, war das Verhängnis noch fernzuhalten, dann mußte das künstliche Gebäude ihres häuslichen Glückes niederstürzen, und geringe Befriedigung bot die Gewißheit, daß sie die Erpresserin in ihren Sturz mitriß. Denn was waren sechs Monate Gefängnis für jene gewiß liederliche und wohl schon abgestrafte Person im Vergleich gegen die Existenz, die sie selber verlor und von der sie entsetzt fühlte, daß sie ihre einzig mögliche sei. Eine neue anzufangen, entehrt und bemakelt, schien ihr, die vom Leben sich bisher nur immer hatte beschenken lassen und keinen Teil ihres Schicksals selbst gezimmert, unfaßbar, und dann, ihre Kinder waren ja hier, ihr Mann, ihr Heim, all diese Dinge, von denen sie jetzt erst, da sie sie verlieren sollte, spürte, wie sehr sie Teil und Wesen ihres inneren Lebens waren. All das, woran sie früher nur mit dem bloßen Kleid gestreift war, empfand sie mit einem Mal entsetzlich notwendig, und der Gedanke schien ihr manchmal unfaßbar, ja traumhaft unwirklich, daß eine fremde Vagabundin, die irgendwo auf der Straße lauerte, die Macht haben sollte, diesen warmen Zusammenhalt mit einem einzigen Wort zu sprengen.

Unabwendbar war, das spürte sie jetzt mit entsetzlicher Gewißheit, das Verhängnis, unmöglich ein Entkommen. Aber was . . . was würde geschehen? Von Morgen bis Abend rüttelte sie an der Frage. Eines Tages würde ein Brief an ihren Mann kommen, sie sah ihn schon eintreten, blaß mit finsterem Blick, sie beim Arme fassen, sie fragen ... Aber dann ... was würde dann geschehen? Was würde er tun? Hier verloschen die Bilder plötzlich im Dunkel einer wirren und grausamen Angst. Sie wußte nicht weiter, und ihre Vermutungen stürzten schwindlig ins Bodenlose. Eines wurde aber ihr in diesem brütenden Sinnen grauenhaft bewußt, wie ungenau sie eigentlich ihren Mann kannte, wie wenig sie seine Entschließungen im voraus zu berechnen vermochte. Sie hatte ihn auf die Anregung ihrer Eltern hin, aber ohne Widerstand und mit einer angenehmen, durch die späteren Jahre nicht enttäuschten Sympathie geheiratet und nun acht Jahre behaglichen, stillpendelnden Glücks an seiner Seite gelebt, hatte Kinder von ihm, ein Heim und zahllose Stunden körperlicher Gemeinschaft, aber jetzt erst, da sie sich nach seinem möglichen Verhalten fragte, wurde ihr klar, wie fremd und unbekannt er ihr geblieben war. Sie entdeckte in den fieberhaften Rückblicken, mit denen sie die letzten Jahre gleich gespenstischen Scheinwerfern absuchte, daß sie nie nach seinem wirklichen Wesen geforscht hatte und nun nach Jahren nicht einmal wußte, ob er hart war oder nachgiebig, streng oder zärtlich. Mit einem verhängnisvoll späten, von dieser ernsten Lebensangst aufgerüttelten Schuldgefühl mußte sie sich bekennen, nur die flache, die gesellschaftliche Schicht seines Wesens gekannt zu haben und nie die innere, aus der in jener tragischen Stunde die Entscheidung geschürft werden mußte. Unwillkürlich begann sie nach kleinen Zügen und Andeutungen zu forschen, sich zu besinnen, wie er in ähnlichen Fragen gesprächsweise geurteilt habe, und zu ihrem peinlichen Erstaunen wurde ihr bewußt, daß er fast niemals über seine persönlichen Anschauungen zu ihr gesprochen hatte, freilich anderer-

seits auch, daß sie nie sich an ihn mit ähnlich verinner-
lichten Fragen gewendet habe. Nun erst begann sie sein
ganzes Leben an vereinzelten Zügen zu messen, die seinen Charakter ihr aufdeuten konnten. An jede kleine Erinnerung pochte jetzt ihre Angst mit zaghaftem Hammer, Eingang zu finden in die geheimen Kammern seines
Herzens.

Die kleinste Äußerung belauerte sie nun und fieberte
schon seinem Kommen ungeduldig entgegen. Sein Gruß
traf sie kaum ins Gesicht, aber doch in seinen Gesten –
nun wie er ihr die Hand küßte oder das Haar mit den
Fingern überschmeichelte – schien ihr eine Zärtlichkeit
zu liegen, die, obzwar sie stürmische Gebärden keusch
scheute, eine tiefe innere Neigung andeuten mochte. Er
war immer gemessen, wenn er zu ihr sprach, niemals
ungeduldig oder erregt, und in seinem ganzen Gehaben
von einer gelassenen Freundlichkeit, doch einer, wie ihre
Unruhe zu mutmaßen begann, die wenig verschieden
war von der zu den Dienstboten und sichtlich geringer
als die zu den Kindern, die bei ihm immer rege, bald
heitere, bald leidenschaftliche Formen annahm. Er erkundigte sich auch heute wieder umständlich nach häuslichen Dingen, gleichsam um ihr Gelegenheit zu geben,
ihre Interessen vor ihm auszubreiten, indes er die seinen
verbarg, und zum erstenmal entdeckte sie jetzt, da sie ihn
beobachtete, wie sehr er sie schonte, mit welcher Zurückhaltung er sich ihren täglichen Gesprächen – deren
harmlose Banalität sie mit einem Male entsetzt erkannte –
anzupassen bemühte. Von sich selbst gab er nichts her im
Wort, und ihre nach Beruhigung lechzende Neugier blieb
unbefriedigt.

So durchfragte sie, da das Wort ihn nicht verriet, sein
Gesicht, nun er in seinem Fauteuil saß, ein Buch lesend
und scharf beleuchtet von der elektrischen Flamme. Wie
in ein fremdes Antlitz sah sie in das seine hinein und

suchte den vertrauten und mit einem Male wieder fremden Zügen den Charakter zu entraten, den acht Jahre Beisammensein ihrer Gleichgültigkeit verborgen hatten. Die Stirne war hell und edel, wie von einer inneren starken, geistigen Anstrengung geformt, der Mund aber streng und ohne Nachgiebigkeit. Alles war straff in den sehr männlichen Zügen, Energie und Kraft: erstaunt, eine Schönheit darin zu finden, und mit einer gewissen Bewunderung betrachtete sie diesen verhaltenen Ernst, diese sichtliche Herbheit seines Wesens, die sie bisher immer in ihrer einfältigen Art nur als wenig unterhaltsam empfunden und gern gegen eine gesellschaftliche Gesprächigkeit vertauscht hätte. Die Augen aber, in denen doch das wirkliche Geheimnis verschlossen sein mußte, waren auf das Buch gesenkt und so ihrer Betrachtung entzogen. So konnte sie immer nur fragend auf das Profil starren, als bedeute diese geschwungene Linie ein einziges Wort, das Gnade sagte oder Verdammnis, dies fremde Profil, dessen Härte sie erschreckte, aber in dessen Entschlossenheit ihr eine merkwürdige Schönheit zum erstenmal bewußt wurde. Mit einem Male spürte sie, daß sie ihn gerne ansah, mit Lust und mit Stolz. Irgend etwas zerrte ihr bei dem Wachwerden dieser Empfindung schmerzhaft in der Brust, ein dumpfes Gefühl, das Bedauern war für irgend etwas Versäumtes, eine beinahe sinnliche Spannung, die sie nie ähnlich stark von seinem körperlichen Wesen empfangen zu haben sich entsinnen konnte. Da sah er vom Buche auf. Eilig trat sie tiefer ins Dunkel zurück, um nicht mit der brennenden Frage ihrer Blicke seinen Verdacht zu entzünden.

Drei Tage hatte sie nun das Haus nicht verlassen. Und schon merkte sie mit Unbehagen, daß ihre mit einem Male so beharrliche Gegenwart den anderen bereits auffällig geworden war, denn im allgemeinen zählte es bei ihr zu den Seltenheiten, daß sie viele Stunden oder gar Tage in den eigenen Räumen verbrachte. Wenig häuslich veranlagt, durch materielle Unabhängigkeit von den kleinen Sorgen der Wirtschaft enthoben, gelangweilt von sich selbst, war die Wohnung ihr kaum mehr als ein flüchtiger Ruheplatz und die Straße, das Theater, die gesellschaftlichen Vereinigungen mit ihren bunten Begegnungen, dem ewigen Zustrom äußerer Veränderungen ihr liebster Aufenthalt, weil hier das Genießen keine innere Anstrengung erforderte und bei schlummerndem Gefühl die Sinne vielfache Reizung empfinden. Frau Irene gehörte mit ihrer ganzen Denkweise zu jener eleganten Gemeinschaft der Wiener Bourgeoisie, deren ganze Tagesordnung nach einer geheimen Vereinbarung darin zu bestehen scheint, daß alle Mitglieder dieses unsichtbaren Bundes einander zu gleichen Stunden mit den gleichen Interessen unablässig begegnen und dies ewig vergleichende Beobachten und Begegnen allmählich zum Sinn ihrer Existenz erheben. Auf sich selbst angewiesen und vereinsamt, verliert ein so an lässige Gemeinsamkeit gewöhntes Leben jeden Halt, die Sinne ohne ihr gewohntes Futter an höchst geringfügigen, aber doch unentbehrlichen Sensationen revoltieren und das Alleinsein artet rasch zu einer nervösen Selbstbefeindung aus. Unendlich fühlte sie die Zeit auf sich lasten, und die Stunden verloren ohne ihre gewohnte Bestimmung jeden Sinn. Wie zwischen Kerkerwänden, müßig und erregt, ging sie auf und nieder in ihren Zimmern; die Straße, die Welt, die ihr wirkliches Leben waren, waren ihr gesperrt, wie der Engel mit feurigem Schwerte stand dort die Erpresserin mit ihrer Drohung.

Die ersten, jene Veränderung zu bemerken, waren ihre Kinder, besonders der ältere Knabe, der seiner naiven Verwunderung, die Mama so viel zu Hause zu sehen, peinlich deutlichen Ausdruck gab, indes die Dienstboten nur tuschelten und mit der Gouvernante ihre Vermutungen austauschten. Vergeblich mühte sie sich, ihre auffällige Anwesenheit mit den verschiedensten zum Teile sehr glücklich ersonnenen Notwendigkeiten zu motivieren, aber gerade dies Künstliche ihrer Erklärungen offenbarte ihr, wie sehr unnütz sie in ihrem eigenen Wirkungskreise durch jahrelange Gleichgültigkeit geworden war. Überall, wo sie sich betätigen wollte, stieß sie auf den Widerstand fremder Interessen, die ihre plötzlichen Versuche als angemaßte Einmengung in Gewohnheitsrechte ablehnten. Überall war der Platz besetzt, sie selbst durch die Entwöhnung Fremdkörper im Organismus des eigenen Hauses. So wußte sie nichts mit sich und der Zeit anzufangen, selbst die Annäherung an die Kinder mißlang ihr, die in ihrem plötzlich regen Interesse eine neueingeführte Kontrolle argwöhnten, und sie spürte sich beschämt erröten, als sie bei einem jener Versuche der Überwachung der siebenjährige Junge frech fragte, warum sie denn eigentlich nicht mehr spazierenginge. Überall wo sie helfen wollte, störte sie eine Ordnung, und wo sie Anteil nahm, erweckte sie Verdacht. Dabei fehlte ihr noch die Geschicklichkeit, das Ständige ihrer Gegenwart weniger sichtbar zu machen durch eine kluge Zurückhaltung und ruhig in einem Zimmer zu bleiben, bei einem Buche, bei einer Arbeit; unablässig jagte sie die innere Angst, die sich wie jedes stärkere Gefühl bei ihr in Nervosität verwandelte, von einem Zimmer ins andere. Bei jedem Anruf des Telefons, jedem Klingeln an der Tür schrak sie zusammen und ertappte sich selbst immer wieder dabei, wie sie hinter den Gardinen auf die Straße lugte, hungrig nach Menschen oder wenigstens deren Anblick, sehnsüchtig nach Freiheit und doch voll Angst, plötzlich unter den vorbeigehenden Gesichtern das eine emporstarren zu sehen, das sie bis in die Träume verfolgte. Sie spürte, wie ihre ruhige Existenz sich plötzlich auflöste und zerrann, und aus dieser Kraftlosigkeit entwuchs ihr schon die Ahnung eines ganzen zertrümmerten Lebens. Diese drei Tage im Kerker der Zimmer schienen ihr länger als die acht Jahre ihrer Ehe.

Doch für jenen dritten Abend hatte sie seit Wochen eine Einladung mit ihrem Manne angenommen, die jetzt plötzlich abzulehnen ohne Angabe triftiger Gründe ihr unmöglich war. Und überdies, diese unsichtbaren Gitterstäbe von Grauen, die jetzt um ihr Leben gebaut waren, mußten doch einmal zerbrochen werden, sollte sie nicht zugrunde gehen. Sie brauchte Menschen, ein paar Stunden Rast von sich selber, von dieser selbstmörderischen Einsamkeit der Angst. Und dann, wo war sie geborgener als in fremdem Hause bei Freunden, wo sicherer vor jener unsichtbaren Verfolgung, die ihre Wege umschlich? Eine Sekunde bloß schauerte sie, die knappe Sekunde, als sie aus dem Haus trat, nun zum erstenmal seit jener Begegnung wieder die Straße berührte, wo irgendwo jene Person lauern konnte. Unwillkürlich faßte sie den Arm ihres Mannes, schloß die Augen und trat rasch die paar Schritte vom Trottoir bis zum harrenden Automobil, dann aber sank, als, sie an der Seite ihres Mannes geborgen, durch die nächtlich verlassenen Straßen der Wagen hinsauste, die innere Schwere von ihr ab, und wie sie nun die Stufen des fremden Hauses emporstieg, wußte sie sich geborgen. Für ein paar Stunden durfte sie jetzt sein wie die langen Jahre vordem: sorglos, froh, nur noch mit der gesteigert bewußten Freude eines, der aus Kerkermauern wieder zur Sonne emporsteigt. Hier war ein Wall gegen alle Verfolgung, der Haß konnte hier nicht herein, hier waren nur Menschen, die sie liebten, achteten und verehrten, geschmückte, absichtslose Menschen, von der Flamme des Leichtsinns rötlich umfunkelt, ein Reigen des Genießens, der endlich wieder auch sie umschlang. Denn nun, da sie eintrat, spürte sie an den Blicken der andern, daß sie schön war, und sie wurde es noch mehr durch das bewußte und lang entbehrte Gefühl. Wie wohl das tat nach all diesen Tagen des Schweigens, wo sie immer den schneidenden Pflug dieses einen Gedankens ihr Hirn unfruchtbar hatte durchgründen fühlen, daß alles in ihr wund war und weh, wie wohl das tat, nun wieder schmeichelnde Worte zu hören, die elektrisch belebend bis unter die Haut knisterten und das Blut aufjagten. Sie stand und starrte, irgend etwas zuckte in ihrer Brust unruhig und wollte heraus. Und mit einem Male wußte sie, daß es das eingesperrte Lachen war, das sich befreien wollte. Wie ein Pfropfen aus der Champagnerflasche knallte es empor, überschlug sich in kleinen kollernden Koloraturen, sie lachte und lachte, schämte sich manchmal ihres bacchantischen Übermutes und lachte wieder im nächsten Augenblick. Elektrizität zuckte aus ihren gelockerten Nerven, alle Sinne waren stark, gesund und gereizt, seit Tagen aß sie zum erstenmal wieder mit wirklichem Hunger und trank wie eine Verdurstete.

Ihre eingetrocknete, nach Menschen lechzende Seele sog aus allem Leben und Genuß. Nebenan lockte Musik und drang ihr tief unter die brennende Haut. Der Tanz begann, und ohne es zu wissen, war sie schon mitten im Gewühle. Wie noch nie in ihrem Leben tanzte sie. Dieser kreisende Wirbel schleuderte alle Schwere aus ihr heraus, der Rhythmus wuchs in die Glieder und durchatmete den Körper mit feuriger Bewegung. Hielt die Musik inne, so fühlte sie die Stille schmerzhaft, die Schlange der Unrast züngelte auf an ihren schauernden Gliedern, und wie ein Bad, in kühlendes, beruhigendes, tragendes Wasser, stürzte sie sich wieder in den Wirbel hinein. Sonst war sie immer nur eine mittelmäßige Tänzerin gewesen, zu gemessen, zu besonnen, zu hart und vorsichtig in den Bewegungen, aber dieser Rausch der befreiten Freude löste alle körperlichen Hemmungen. Ein stählernes Band von Scham und Besonnenheit, das sonst ihre wildesten Leidenschaften in eine Form zusammenhielt, riß jetzt mittendurch, und sie fühlte sich haltlos, restlos, selig zerfließen. Arme, Hände spürte sie um sich, Berührung und Entschwinden, Atem von Worten, kitzelndes Lachen, Musik, die innen im Blut zuckte, ihr ganzer Körper war gespannt, so sehr gespannt, daß ihr die Kleider am Leibe brannten und sie unbewußt am liebsten alle Hülle abgerissen hätte, um nackt diesen Rausch tiefer in sich hineinzuspüren.

»Irene, was hast du?« – sie wandte sich um, taumelnd und lachenden Auges, noch ganz heiß von der Umschlingung ihres Tänzers. Da stieß kalt und hart der verwundert starre Blick ihres Mannes in ihr Herz. Sie erschrak. War sie zu wild gewesen? Hatte ihre Raserei etwas verraten?

»Was ... was meinst du, Fritz?« stammelte sie, verwundert vom jähen Stoß seines Blickes, der immer tiefer in sie zu dringen schien und den sie jetzt schon ganz innen, ganz an ihrem Herzen spürte. Sie hätte aufschreien mögen unter der wühlenden Entschlossenheit dieser Augen.

»Das ist doch seltsam«, murmelte er endlich. In seiner Stimme war eine dumpfe Verwunderung. Sie wagte nicht zu fragen, was er damit meinte. Aber ein Schauer lief ihr durch die Glieder, als sie jetzt, da er sich wortlos wegwandte, seine Schultern sah, breit, hart und groß, zu einem eisernen Nacken nervig getürmt. Wie bei einem Mörder, flog es ihr durch das Hirn, irrsinnig und schon wieder verscheucht. Jetzt erst, als ob sie ihn zum erstenmal gesehen, ihren eigenen Mann, empfand sie voll Grauen, daß er stark und gefährlich war.

Die Musik hob wieder an. Ein Herr trat auf sie zu, mechanisch nahm sie seinen Arm. Aber nun war alles

schwer geworden, und die helle Melodie konnte ihre erstarrten Glieder nicht mehr heben. Eine dumpfe Schwere
wuchs vom Herzen aus den Füßen zu, jeder Schritt tat ihr
weh. Und sie mußte ihren Tänzer bitten, sie freizugeben.
Unwillkürlich sah sie sich im Zurücktreten um, ob ihr
Mann nahe wäre. Und schrak zusammen. Er stand unmittelbar hinter ihr, als erwarte er sie, und wieder stieß er
blank mit dem Blick gegen den ihren. Was wollte er? Was
wußte er schon? Unwillkürlich raffte sie das Kleid zusammen, als müßte sie die nackte Brust vor ihm schüt-
zen. Sein Schweigen blieb hartnäckig wie sein Blick.

»Wollen wir gehen?« fragte sie ängstlich.

»Ja.« Seine Stimme klang hart und unfreundlich. Er
ging voraus. Wieder sah sie den breiten, drohenden Nak-
ken. Man warf ihr den Pelz um, aber sie fror. Schweigend fuhren sie nebeneinander. Sie wagte kein Wort.
Dumpf fühlte sie eine neue Gefahr. Nun war sie von
beiden Seiten umstellt.

In dieser Nacht hatte sie einen drückenden Traum. Irgendeine fremde Musik rauschte, ein Saal war hell und
hoch, sie trat ein, viele Menschen und Farben mengten
ihre Bewegung, da drängte ein junger Mann, den sie zu
kennen glaubte und doch nicht ganz erriet, auf sie zu,
faßte sie am Arm, und sie tanzte mit ihm. Ihr war wohl
und weich, eine einzige Welle Musik hob sie auf, daß sie
den Boden nicht mehr spürte, und so tanzten sie durch
viele Säle, in denen goldene Leuchter ganz hoch oben wie
Sterne strahlend kleine Flammen hielten und viele Spiegel Wand an Wand ihr eigenes Lächeln ihr zuwarfen und
wieder weit wegtrugen in unendlichen Reflexen. Immer
heißer wurde der Tanz, immer brennender die Musik. Sie
merkte, wie der Jüngling sich enger an sie schmiegte,
seine Hand in ihren nackten Arm sich vergrub, daß sie
stöhnen mußte vor schmerzvoller Lust, und jetzt, da ihre

Augen in seine tauchten, meinte sie ihn zu erkennen. Ein Schauspieler dünkte er sie, den sie als kleines Mädchen von fern ekstatisch geliebt hatte, schon wollte sie seinen Namen beseligt aussprechen, aber er verschloß ihren leisen Schrei mit einem glühenden Kuß. Und so, mit verschmolzenen Lippen, ein einziger ineinanderglühender Körper, flogen sie, wie von einem seligen Wind getragen, durch die Räume. Die Wände strömten vorbei, sie spürte die aufschwebende Decke nicht mehr und die Stunde, unsäglich leicht und mit entketteten Gliedern. Da plötzlich rührte sie jemand an die Schulter. Sie hielt inne und mit ihr die Musik, die Lichter verloschen, schwarz drängten sich die Wände heran, und der Tänzer war verschwunden. »Gib ihn mir her, du Diebin!« schrie das grauenhafte Weib, denn sie war es, daß die Wände gellten, und klemmte eiskalte Finger um ihr Handgelenk. Sie bäumte sich auf und hörte sich selber schreien, einen irren, kreischenden Laut des Entsetzens, und sie rangen beide, aber das Weib war stärker, riß ihr das Perlenhalsband ab und dabei das halbe Kleid, daß ihre Brust und Arme sich nackt entblößten unter den niederhängenden Fetzen. Mit einem Male waren wieder Menschen da, aus allen Sälen strömten sie in anschwellendem Lärm und starrten sie, die Halbnackte, höhnisch an und das Weib, das gellend schrie: »Sie hat ihn mir gestohlen, die Ehebrecherin, die Dirne.« Sie wußte nicht, wohin sich verbergen, wohin ihre Augen wenden, denn immer näher traten die Menschen heran, neugierige, fauchende Fratzen griffen in ihre Nacktheit, und jetzt, da ihr taumelnder Blick nach Rettung fortflüchtete, sah sie plötzlich im finsteren Rahmen der Tür ihren Mann reglos stehen, die rechte Hand hinter dem Rücken verborgen. Sie schrie auf und lief von ihm fort, lief durch viele Räume, hinter ihr brandete die gierige Menge, sie spürte, wie ihr Kleid immer mehr niederglitt, kaum konnte sie es noch halten.

Da sprang eine Tür vor ihr auf, gierig stürzte sie die Treppe hinab, sich zu retten, aber unten wartete schon wieder das gemeine Weib in ihrem wollenen Rock und mit ihren kralligen Händen. Sie sprang zur Seite und lief wie wahnsinnig ins Weite, aber die andere stürzte ihr nach, und so jagten sie beide durch die Nacht lange schweigende Straßen entlang, und die Laternen bogen sich grinsend zu ihnen nieder. Hinter sich hörte sie immer die Holzschuhe des Weibes ihr nachklappern, aber immer, wenn sie an eine Straßenecke kam, sprang auch dorten wieder das Weib hervor und wieder an der nächsten, hinter allen Häusern, rechts und links lauerte sie. Immer war sie schon da, entsetzlich vervielfacht, nicht zu überholen, immer sprang sie vor und griff nach ihr, die schon die Knie sich versagen fühlte. Doch endlich, da war ihr Haus, sie stürzte darauf zu, aber wie sie die Tür aufriß, stand dort ihr Mann, ein Messer in der Hand, starrte sie an mit einem bohrenden Blick. »Wo bist du gewesen?« fragte er dumpf, »Nirgends«, hörte sie sich sagen und schon ein grelles Gelächter an ihrer Seite. »Ich habe es gesehen! Ich habe es gesehen!« schrie grinsend das Weib, das plötzlich wieder neben ihr stand und irrsinnig lachte. Da hob ihr Mann das Messer. »Hilfe!« schrie sie auf. »Hilfe!« . . .

Sie starrte auf, und ihre erschreckten Blicke stießen in die ihres Mannes. Was . . . was war das? Sie war in ihrem Zimmer, die Ampel brannte fahl, sie war zu Hause in ihrem Bett, sie hatte nur geträumt. Aber wieso saß ihr Mann am Rand ihres Bettes und betrachtete sie gleich einer Kranken? Wer hatte das Licht angezündet, warum saß er so ernst da, so regunglos starr? Ein Schrecken zuckte ihr durch und durch. Unwillkürlich blickte sie nach seiner Hand: nein, es war kein Messer darin. Langsam wich die Benommenheit des Schlafs von ihr und das Wetterleuchten seiner Bilder. Sie mußte geträumt, im

Traume geschrien und ihn erweckt haben. Aber warum blickte er so ernst, so durchdringend, so unerbittlich ernst auf sie?

Sie versuchte zu lächeln. »Was . . . was ist denn? Warum siehst du mich so an? Ich glaube, ich habe bös geträumt.«

»Ja, du hast laut geschrien. Vom andern Zimmer habe ich's gehört.«

Was habe ich gerufen, was habe ich verraten, schauerte ihr, was weiß er schon? Sie wagte sich kaum wieder empor in seinen Blick. Aber er sah ganz ernst auf sie nieder mit einer merkwürdigen Ruhe.

»Was ist mit dir, Irene? Etwas geht in dir vor. Du bist ganz verwandelt seit ein paar Tagen, bist wie im Fieber, nervös, zerfahren und schreist um Hilfe aus dem Schlaf?«

Sie versuchte wieder zu lächeln. »Nein«, beharrte er. »Du sollst mir nichts verschweigen. Hast du irgendeine Sorge oder quält dich etwas? Alle haben es schon bemerkt im Hause, wie du verwandelt bist. Du sollst Vertrauen zu mir haben, Irene.«

Er rückte unmerklich an sie heran, sie fühlte, wie seine Finger ihren nackten Arm glätteten und schmeichelten, und in seinen Augen war ein seltsames Licht. Ein Verlangen überkam sie, jetzt sich an seinen festen Körper zu werfen, sich anzuklammern, alles zu gestehen und ihn nicht eher zu lassen, als bis er vergeben, jetzt in diesem Augenblick, da er sie leiden gesehen.

Aber die Ampel brannte fahl, ihr Gesicht erhellend, und sie schämte sich. Sie fürchtete sich vor dem Wort.

»Sei nicht besorgt, Fritz«, suchte sie zu lächeln, indes ihr Körper schauerte bis in die nackten Zehen. »Ich bin nur ein wenig nervös. Es wird schon vorübergehen.«

Die Hand, die sie schon umschlungen hielt, zog sich rasch zurück. Sie schauerte, wie sie ihn jetzt ansah, bleich im gläsernen Licht, und die Stirn von den schweren

Schatten finsterer Gedanken überwölbt. Langsam richtete er sich auf.

»Ich weiß nicht, mir war so, als hättest du mir etwas zu sagen all diese Tage schon. Etwas, was nur dich angeht und mich. Wir sind jetzt allein, Irene.«

Sie lag und rührte sich nicht, gleichsam hypnotisiert von diesem ernsten und verschleierten Blick. Wie gut, fühlte sie, könnte jetzt alles werden, nur ein Wort brauchte sie zu sagen, ein kleines Wort: Verzeihung, und er würde nicht fragen, wofür. Aber warum brannte das Licht, dieses laute, freche, horchende Licht? Im Dunkel hätte sie es zu sagen vermocht, das fühlte sie. Aber das Licht zerbrach ihre Kraft.

»Also wirklich nichts, gar nichts hast du mir zu sagen?«

Wie furchtbar die Verlockung, wie weich seine Stimme war! Nie hatte sie ihn so sprechen gehört. Aber das Licht, die Ampel, dieses gelbe, gierige Licht!

Sie gab sich einen Ruck. »Was fällt dir ein«, lachte sie und erschrak schon vor dem Falsett der eigenen Stimme. »Weil ich nicht gut schlafe, sollte ich schon Geheimnisse haben? Am Ende gar Abenteuer?«

Sie schauerte selber, wie falsch, wie verlogen die Worte klangen, ihr graute bis in das innerste Mark vor sich selbst, und unwillkürlich wandte sie den Blick.

»Nun – schlaf gut.« Kurz sagte er's jetzt, ganz scharf. Mit einer ganz anderen Stimme, wie eine Drohung oder wie einen bösen, gefährlichen Spott.

Dann löschte er das Licht. Sie sah seinen weißen Schatten bei der Tür verschwinden, lautlos, fahl, ein nächtiges Gespenst, und wie die Tür zufiel, war ihr, als schließe sich ein Sarg. Abgestorben fühlte sie alle Welt und hohl, nur innen in ihrem erstarrten Leib stieß das eigene Herz laut und wild gegen die Brust, Schmerz und Schmerz jeder Schlag.

Am nächsten Tage, als sie gemeinsam beim Mittagessen saßen – die Kinder hatten eben gestritten und konnten nur mit Mühe zur Ruhe verwiesen werden –, brachte das Dienstmädchen einen Brief. Für die gnädige Frau und man warte auf Antwort. Erstaunt betrachtete sie eine fremde Schrift und löste eilig das Kuvert, um schon bei der ersten Zeile jäh zu erblassen. Mit einem Ruck sprang sie auf und erschrak noch mehr, als sie an der einhelligen Verwunderung der anderen das Verräterisch-Unbedachte ihres Ungestüms erkannte.

Der Brief war kurz. Drei Zeilen: »Bitte, geben Sie dem Überbringer dieses sofort hundert Kronen.« Keine Unterschrift, kein Datum, in den sichtbar verstellten Schriftzügen, nur dieser grauenhaft eindringliche Befehl! Frau Irene lief in ihr Zimmer, um das Geld zu holen, doch sie hatte die Schlüssel zu ihrem Kasten verlegt, fieberhaft riß und rüttelte sie an allen ihren Laden, bis sie ihn endlich fand. Zitternd faltete sie die Banknote in ein Kuvert und übergab sie selbst an der Tür dem wartenden Dienstmann. Sie tat das alles ganz sinnlos, wie in einer Hypnose, ohne an die Möglichkeit eines Zögerns zu denken. Dann trat sie – kaum zwei Minuten war sie weggeblieben – wieder in das Zimmer zurück.

Alles schwieg. Sie setzte sich mit einem scheuen Unbehagen nieder und wollte eben irgendeine eilige Ausflucht suchen, als sie – und so zitterte ihre Hand, daß sie das erhobene Glas eilig niederstellen mußte – in furchtbarstem Erschrecken bemerkte, daß sie, vom Blitzschlag der Erregung geblendet, den Brief offen neben ihrem Teller hatte liegen lassen. Eine kleine Bewegung nur, und ihr Mann hätte ihn zu sich herüberziehen können, ein Blick vielleicht konnte genügt haben, die groß und ungelenk geschriebenen Zeilen zu lesen. Das Wort versagte ihr. Mit einem verstohlenen Griff knitterte sie das Billett zusammen, aber jetzt, wie sie es einsteckte, begegnete sie, aufschauend, einem starken Blick ihres Mannes, einem bohrenden, strengen, schmerzhaften Blick, den sie früher nie an ihm gekannt hatte. Jetzt erst, seit einigen Tagen, gab er ihr mit dem Blick diese plötzlichen Stöße des Mißtrauens, von denen sie ihr Innerstes erzittern fühlte und die zu parieren sie nicht verstand. Mit solch einem Blick hatte er nach ihren Gliedern damals beim Tanz gegriffen, es war der gleiche, der gestern nachts wie ein Messer über ihrem Schlaf gefunkelt hatte.

War es ein Wissen oder ein Wissenwollen, das ihn so schärfte, so blank, so stählern, so schmerzhaft machte? Und während sie noch nach einem Wort rang, überfiel sie eine längst vergessene Erinnerung, nämlich, daß ihr Mann einmal erzählt hatte, als Anwalt einem Untersuchungsrichter gegenübergestanden zu sein, dessen Kunstgriff es war, während des Verhörs mit gleichsam kurzsichtigen Blicken die Akten zu durchmustern, um dann bei der wirklich entscheidenden Frage blitzartig den Blick zu heben und wie einen Dolch in das jähe Erschrekken des Angeklagten zu stoßen, der dann bei diesem grellen Blitz konzentrierter Aufmerksamkeit die Fassung verlor und die sorgsam hochgehaltene Lüge kraftlos fallen ließ. Sollte er nun selbst sich in so gefährlicher Kunst versuchen und sie das Opfer sein? Sie schauderte, um so mehr als sie wußte, eine wie große psychologische Leidenschaft ihn weit über das Maß der juridischen Ansprüche an seinen Beruf fesselte. Aufspüren, Entfalten, Erpressen eines Verbrechens konnte ihn beschäftigen wie andere Hasardspiel oder Erotik, und in solchen Tagen psychologischer Spürjagd war sein Wesen gleichsam innerlich durchglüht. Eine brennende Nervosität, die ihn nachts oft vergessene Entscheidungen aufstöbern ließ, wurde nach außen zu einer stählernen Undurchdringlichkeit, er aß und trank wenig, rauchte nur unablässig, das Wort gleichsam aufsparend für die Stunde vor dem Ge-

richt. Einmal hatte sie ihn dort gesehen bei einem Plä-
doyer und nicht ein zweites Mal mehr, so sehr war sie
erschreckt gewesen von der finsteren Leidenschaft, der
fast bösen Glut seiner Rede und einem dumpfen und herben Zug in seinem Gesicht, den sie nun mit einem Male
in dem starren Blick unter den drohend gefalteten Brauen
wiederzufinden meinte.

Alle diese verlorenen Erinnerungen drängten sich in
dieser einen Sekunde zusammen und wehrten den
Worten, die sich auf ihren Lippen immer bilden wollten.
Sie schwieg und wurde in dem Maße verwirrter, je mehr
sie spürte, wie gefährlich dieses Schweigen war, und wie
sehr sie die letzte plausible Möglichkeit einer Erklärung
versäumte. Die Augen wagte sie nicht mehr zu erheben,
aber jetzt im Niederblicken erschrak sie noch mehr, als
sie seine, des sonst so Ruhigen und Gemessenen Hände
wie kleine wilde Tiere auf dem Tisch auf und nieder wandern sah. Zum Glück war das Mittagsmahl bald zu Ende,
die Kinder sprangen auf und stürmten ins Nebenzimmer
mit ihren hellen, heiteren Stimmen, deren Übermut die
Gouvernante vergebens sich zu dämpfen bemühte: Auch
ihr Mann erhob sich und ging schwer und ohne sich um-
zuschauen ins Nebenzimmer.

Kaum allein, holte sie den verhängnisvollen Brief wieder hervor: Einmal überflog sie noch die Zeilen: »Bitte,
geben Sie dem Überbringer dieses sofort hundert Kronen.« Dann riß ihre Wut ihn in Fetzen und ballte schon
die Reste zusammen, um sie in den Papierkorb zu schleudern, da besann sie sich, hielt inne, beugte sich über den
Kamin und warf das Papier in die aufzischende Glut. Die
weiße Flamme, die mit aufspringender Gier die Drohung
fraß, beruhigte sie.

In diesem Augenblick hörte sie den rückkehrenden
Schritt ihres Mannes schon an der Tür. Rasch fuhr sie
auf, das Gesicht rot vom Anhauch der Glut und der Er-

tappung. Die Tür des Ofens stand noch verräterisch offen, ungeschickt suchte sie mit ihrem Körper sie zu dekken. Er trat an den Tisch, entflammte ein Streichholz für seine Zigarre, und, wie die Flamme nun nah seinem Gesichte war, glaubte sie ein Zittern um seine Nasenflügel flimmern zu sehen, das bei ihm immer Zorn verriet. Ruhig blickte er jetzt herüber: »Ich will dich nur aufmerksam machen, daß du nicht verpflichtet bist, mir deine Briefe zu zeigen. Wenn du es wünschst, Geheimnisse vor mir zu haben, so steht dir das vollkommen frei.« Sie schwieg und wagte ihn nicht anzusehen. Er wartete einen Augenblick, dann stieß er den Dampf seiner Zigarre mit starkem Atem wie aus innerster Brust heraus und verließ mit schwerem Schritt das Zimmer.

Sie wollte nun an nichts mehr denken, nur mehr leben, sich betäuben, ihr Herz mit leeren und sinnlosen Beschäftigungen füllen. Das Haus ertrug sie nicht mehr, sie mußte, das fühlte sie, auf die Straße, unter Menschen, um nicht wahnsinnig zu werden vor Grauen. Mit diesen hundert Kronen waren, so hoffte sie, wenigstens einige knappe Tage Freiheit von der Erpresserin erkauft, und sie beschloß, wieder einen Spaziergang zu wagen, um so mehr, als vielerlei zu besorgen und vor allem zu Hause das Auffällige ihres veränderten Benehmens zu verdekken war. Sie hatte jetzt schon eine bestimmte Art zu fliehen. Vom Haustor stürzte sie wie von einem Sprungbrett mit geschlossenen Augen in die Flut der Straße. Und einmal das harte Pflaster unter den Füßen, die warme Flut von Menschen um sich, stieß sie sich in einer nervösen Hast, so rasch eine Dame nur gehen durfte, ohne auffällig zu werden, blindlings nach vorwärts, die Augen starr auf den Boden geheftet, in der begreiflichen Furcht, wieder jenem gefährlichen Blick zu begegnen. War sie belauert, so wollte sie es wenigstens nicht wissen. Und doch spürte sie, daß sie an nichts anderes dachte, und schrak zusammen, wenn zufällig jemand an ihren Körper streifte. Ihre Nerven litten schmerzhaft unter jedem Laut, jedem Schritt, der nachkam, jedem Schatten, der vorbeistreifte; nur im Wagen oder fremden Haus konnte sie wahrhaft atmen.

Ein Herr grüßte sie. Aufschauend, erkannte sie einen Jugendfreund ihrer Familie, einen freundlichen, geschwätzigen Graubart, dem sie sonst gerne auswich, weil er die Art hatte, einen stundenlang mit seinen kleinen, vielleicht nur eingebildeten körperlichen Leiden zu belästigen. Aber jetzt war es ihr leid, den Gruß nur dankend erwidert und nicht seine Begleitung gesucht zu haben, denn ein Bekannter wäre doch Abwehr gegen eine unvermutete Ansprache jener Erpresserin gewesen. Sie zögerte und wollte noch nachträglich umkehren, da war ihr, als ob jemand von rückwärts rasch auf sie zuschritte, und instinktiv, ohne zu überlegen, stürmte sie weiter. Aber sie spürte im Rücken mit dem durch die Angst grausam geschärften Ahnungsgefühl eine gleichsam beschleunigte Annäherung und lief immer hastiger, obwohl sie wußte, der Verfolgung schließlich nicht entgehen zu können. Ihre Schultern begannen zu schauern im Vorgefühl der Hand, die sie nun – immer näher spürte sie den Schritt – im nächsten Augenblick berühren würde, und je mehr sie ihren Gang beschleunigen wollte, desto schwerer wurden ihre Knie. Ganz nahe spürte sie jetzt den Verfolger, und »Irene!« rief jetzt eindringlich und doch leise von rückwärts eine Stimme, an die sie sich erst besinnen mußte, die aber doch nicht die gefürchtete war, die grauenhafte Botin des Unglücks. Aufatmend wandte sie sich herum: es war ihr Geliebter, der bei dem plötzlichen Ruck, mit dem sie anhielt, fast an sie stürzte. Bleich, verwirrt war sein Gesicht mit allen Zeichen der Erregung und nun, unter ihrem fassungslosen Blick, schon der Beschämung. Unsicher hob er die Hand zum Gruß und ließ sie wieder sinken, als sie ihm die ihre nicht bot. Sie starrte ihn nur an, ein, zwei Sekunden, so unerwartet war er ihr. Gerade ihn hatte sie vergessen in all den Tagen der Angst. Jetzt aber, da sie sein bleiches und fragendes Gesicht von nah sah mit jenem Ausdruck ratloser Leerheit, die jedes ungewisse Gefühl immer in die Augen zeichnet, schäumte plötzlich die Wut in heißer Welle in ihr empor. Ihre Lippen zitterten nach einem Wort, und die Erregung in ihrem Anlitz war so sichtbar, daß er erschreckt nur ihren Namen stammelte: »Irene, was hast du?« und als er ihre ungeduldige Gebärde sah, schon ganz geduckt beifügte: »Was habe ich dir denn getan?«

Sie starrte ihn an mit schlecht bezähmter Wut. »Was Sie mir getan haben?« lachte sie höhnisch. »Nichts! Gar nichts! Nur Gutes! Nur Annehmlichkeiten.«

Sein Blick war entgeistert, und sein Mund blieb halb offen vor Erstaunen, was das Einfältige und Lächerliche seines Aussehens noch vermehrte. »Aber Irene ... Irene!«

»Machen Sie kein Aufsehen da«, herrschte sie ihn barsch an. »Und spielen Sie mir keine Komödien vor. Gewiß lauert sie wieder in der Nähe, Ihre saubere Freundin, und dann fällt sie mich wieder an ...«

»Wer ... wer denn?«

Am liebsten hätte sie ihn mit der Faust ins Gesicht geschlagen, in dieses läppisch-starre, verzerrte Gesicht. Sie spürte schon, wie ihre Hand den Schirm umkrallte. Nie hatte sie einen Menschen so verachtet, so gehaßt.

»Aber Irene ... Irene«, stammelte er immer verwirrter. »Was habe ich dir denn getan? ... Auf einmal bleibst du fort ... Ich warte auf dich Tag und Nacht ... Den ganzen Tag stehe ich heute schon vor deinem Haus und warte, dich eine Minute sprechen zu können.«

»Du wartest ... so ... du auch.« Sinnlos machte sie,

das fühlte sie, die Wut. Ihm ins Gesicht schlagen können, wie wohl das täte! Aber sie hielt sich zusammen, sah ihn noch einmal an voll brennenden Ekels, gleichsam überlegend, ob sie ihm nicht den ganzen aufgestauten Zorn mit einer Beschimpfung ins Gesicht speien sollte, dann wandte sie sich plötzlich und drängte, ohne zurückzublicken, in das Menschengewirr hinein. Er blieb stehen mit seiner noch flehend ausgestreckten Hand, ratlos und durchschauert, bis das Geschiebe der Straße ihn faßte und fortschob wie die Strömung ein sinkendes Blatt, das taumelnd und kreisend sich wehrt und schließlich doch willenlos weggeschwemmt wird.

Daß dieser Mensch jemals ihr Geliebter gewesen war, kam ihr jetzt plötzlich ganz unwahr und sinnlos vor. An nichts konnte sie sich besinnen, nicht an die Farbe seiner Augen, die Form seines Gesichts, keine seiner Liebkosungen war ihr körperlich gewärtig, und von seinen Worten klang nichts in ihr nach als dieses jammernde, weibische, hündische »Aber, Irene!« seiner stammelnden Verzweiflung. Nicht ein einziges Mal hatte sie in all den Tagen, so sehr er Ursprung alles Unheils war, an ihn gedacht, nicht einmal in ihren Träumen. Nichts war er für ihr Leben, keine Lockung und kaum eine Erinnerung. Unverständlich war ihr geworden, daß jemals ihre Lippen seinen Mund gefühlt haben sollten, und sie fühlte die Kraft zum Eide in sich, niemals ihm angehört zu haben. Was hatte sie in seine Arme getrieben, welcher fürchterliche Wahnsinn in ein Abenteuer gejagt, das ihr eigenes Herz nicht mehr verstand und kaum ihre Sinne? Nichts wußte sie mehr davon, fremd war ihr alles in diesem Geschehnis, fremd sie sich selber.

Aber war nicht auch alles andere anders geworden in diesen sechs Tagen, dieser einen Woche des Entsetzens? Wie Scheidewasser hatte die ätzende Angst ihr Leben zersetzt und seine Elemente gesondert. Die Dinge hatten mit einem Male anderes Gewicht, vertauscht waren alle Werte und die Beziehungen verwirrt. Ihr war, als hätte sie nur mit dämmrigem Gefühl, halb verschlossenen Blicks bisher durch ihr Leben getastet, und nun strahlte mit einem Male alles von innen in einer furchtbar schönen Klarheit. Ganz vor ihr, atemnah, standen Dinge, an die sie nie gerührt hatte und von denen sie mit einem Male begriff, daß sie ihr wahrhaftes Leben bedeuteten, und anderes wieder, was ihr wichtig geschienen, schwand hin wie Rauch. Sie hatte bislang in einer regen Geselligkeit gelebt, in jener lauten, gesprächigen Gemeinschaft der begüterten Kreise, und eigentlich nur für sie, aber nun, seit einer Woche im Kerker ihres eigenen Hauses, spürte sie keinen Mangel darin, sie zu entbehren, sondern nur Ekel vor dieser leeren Geschäftigkeit der Unbeschäftigten, und unwillkürlich maß sie an diesem ersten starken Gefühl, das ihr zuteil war, die Seichtigkeit ihrer bisherigen Neigungen und das unendliche Versäumnis an werktätiger Liebe. Wie in einen Abgrund sah sie in ihre Vergangenheit. Acht Jahre vermählt, war sie im Wahn eines zu bescheidenen Glückes nie ihrem Manne nähergetreten, fremd seinem innersten Wesen und nicht minder ihren eigenen Kindern. Zwischen ihr und ihnen standen bezahlte Menschen. Gouvernanten und Dienstboten, ihr all die kleinen Sorgen abzunehmen, von denen sie jetzt – seit sie näher in das Leben ihrer Kinder geblickt – erst zu ahnen begann, daß sie verlockender waren als die heißen Blicke der Männer und beseligender als eine Umarmung. Langsam bildete sich ihr Leben zu einem neuen Sinn um, alles gewann Beziehungen und wandte ihr plötzlich ein ernst-bedeutsames Antlitz zu. Seit sie die Gefahr kannte und mit der Gefahr ein wahrhaftes Gefühl, begannen mit einem Male alle Dinge und auch die fremdesten ihr gemeinsam zu werden. In allem spürte sie sich, und die Welt, früher durchsichtig wie Glas, wurde an der dunklen Fläche ihres eigenen Schattens mit einem Male zum Spiegel. Wohin sie sah, wohin sie horchte, war plötzlich Wirklichkeit.

Sie saß bei den Kindern. Das Fräulein las ihnen ein Märchen vor von der Prinzessin, die alle Kammern ihres Palastes beschauen durfte, nur die eine nicht, die mit silbernem Schlüssel verriegelt war und die sie doch öffnete zu ihrem Verhängnis. War das nicht ihr eigenes Schicksal, daß auch sie nur das Verbotene gereizt hatte und ins Unglück getrieben? Tiefe Weisheit schien ihr das kleine Märchen, das sie vor einer Woche noch als einfältig belächelt hätte. In der Zeitung stand die Geschichte eines Offiziers, der unter Erpressung zum Verräter geworden war. Sie schauerte und verstand. Würde denn sie nicht auch Unmögliches tun, um sich Geld zu schaffen, ein paar Tage Ruhe zu kaufen, einen Schein von Glück. Jede Zeile, die von Selbstmord sprach, jedes Verbrechen, jede Verzweiflung wurde ihr plötzlich zum Geschehnis. Alles sagte »ich« zu ihr, der Lebensmüde, der Verzweifelte, das verführte Dienstmädchen und das verlassene Kind, alles war wie ihr eigenes Schicksal. Mit einem Male spürte sie den ganzen Reichtum des Lebens und wußte, daß nie eine Stunde in ihrem Schicksal mehr arm sein könnte und jetzt, da sich alles zu Ende neigte, spürte sie erst einen Anbeginn. Und dieses wunderbare Verstricktsein mit der ganzen unendlichen Welt sollte diese eine verlotterte Weibsperson Macht haben mit ihren groben Fäusten zu zerreißen? Um dieser einen Schuld willen sollte all das Große und Schöne, dessen sie sich nun zum erstenmal fähig fühlte, zertrümmert sein?

Und warum – sie wehrte sich blind gegen ein Verhängnis, das sie unbewußt sinnvoll glaubte – warum gerade ihr so entsetzliche Strafe für geringfügiges Vergehen! Wie viele Frauen kannte sie, eitle, freche, wollüstige, die sich für Geld sogar Liebhaber hielten und in ihrem Arm den eigenen Mann verhöhnten, Frauen, die in der Lüge lebten wie im eigenen Haus, die schöner wurden in der Verstellung, stärker in der Verfolgung, klüger in der Gefahr, indes sie ohnmächtig zusammenbrach bei der ersten Angst, dem ersten Vergehen.

Aber war sie denn überhaupt schuldig? In ihrem Innersten fühlte sie, daß dieser Mensch, dieser Geliebte ihr fremd war, daß sie nichts von ihrem wirklichen Leben ihm jemals hingegeben. Nichts hatte sie empfangen von ihm, nichts von sich ihm geschenkt. All dies Vergangene und Vergessene war gar nicht ihr Verbrechen, sondern das einer anderen Frau, die sie selbst nicht verstand und an die sie sich nicht einmal mehr zurückerinnern konnte. Durfte man denn ein Vergehen strafen, das durch die Zeit schon entsühnt war?

Plötzlich erschrak sie. Sie fühlte, daß dies gar nicht mehr ihr eigener Gedanke war. Wer hatte das nur gesagt? Irgend jemand in ihrer Nähe, jüngst erst, vor wenigen Tagen. Sie dachte nach, und ihr Erschrecken wurde nicht geringer, als sie sich besann, daß es ihr eigener Mann war, der diesen Gedanken in ihr geweckt hatte. Er war von einem Prozeß zurückgekommen, aufgeregt, bleich, und plötzlich sagte der sonst so Ungesprächige zu ihr und zufällig anwesenden Freunden: »Heute hat man einen Unschuldigen verurteilt.« Von ihr und den anderen befragt, erzählte er noch ganz aus seiner Erregung, man habe soeben einen Dieb bestraft für eine Entwendung, die er vor drei Jahren begangen hätte, und für sein Empfinden zu Unrecht, denn nach drei Jahren sei doch das Verbrechen gar nicht mehr das seine. Man bestrafe einen anderen Menschen und strafe ihn überdies doppelt, weil er doch schon diese drei Jahre im Kerker seiner eigenen Angst, in der ewigen Unruhe der Überführung verbracht habe.

Mit Entsetzen entsann sie sich, ihm damals widersprochen zu haben. Ihrem lebensfremden Empfinden war der Verbrecher immer nur ein Schädling der bürgerlichen Behaglichkeit gewesen, der ausgerottet werden mußte um jeden Preis. Nun erst spürte sie, wie jämmerlich ihre Argumente gewesen waren, wie gütig und gerecht die seinen. Aber würde er auch bei ihr verstehen können, daß sie nicht einen Menschen geliebt, sondern das Abenteuer? Daß er mitschuldig war durch zuviel Güte, durch die erschlaffende Behaglichkeit, die er um ihr Leben gebreitet? Würde er auch gerecht sein können als Richter seiner eigenen Sache?

Aber es war gesorgt dafür, daß sie sich freundlichen Hoffnungen nicht hingeben sollte. Schon am nächsten Tag kam wieder ein Zettel, wieder ein Peitschenhieb, der ihre ermattete Angst aufscheuchte. Diesmal waren zweihundert Kronen gefordert, die sie widerstandslos gab. Entsetzlich war ihr diese jähe Steigerung der Erpressung, der sie sich auch materiell nicht gewachsen fühlte, denn obzwar aus vermögender Familie, war sie doch nicht in der Lage, sich unauffällig größere Summen zu beschaffen. Und dann, was half es? Sie wußte, morgen würden es vierhundert Kronen sein und bald tausend, immer mehr, je mehr sie gab, und dann schließlich, sobald ihre Mittel versagten, der anonyme Brief, der Zusammenbruch. Was sie kaufte, war nur Zeit, eine Atemspanne, zwei Tage Rast oder drei, eine Woche vielleicht, aber eine wie entsetzlich wertlose Zeit voll Qual und Spannung. Seit Wochen schlief sie jetzt unruhig mit Träumen, die ärger waren als das Wachsein, ihr fehlte die Luft, die freie Bewegung, die Ruhe, die Beschäftigung. Sie vermochte nicht mehr zu lesen, nichts mehr zu tun, dämonisch gejagt von ihrer inneren Angst. Sie fühlte sich krank. Manchmal mußte sie sich plötzlich niedersetzen, so heftig überfiel sie das Herzklopfen, eine unruhige Schwere füllte mit dem zähen Saft einer fast schmerzhaften Müdigkeit alle Glieder, die aber dennoch dem Schlaf sich verwehrte. Unterhöhlt von der fressenden Angst war ihre ganze Existenz, vergiftet ihr Körper, und im Innersten sehnte sie sich eigentlich danach, daß dieses Kranksein doch endlich herausbrechen möge in einem sichtbaren Schmerz, einem wirklich faßbaren, sichtbaren klinischen Leiden, für das die Menschen doch Mitleid hatten und Erbarmen. Sie beneidete die Kranken in diesen Stunden unterirdischer Qual. Wie gut müßte es sein, in einem Sanatorium zu liegen, im weißen Bett zwischen weißen Wänden, umgeben von Bedauern und Blumen, Menschen würden kommen, alle gütig zu ihr sein, und hinter der Wolke des Leidens stünde schon fern wie eine große gütige Sonne die Genesung. Hatte man Schmerzen, so durfte man wenigstens laut schreien, sie aber mußte unaufhörlich die tragische Komödie eines heiteren Gesundseins spielen, für die jeder Tag und beinahe jede Stunde ihr neue und furchtbare Situationen fand. Mit zuckenden Nerven mußte sie lächeln und froh scheinen, ohne daß jemand die unendliche Anstrengung dieser vorgetäuschten Heiterkeit ahnte, die heroische Kraft, die sie verschwendete an solche tägliche und doch nutzlose Selbstvergewaltigung.

Nur einer von allen Menschen rings um sie schien, so dünkte es ihr, etwas zu ahnen von dem Furchtbaren, das in ihr vorging, und dieser nur, weil er sie belauerte. Sie spürte, und diese Sicherheit zwang sie zu doppelter Vorsicht, daß er sich unablässig mit ihr beschäftigte, so wie sie mit ihm. Sie umschlichen sich Tag und Nacht, gleichsam einander umkreisend, um einer des andern Geheimnis aufzuspähen und das eigene hinter dem Rücken zu bergen. Auch ihr Mann war anders geworden in der letzten Zeit. Die drohende Strenge jener ersten inquisitorischen Tage war bei ihm einer eigenen Art von Güte und Besorgtheit gewichen, die sie unwillkürlich an ihre Brautzeit erinnerte. Wie eine Kranke behandelte er sie, mit einer Sorgsamkeit, die sie verwirrte, weil sie sich beschämt fühlte durch so unverdiente Liebe, und die sie anderseits doch fürchtete, weil sie doch auch eine List bedeuten könnte, um ihr jäh in unvermutetem Augenblick das Geheimnis aus den erschlafften Händen zu winden. Seit jener Nacht, da er sie im Schlafe belauscht, und jenem Tag, da er den Brief in ihren Händen erblickt, war sein Mißtrauen wie in Mitleid verwandelt, er warb um ihr Vertrauen mit einer Zartheit, die sie manchmal beruhigte und schon nachgiebig stimmte, um in der nächsten Sekunde dem Argwohn wieder nachzugeben. War es nur eine List, die verführerische Lockung des Untersuchungsrichters für den Angeklagten, eine Fangbrücke des Vertrauens, die ihr Geständnis überschreiten sollte und die dann, plötzlich hochgezogen, sie wehrlos in seiner Willkür ließ? Oder war auch schon in ihm das Gefühl, daß dieser gesteigerte Zustand des Belauerns und Belauschens ein unerträglicher war, und seine Sympathie so stark, daß er heimlich mitlitt an ihrem täglich mehr sichtbaren Leiden? Sie spürte in einem merkwürdigen Schauer, wie er ihr manchmal das erlösende Wort gleichsam hinreichte, wie verlockend leicht er ihr das Geständnis machte; sie verstand seine Absicht und war seiner Güte dankbar froh. Aber sie empfand auch, daß mit dem regeren Gefühl der Neigung auch ihre Scham vor ihm wuchs und ihr strenger das Wort verwehrte als vordem ihr Mißtrauen.

Einmal in diesen Tagen sprach er zu ihr ganz deutlich und Blick in Blick. Sie war nach Hause gekommen und hatte vom Vorzimmer laute Stimmen gehört, die ihres Mannes, scharf und energisch, das zänkische Geschwätz der Gouvernante und dazwischen Weinen und schluchzende Laute. Ihr erstes Gefühl war Erschrecken. Immer, wenn sie laute Stimmen hörte oder eine Erregung im Hause, schauerte sie zusammen. Angst war das Gefühl, das bei ihr auf alles antwortete, was außergewöhnlich war, die brennende Angst, der Brief sei schon gekommen, das Geheimnis enthüllt. Immer, wenn sie die Tür auftat, stürzte ihr erster fragender Blick sich auf die Gesichter und fragte sie ab, ob nichts in ihrer Abwesenheit geschehen sei, die Katastrophe nicht schon hereingebrochen, indes sie fern war. Diesmal war es nur Kinderzank, wie sie bald beruhigt erkannte, eine kleine improvisierte Gerichtsverhandlung. Eine Tante hatte vor wenigen Tagen dem Knaben ein Spielzeug, ein buntes Pferdchen, gebracht, was das jüngere Mädchen, das mindere Gaben erhalten, neidisch erbitterte. Vergeblich hatte sie ihr Recht geltend zu machen gesucht und so gierig, daß der Knabe ihr verweigerte, sein Spielzeug überhaupt zu berühren, was zuerst lauten Zorn des Kindes erregte und dann ein dumpfes, geducktes, hartnäckiges Schweigen. Aber am nächsten Morgen war das Pferdchen plötzlich verschwunden, spurlos, und alle Bemühungen des Knaben vergebens, bis man durch Zufall das Verlorene schließlich zerstückelt im Ofen entdeckte, die Holzteile zerbrochen, das bunte Fell abgerissen und das Innere ausgeweidet. Der Verdacht fiel selbstverständlich auf das kleine Mädchen; weinend war der Bub zum Vater gestürzt, die Boshafte zu verklagen, die einer Rechtfertigung nicht ausweichen konnte, und eben begann das Verhör.

Irene fühlte einen jähen Neid. Warum kamen die Kinder mit all ihren Sorgen immer zu ihm und niemals zu ihr? Von je vertrauten sie alle ihre Streitigkeiten und Klagen immer ihrem Manne an; bisher war ihr's lieb gewesen, von diesen kleinen Plackereien befreit zu sein, aber auf einmal geizte sie danach, weil sie darin die Liebe fühlte und Vertrauen.

Die kleine Gerichtsverhandlung war bald entschieden. Das Kind leugnete zuerst, freilich mit scheu gesenkten Augen und einem verräterischen Zittern in der Stimme. Die Gouvernante zeugte gegen sie, sie hatte gehört, wie das kleine Mädchen im Zorn gedroht hatte, das Pferdchen zum Fenster hinunterzuwerfen, was das Kind vergeblich abzuleugnen sich bemühte. Es gab einen kleinen Tumult von Schluchzen und Verzweiflung. Irene blickte auf ihren Mann; ihr war es, als säße er zu Gericht nicht über das Kind, sondern schon über ihr eigenes Schicksal, denn so würde sie vielleicht morgen schon ihm gegenüberstehen, mit dem gleichen Zittern und demselben Sprung in der Stimme. Ihr Mann blickte zuerst streng, solange das Kind bei der Lüge beharrte, zwang dann Wort für Wort den Widerstand nieder, ohne je bei einer Weigerung in Zorn zu geraten. Dann aber, als sich das Leugnen in eine dumpfe Verstocktheit löste, sprach er ihr gütig zu, bewies geradezu die innere Notwendigkeit der Handlung und entschuldigte gewissermaßen, daß sie im ersten unbedachten Zorn etwas so Abscheuliches getan habe, damit, daß sie dabei nicht besonnen habe, es würde ihren Bruder tatsächlich kränken. Und so warm und eindringlich erläuterte er dem immer unsicherer werdenden Kinde die eigene Tat als etwas Begreifliches, aber doch Verurteilenswertes, daß es endlich in Tränen ausbrach und wild zu heulen begann. Und bald, gedeckt vom Schwall der Tränen, stammelte es endlich das gestehende Wort.

Irene stürzte hin, die Weinende zu umarmen, aber die Kleine stieß sie weg im Zorn. Auch ihr Mann verwies ihr mahnend dies voreilige Mitleid, denn er wollte das Vergehen doch nicht straflos hingehen lassen, und verhängte die zwar geringfügige, für das Kind aber empfindliche Strafe, am nächsten Tage nicht zu einer Veranstaltung gehen zu dürfen, auf die sich das Mädchen seit Wochen getreut hatte. Heulend hörte das Kind sein Urteil; der Knabe begann laut zu triumphieren, aber dieser frühzeitige und gehässige Hohn verwickelte ihn augenblicklich gleichfalls in die Strafe, und auch ihm wurde für seine Schadenfreude die Erlaubnis, jenes Kinderfest zu besuchen, entzogen. Traurig, und nur getröstet durch die Gemeinsamkeit ihrer Bestrafung, zogen die beiden schließlich ab, und Irene blieb allein mit ihrem Mann.

Jetzt, fühlte sie plötzlich, war endlich Gelegenheit, statt der Anspielungen hinter der Maske eines Gespräches über die Schuld des Kindes und sein Geständnis von ihrer eigenen zu sprechen, und irgendein Gefühl der Erleichterung überkam sie, wenigstens in verhüllter Form die Beichte ablegen und um Mitleid bitten zu dürfen. Denn wie ein Zeichen war es ihr, ob er ihre Fürsprache für das Kind nun gütig aufnahm, und sie wußte, dann würde sie vielleicht wagen können, für sich selbst zu sprechen.

»Sag, Fritz«, begann sie, »willst du wirklich die Kinder morgen nicht gehen lassen? Sie werden ganz unglücklich sein, besonders die Kleine. So arg war es ja gar nicht, was sie angestellt hat. Warum willst du sie so streng bestrafen? Tut sie dir gar nicht leid, die Kleine?«

Er sah sie an. Dann setzte er sich gemächlich. Er schien sichtlich willig, das Thema ausführlicher zu erörtern, und ein Vorgefühl, angenehm und ängstlich zugleich, ließ sie vermuten, er würde Wort für Wort gegen sie münzen; alles in ihr wartete die Pause zu Ende, die er, wohl mit Absicht oder in angestrengtem Überlegen, besonders dehnte.

»Ob es mir nicht leid tut, fragst du? Darauf sage ich: heute nicht mehr. Ihr ist jetzt leicht, seit sie bestraft ist, ob's ihr auch bitter scheint. Unglücklich war sie gestern, als das arme Pferdchen zerbrochen im Ofen steckte, alles im Hause danach suchte und sie tagaus, tagein die Angst hatte, man würde, man müsse es entdecken. Die Angst ist ärger als die Strafe, denn die ist ja etwas Bestimmtes und, viel oder wenig, immer mehr als das entsetzlich Unbestimmte, dies Grauenhaft-Unendliche der Spannung. Sobald sie ihre Strafe wußte, war ihr leicht. Das Weinen darf dich ja nicht irremachen: es ist nur jetzt herausgefahren, und früher stak es drinnen. Und innen tut's ärger als draußen. Wär' sie nicht ein Kind oder könnte man irgendwie ganz in ihr Letztes schauen, ich glaube, man würde finden, daß sie eigentlich froh ist trotz der Bestrafung und der Tränen und sicher froher als gestern, wo sie anscheinend sorglos herumging und niemand sie verdächtigte.«

Sie sah auf. Ihr war so, als zielte er jedes Wort gegen sie. Aber er schien sie gar nicht zu beachten, sondern fuhr, ihre Bewegung vielleicht mißdeutend, entschiedener fort:

»Es ist wirklich so, du kannst es mir glauben. Ich kenne das vom Gericht und aus den Untersuchungen. Die Angeklagten leiden am meisten unter den Verheimlichungen, unter der Drohung der Entdeckung, unter dem grauenvollen Zwang, eine Lüge gegen tausend kleine versteckte Angriffe verteidigen zu müssen. Es ist furchtbar, so einen Fall zu sehen, wo der Richter schon alles in Händen hat, die Schuld, den Beweis, vielleicht sogar das Urteil bereits, und nur das Geständnis noch nicht, das steckt innen im Angeklagten und will nicht heraus, so sehr er auch zieht und zerrt. Entsetzlich ist das zu sehen, wie der Angeklagte sich windet und krümmt, weil man ihm sein ›Ja‹ wie mit einem Haken aus dem widerstrebenden Fleisch reißen muß. Manchmal sitzt es schon ganz oben in der Kehle, von innen drängt's eine unwiderstehliche Macht nach oben, sie würgen daran, beinahe ist es schon Wort: da kommt die böse Gewalt über sie, jenes unbegreifliche Gefühl von Trotz und Angst, und sie schlucken es wieder hinab. Und der

Kampf beginnt von neuem. Die Richter leiden manchmal mehr dabei als die Opfer. Und dabei betrachten die Angeklagten ihn immer als den Feind, der in Wahrheit ihr Helfer ist. Und ich als ihr Anwalt, als Verteidiger, sollte ja eigentlich meine Klienten warnen, zu gestehen, ihre Lügen festigen und stärken, aber innerlich wage ich es oft nicht, denn sie leiden mehr am Nichtgestehen als am Geständnis und seiner Bestrafung. Ich verstehe das eigentlich noch immer nicht, daß man eine Tat tun kann, mit Bewußtsein der Gefahr, und dann nicht den Mut zum Geständnis haben. Diese kleine Angst vor dem Wort finde ich kläglicher als jedes Verbrechen.«

»Meinst du ... daß es immer ... immer nur Angst ist ... die die Menschen hindert? Könnte es nicht ... könnte es nicht Scham sein ... die Scham, sich auszusprechen ... sich auszukleiden vor all den Menschen?«

Verwundert blickte er auf. Er war sonst nicht gewohnt, von ihr Antwort zu empfangen. Aber das Wort faszinierte ihn.

»Scham, sagst du ... das ... das ist ja auch nur eine Angst ... aber eine bessere ... eine, nicht vor der Strafe, sondern ... ja, ich verstehe ...«

Er war aufgestanden, merkwürdig erregt, und ging auf und ab. Der Gedanke schien in ihm irgend etwas getroffen zu haben, das jetzt aufzuckte und sich stürmisch regte. Plötzlich blieb er stehen.

»Ich gebe zu ... Scham vor den Menschen, vor den Fremden ... vor dem Pöbel, der aus der Zeitung fremdes Schicksal frißt wie ein Butterbrot ... Aber deshalb könnte man doch sich wenigstens jenen bekennen, denen man nahesteht ... Du erinnerst dich an jenen Brandstifter, den ich im vergangenen Jahr verteidigte ... der zu mir eine so merkwürdige Zuneigung gefaßt hatte ... er erzählte mir alles, kleine Geschichten aus seiner Kindheit ... sogar von intimeren Dingen ... Siehst du, der hatte

die Tat bestimmt begangen, er ist auch verurteilt worden
... aber auch mir hatte er sie nicht eingestanden ... das
war eben die Angst, ich könnte ihn verraten ... nicht die
Scham, denn mir vertraute er ja ... ich war, glaube ich,
der einzige, zu dem er im Leben so etwas wie Freundlichkeit empfunden hatte ... da war es also doch nicht
Scham vor den Fremden ... was war es da, wo er doch
vertrauen konnte?«

»Vielleicht« – sie mußte sich abwenden, weil er sie so
ansah und sie ihre Stimme zittern spürte – »vielleicht ...
ist die Scham am größten ... denen gegenüber, denen
man sich ... am nächsten fühlt.«

Er blieb plötzlich stehen, wie gepackt von einer innerlichen Gewalt.

»Du meinst also ... du meinst ...« – und mit einem
Male wurde seine Stimme anders, ganz weich und dunkel ... »du meinst ... daß Helene ... jemand anderem
ihre Schuld leichter gestanden hätte ... der Gouvernante
vielleicht ... daß sie ...«

»Ich bin überzeugt davon ... sie hat gerade dir so viel
Widerstand nur entgegengesetzt ... weil ... weil dein
Urteil ihr das wichtigste ist ... weil ... weil ... sie ...
dich am meisten liebt ...«

Wieder blieb er stehen.

»Du ... du hast vielleicht recht ... ja sogar bestimmt
... das ist doch seltsam ... gerade daran habe ich nie
gedacht ... es ist doch so einfach ... Ich war vielleicht zu
streng, du kennst mich ja ... ich meine es nicht so. Aber
ich gehe jetzt gleich hinein ... sie darf natürlich hin ...
ich wollte ja nur ihren Trotz bestrafen, ihren Widerstand
und daß ... daß sie kein Vertrauen hatte zu mir ... Aber
du hast recht, ich will nicht, daß du glaubst, ich könnte
nicht verzeihen ... das möchte ich nicht ... gerade von
dir möchte ich das nicht, Irene ...«

Er sah sie an, und sie spürte, wie sie errötete unter

seinem Blick. War das Absicht, daß er so sprach, oder ein Zufall, ein tückischer, gefährlicher Zufall? Noch immer fühlte sie die entsetzliche Unentschlossenheit.

»Das Urteil ist kassiert« – irgendeine Heiterkeit schien jetzt über ihn zu kommen – »Helene ist frei, und ich gehe, es ihr selbst ankündigen. Bist du jetzt zufrieden mit mir? Oder hast du noch einen Wunsch? ... Du ... du siehst ... du siehst, ich bin in generöser Laune heute ... vielleicht weil ich froh bin, ein Unrecht rechtzeitig einbekannt zu haben. Das schafft immer eine Erleichterung, Irene, immer ...«

Sie glaubte zu verstehen, was diese Betonung meinte. Unwillkürlich trat sie ihm näher, schon fühlte sie das Wort in sich aufquellen, und auch er trat vor, als wollte er ihr eilig aus den Händen nehmen, was sie so sichtlich bedrückte. Da traf sie sein Blick, in dem eine Gier war, nach dem Geständnis, nach irgend etwas von ihrem Wesen, eine glühende Ungeduld, und plötzlich brach alles in ihr zusammen. Müde fiel ihre Hand, und sie wandte sich ab. Es war vergeblich, fühlte sie, nie würde sie es aussprechen können, das eine befreiende Wort, das innen brannte und ihre Ruhe verzehrte. Wie naher Donner rollte die Warnung, aber sie wußte, daß sie nicht entfliehen konnte. Und im geheimsten Wunsch ersehnte sie schon, was sie bislang gefürchtet, den erlösenden Blitz: die Entdeckung.

Rascher, als sie ahnte, schien ihr Wunsch sich erfüllen zu wollen. Vierzehn Tage währte jetzt der Kampf, und Irene fühlte sich am Ende ihrer Kraft. Nun waren es schon vier Tage, daß die Person sich nicht gemeldet hatte, und so in den Körper gedrungen, so eins mit dem Blute war schon die Angst, daß sie bei jedem Klingeln an der Tür immer jäh aufschoß, um selbst eine erpresserische Botschaft rechtzeitig abzufangen. Eine Ungeduld, beinahe eine

Sehnsucht, war in dieser Gier, denn mit jeder dieser Bezahlungen kaufte sie ja einen Abend Beruhigung, ein paar Stunden mit den Kindern, einen Spaziergang. Für einen Abend, einen Tag konnte sie dann aufatmen, auf der Straße gehen und zu Freunden; freilich, der Schlaf war weise, er ließ sich sein sicheres Wissen um die beständig nahe Gefahr nicht von so kärglichem Trost betrügerisch nehmen und füllte ihr Blut nachts mit zehrenden Angstträumen.

Ungestüm war sie wiederum bei dem Klingelruf hinausgeeilt, die Tür zu öffnen, so sehr ihr auch bewußt sein mußte, diese Unruhe, den Dienstboten zuvorzukommen, müßte Verdacht erwecken und leicht zu feindlichen Vermutungen verlocken. Aber wie schwach wurden diese kleinen Widerstände des besonnenen Überlegens, wenn beim Telefonsignal, einem Schritt auf der Straße hinter ihr her oder dem Ruf der Türglocke ihr ganzer Körper gleichsam aufschnellte wie von einem Peitschenschlag. Wieder hatte sie ein Klingelzeichen aus dem Zimmer und hin zur Tür gerissen; sie öffnete, um im ersten Augenblick eine fremde Dame verwundert anzusehen und dann, entsetzt zurückfahrend, in der neuen Ausstaffierung und unter einem eleganten Hut das verhaßte Gesicht der Erpresserin zu erkennen.

»Ach, Sie sind es selbst, Frau Wagner, das ist mir angenehm. Ich hab' Sie wichtig zu sprechen.« Und ohne eine Antwort der Erschrockenen abzuwarten, die sich mit zitternder Hand auf die Türklinke stützte, trat sie ein, legte den Schirm ab, einen grellen, roten Sonnenschirm, offenbar schon eine erste Verwertung ihrer erpresserischen Raubzüge. Sie bewegte sich mit einer ungeheuren Sicherheit, als ob sie in ihrer eigenen Wohnung wäre und, wohlgefällig und gleichsam mit dem Gefühl einer Beruhigung die stattliche Einrichtung betrachtend, schritt sie unaufgefordert weiter gegen die halb offene Tür zum

Empfangszimmer. »Nicht wahr, hier hinein?« fragte sie mit einem verhaltenen Hohn, und als die Erschreckte, des Wortes noch immer nicht mächtig, ihr abwehren wollte, fügte sie beruhigend bei: »Wir können es ja rasch erledigen, wenn es Ihnen unangenehm ist.«

Frau Irene folgte ihr ohne Widerrede. Der Gedanke, die Erpresserin in ihrer eigenen Wohnung zu wissen, diese Verwegenheit, die ihre entsetzlichsten Vermutungen übertraf, betäubte sie. Ihr war, als träumte sie dies alles.

»Schön haben Sie's hier, sehr schön«, bewunderte mit sichtlicher Behaglichkeit die Person, während sie sich niederließ. »Ah, wie gut sich's da sitzt. Und die vielen Bilder. Da sieht man's erst, wie armselig es unsereiner hat. Sehr schön haben Sie's, sehr schön, Frau Wagner.«

Da, wie sie diese Verbrecherin in ihren eigenen Räumen so behaglich sah, brach endlich die Wut in der Gemarterten auf. »Was wollen Sie denn, Sie Erpresserin! Bis in meine Wohnung verfolgen Sie mich. Aber ich werde mich nicht zu Tode quälen lassen von Ihnen. Ich werde . . .!«

»Sprechen Sie doch nicht so laut«, unterbrach die andere mit einer beleidigenden Vertraulichkeit. »Die Tür ist ja offen, und die Dienstboten könnten Sie hören. Mir liegt doch nicht viel daran. Ich leugne ja nichts, mein Gott, und schließlich im Gefängnis kann's mir doch auch nicht schlechter gehn wie jetzt, bei dem elenden Leben. Aber Sie, Frau Wagner, sollten etwas vorsichtiger sein. Ich will vor allem einmal die Tür zumachen, wenn Sie's für nötig befinden, sich zu ereifern. Aber das sag' ich Ihnen gleich, daß Beschimpfungen auf mich keinen Eindruck machen.«

Frau Irenens Kraft, für einen Augenblick durch den Zorn gestählt, sank wieder ohnmächtig zusammen vor der Unerschütterlichkeit dieser Person. Wie ein Kind, das wartet, welche Aufgabe ihm diktiert wird, stand sie da, demütig beinahe und unruhig.

»Also, Frau Wagner, ich will keine langen Umstände machen. Mir geht's nicht gut, das wissen Sie. Das hab' ich Ihnen schon gesagt. Und jetzt brauch' ich Geld auf den Zins. Ich bin ihn schon so lang schuldig, und noch auf andere Sachen. Ich möcht' endlich einmal ein bißchen in Ordnung kommen. Deshalb bin ich zu Ihnen gekommen, daß Sie mir da halt aushelfen mit – na, mit halt vierhundert Kronen.«

»Ich kann nicht«, stammelte Frau Irene, von der Summe erschrocken, die sie tatsächlich nicht mehr in Barem besaß. »Ich hab's jetzt wirklich nicht. Dreihundert Kronen hab' ich Ihnen schon gegeben in diesem Monat. Woher soll ich's denn nehmen?«

»Na, es wird schon gehn, denken Sie nur nach. Eine so reiche Frau wie Sie kann doch Geld haben, soviel sie will. Aber wollen muß sie halt. Also denken S' nur nach, Frau Wagner, es wird schon geh'n.«

»Aber ich hab' es wirklich nicht. Ich möchte es Ihnen ja gern geben. Aber soviel hab' ich wirklich nicht. Ich könnte Ihnen etwas geben ... hundert Kronen vielleicht ...«

»Vierhundert Kronen, hab' ich gesagt, brauch' ich.« Wie beleidigt durch die Zumutung warf sie schroff die Worte hin.

»Aber ich habe sie nicht!« schrie Irene verzweifelt. Wenn jetzt ihr Mann käme, dachte sie zwischendurch, jeden Augenblick konnte er kommen. »Ich schwöre es Ihnen, ich habe sie nicht ...«

»Dann suchen Sie sich's zu verschaffen ...«

»Ich kann nicht.«

Die Person sah sie an, von oben bis unten, als wollte sie sie abschätzen.

»Na ... zum Beispiel der Ring da ... Wenn man den

versetzte, dann würde es gleich gehn. Ich kenn' mich freilich nicht mit Schmuck so aus ... ich hab' ja nie einen gehabt ... aber vierhundert Kronen, glaube ich, kriegt man schon dafür ...«

»Den Ring!« schrie Frau Irene auf. Es war ihr Verlobungsring, der einzige, den sie nie ablegte und dem ein sehr kostbarer und schöner Stein hohen Wert gab.

»No, warum denn nicht? Ich schick' Ihnen den Versatzschein, da können S' ihn einlösen, wann Sie wollen. Sie krieg'n ihn ja wieder zurück. Ich werd' ihn nicht behalten. Was macht denn so eine arme Person wie ich mit einem so nobeln Ring?«

»Warum verfolgen Sie mich? Warum quälen Sie mich? Ich kann nicht ... ich kann nicht. Das müssen Sie doch begreifen ... Sie sehen, ich habe getan, was ich kann. Das müssen Sie doch begreifen. Haben Sie doch Mitleid!«

»Mit mir hat auch keiner Mitleid gehabt. Mich haben sie beinahe krepieren lassen vor Hunger. Warum soll gerade ich Mitleid haben mit einer so reichen Frau?«

Irene wollte eben heftig erwidern. Da hörte sie – und ihr Blut stockte – außen eine Tür ins Schloß fallen. Das mußte ihr Mann sein, der von seinem Büro zurückkehrte. Ohne erst zu überlegen, riß sie sich den Ring vom Finger und streckte ihn der Wartenden hin, die ihn eilig verschwinden ließ.

»Haben Sie keine Angst. Ich geh' schon weg«, nickte die Person, als sie die namenlose Angst in dem Gesichte gewahrte und das gespannte Lauschen gegen des Vorzimmer, wo ein Männerschritt deutlich vernehmbar war. Sie öffnete die Tür, grüßte Irenens eintretenden Gemahl, der für einen Augenblick zu ihr aufsah und sie nicht sonderlich zu beachten schien, und verschwand.

»Eine Dame, die um eine Auskunft kam«, sagte Irene mit letzter Kraft zur Erklärung, sobald die Tür hinter der

Person ins Schloß gefallen war. Die ärgste Sekunde war überstanden. Ihr Mann erwiderte nichts und trat ruhig in das Zimmer, wo der Mittagstisch bereits gedeckt war.

Irene war, als brenne die Luft auf jene Stelle an ihrem Finger, die sonst der kühle Reif des Ringes schützte, und als müßte jeder auf die nackte Stelle wie auf ein Brandmal blicken. Immer wieder versteckte sie während des Speisens die Hand, und indes sie's tat, höhnte sie eine merkwürdige Überreizung des Gefühls, ein Blick ihres Mannes streife unablässig gegen ihre Hand und verfolge sie auf all ihren Wanderungen. Mit aller Kraft bemühte sie sich, seine Aufmerksamkeit abzulenken und mit unablässigen Fragen ein Gespräch in Fluß zu bringen. Sie sprach und sprach zu ihm, zu den Kindern, zu der Gouvernante, immer wieder entzündete sie mit den kleinen Flammen der Frage das Gespräch, aber immer versagte ihr der Atem, und immer brach es wieder erstickt in sich zusammen. Sie versuchte übermütig zu scheinen und auch die andern zu einer Fröhlichkeit zu verleiten, sie neckte die Kinder und stachelte sie gegeneinander auf, aber sie stritten nicht und sie lachten nicht: es mußte, so spürte sie selbst, in ihrer Heiterkeit etwas Falsches sein, das die andern unbewußt befremdete. Je mehr sie sich anspannte, desto weniger gelang der Versuch. Schließlich wurde sie müde und schwieg.

Auch die andern schwiegen; sie hörte nur das leise Klirren der Teller und innen die quellenden Stimmen der Angst. Da, mit einem Male sagte ihr Mann: »Wo hast du denn heute deinen Ring?«

Sie zuckte zusammen. Innen sagte etwas ganz laut ein Wort: Vorbei! Aber noch wehrte sich ihr Instinkt. Jetzt alle Kraft zusammenhalten, fühlte sie. Nur für einen Satz noch, für ein Wort. Nur eine Lüge noch finden, eine letzte Lüge.

»Ich ... ich hab' ihn zum Putzen gegeben.«

Und gleichsam erstarkt an der Unwahrheit, fügte sie nun entschlossen bei: »Übermorgen hol' ich mir ihn ab.« Übermorgen. Jetzt war sie gebunden, die Lüge mußte zerbrechen und sie mit, wenn es ihr nicht gelang. Jetzt hatte sie sich selbst die Frist gestellt, und all die wirre Angst durchdrang jetzt mit einem Male ein neues Gefühl, eine Art Glück, die Entscheidung so nahe zu wissen. Übermorgen: nun wußte sie ihre Frist und fühlte aus dieser Gewißheit eine merkwürdige Ruhe in ihre Angst überströmen. Innen wuchs etwas auf, eine neue Kraft, Kraft zum Leben und die Kraft zu sterben.

Das endlich gesicherte Bewußtsein der nahen Entscheidung begann eine unerwartete Klarheit in ihr zu verbreiten. Die Nervosität wich wunderbar einer geordneten Überlegung, die Angst einem ihr selbst fremden Gefühl kristallener Ruhe, dank der sie alle ihre Dinge ihres Lebens plötzlich durchsichtig und in ihrem wahrhaften Wert sah. Sie maß ihr Leben und spürte, es wog noch immer schwer, durfte sie es behalten und steigern in dem neuen und erhöhten Sinne, den diese Tage der Angst sie gelehrt hatten, konnte sie es noch einmal rein und sicher, ohne Lügen beginnen, sie fühlte sich bereit. Aber als geschiedene Frau, Ehebrecherin, befleckt vom Skandal, hinzuleben, dazu war sie zu müde, und zu müde auch, weiter dies gefährliche Spiel einer erkauften und auf Frist gewährten Beruhigung fortzusetzen. Widerstand war, das fühlte sie, jetzt nicht mehr denkbar, das Ende schon nahe, Verrat drohte von ihrem Mann, ihren Kindern, von allem, das sie umgab, und von ihr selbst. Flucht war unmöglich vor einem Gegner, der allgegenwärtig schien. Und das Bekenntnis, die sichere Hilfe, blieb ihr verwehrt, das wußte sie nun. Ein einziger Weg war noch frei, aber von dem gab es keine Wiederkehr.

Noch lockte das Leben. Es war einer jener elementaren

Frühlingstage, wie sie manchmal aus dem verschlossenen Schoß des Winters stürmisch hervorbrechen, ein Tag mit unendlich erblautem Himmel, dessen erhobene Weite man wie Aufatmen nach all den umdüsterten Winterstunden zu fühlen meinte.

Die Kinder stürmten herein in hellen Kleidern, die sie zum erstenmal in diesem Jahre trugen, und sie mußte sich bezwingen, ihren aufstürmenden Jubel nicht mit Tränen zu erwidern. Sobald das Lachen der Kinder mit seinem schmerzlichen Nachhall in ihr verklungen war, machte sie sich daran, ihre eigenen Beschlüsse entschlossen auszuführen. Zunächst wollte sie versuchen, sich wieder in den Besitz des Ringes zu setzen, denn, wie immer sich jetzt ihr Schicksal entschiede, sollte kein Verdacht auf ihre Erinnerung fallen, niemand einen sichtlichen Beweis ihrer Schuld besitzen. Niemand, und vor allem die Kinder nicht, sollten jemals das furchtbare Geheimnis ahnen, das sie ihnen entrissen hatte; ein Zufall müßte es scheinen, den keiner zu verantworten hatte.

Sie ging zunächst in eine Leihanstalt, dort ein ererbtes Schmuckstück, das sie fast niemals trug, zu versetzen, und sich so mit genug Geld zu versehen, um der Person eventuell den verräterischen Ring wieder abkaufen zu können. Gesicherter im Gefühl, sobald sie die bare Summe in der Tasche hatte, promenierte sie dann weiter aufs Geratewohl, im Innersten das ersehnend, was sie bis gestern am meisten gefürchtet hatte: der Erpresserin zu begegnen. Die Luft war lind und ein Geleucht von Sonne über den Häusern. Etwas von der ungestümen Bewegung des Windes, der weiße Wolken eilig über den Himmel jagte, schien in den Rhythmus der Menschen eingedrungen zu sein, die leichter und beschwingter ausschritten als bisher in all den trostlosen winterdämmerigen Tagen. Und sie selbst vermeinte, etwas davon in sich zu fühlen. Der Gedanke des Sterbens, gestern wie im Flug gefaßt und nicht mehr aus der zitternden Hand gelassen, wuchs plötzlich zur Ungeheuerlichkeit, entsank ihren Sinnen. Sollte es denn möglich sein, daß ein Wort irgendeines widrigen Weibes all dies zerstören könnte, die Häuser da mit den blinkenden Fassaden, die sausenden Wagen, die lachenden Menschen und innen dies rauschende Gefühl von Blut? Sollte ein Wort die unendliche Flamme verlöschen können, mit der die ganze Welt aufloderte in ihrem atmenden Herzen?

Sie ging und ging, aber nicht mehr mit gesenktem Blick, sondern offen spürend und beinahe voll Gier, endlich die Langgesuchte zu entdecken. Das Opfer suchte jetzt den Jäger, und wie das gehetzte schwächere Tier, wenn es fühlt, daß ein Entrinnen nicht mehr möglich ist, sich mit dem Entschluß der Verzweiflung plötzlich wendet und dem Verfolger kampfbereit entgegenstellt, so verlangte sie es jetzt, der Peinigerin sich Antlitz in Antlitz zu stellen und mit jener letzten Kraft zu ringen, die der Trieb des Lebens den Verzweifelten verleiht. Mit Absicht blieb sie in der Nähe der Wohnung, wo sonst die Erpresserin sie zu belauern pflegte, einmal eilte sie sogar über die Straße, weil in der Tracht irgendeine Frauensperson an die Gesuchte erinnerte. Es war längst nicht mehr der Ring, um den sie kämpfte und der ja doch nur Aufschub bedeutete und nicht Befreiung, sondern wie ein Zeichen des Schicksals ersehnte sie diese Begegnung, als Entscheidung über Leben und Tod von höherer Macht, aus ihrem eigenen Entschlusse gefällt, schien ihr sein Wiederbesitz. Aber nirgends war die Person zu erspähen. Wie eine Ratte im Loch war sie verschwunden im unendlichen Gewirr der Riesenstadt. Enttäuscht, aber noch nicht hoffnungslos kehrte sie mittags zurück, um sogleich nach dem Mittagsmahle die vergebliche Suche wieder zu beginnen. Neuerdings streifte sie die Straßen ab, und jetzt, da sie sie nirgends fand, wuchs wieder das fast entwöhnte Grauen in ihr empor. Nicht die Person war es mehr, nicht der Ring, der sie beunruhigte, sondern das grauenhafte Geheimnisvolle in all diesen Begegnungen, das mit der Vernunft nicht mehr voll zu begreifen war. Diese Person hatte wie durch Magie ihren Namen erfahren und ihre Wohnung, sie wußte all ihre Stunden und häuslichen Verhältnisse, sie war immer im schreckhaftesten und gefährlichsten Momente gekommen, um nun im erwünschtesten mit einem Male verschwunden zu sein. Irgendwo mußte sie sein in dem riesigen Getriebe, nah, wenn sie wollte, und doch unerreichbar, sobald man sie begehrte, und dies Gestaltlose der Drohung, das unfaßbare Nahe der Erpresserin, hart an ihrem Leben und doch nicht zu fassen, lieferte die schon Ermattete machtlos an die immer mehr mystische Angst. Es war, als hätten sich höhere Kräfte zu ihrem Untergang teuflisch verschworen, eine solche Verhöhnung ihrer Schwäche war in diesem übermächtigen Gewirr feindlicher Zufälle. Nervös schon, mit einem fiebernden Schritt, lief sie immer noch dieselbe Straße auf und nieder. Wie eine Dirne, dachte sie selbst. Aber die Person blieb unsichtbar. Nur das Dunkel kam jetzt drohend herabgeglitten, der frühe Frühlingsabend löste die helle Farbe des Himmels in schmutzige Trübe, und eilig brach die Nacht herein. Lichter entflammten sich in den Straßen, der Strom der Menschen flutete rascher in die Häuser zurück, das ganze Leben schien in dunkler Strömung zu entschwinden. Ein paarmal ging sie noch auf und ab, spähte noch einmal mit letzter Hoffnung die Straße entlang, dann wandte sie sich ihrem Hause zu. Sie fror.

Müde ging sie hinauf. Sie hörte, wie man nebenan die Kinder zu Bett brachte, aber sie vermied, ihnen gute Nacht zu wünschen, Abschied zu nehmen für die eine und dabei an die ewige zu denken. Wozu sie jetzt auch sehen? Um an ihren übermütigen Küssen ungetrübtes Glück zu fühlen, in ihren hellen Gesichtern die Liebe? Wozu sich noch martern mit einer Freude, die doch schon verloren war? Sie biß die Zähne zusammen: nein, sie wollte nichts mehr vom Leben fühlen, nicht mehr das Gute und Lachende, das sie mit vieler Erinnerung band, da sie doch all diesen Zusammenhalt morgen mit einem Ruck zerreißen mußte. Nur an das Widerwärtige wollte sie jetzt denken, an das Häßliche, das Gemeine, an das Verhängnis, die Erpresserin, an den Skandal, an alles, was sie forttrieb, dem Abgrund entgegen.

Die Heimkehr ihres Mannes unterbrach das dumpfe und einsame Sinnen. Freundlich um ein reges Gespräch bemüht, suchte er sich ihr im Worte zu nähern und fragte vielerlei. Eine gewisse Nervosität meinte sie dieser plötzlich so regen Sorgsamkeit entraten zu können, aber sie widerstrebte jedem Gespräch in Erinnerung an das von gestern. Irgendeine innere Angst hielt sie zurück, sich durch Liebe zu binden, durch Sympathie halten zu lassen. Er schien ihren Widerstand zu spüren und irgendwie besorgt. Sie wiederum fürchtete von seiner Besorgnis neuerliche Annäherung und bot ihm frühzeitig gute Nacht. »Auf morgen«, antwortete er. Dann ging sie.

Morgen: wie nah das war und wie unendlich fern! Ungeheuer weit und finster schien ihr die schlaflose Nacht. Allmählich wurden die Geräusche der Straße seltener, an den Reflexen des Zimmers sah sie, daß die Lichter draußen erloschen. Manchmal meinte sie, die nahen Atemzüge von den andern Zimmern fühlen zu können, das Leben ihrer Kinder, ihres Mannes und der ganzen nahen und doch so fernen, fast schon entschwundenen Welt, aber auch gleichzeitig ein namenloses Schweigen, das nicht aus der Natur, nicht von ringsum zu kommen schien, sondern von innen, aus geheimnisvoll rauschender Quelle. Eingesargt fühlte sie sich in einer Unendlichkeit von Stille und das Dunkel unsichtbarer Himmel auf ihrer Brust. Manchmal sprachen die Stunden laut eine Zahl in das Dunkel, dann ward die Nacht schwarz und leblos, aber zum erstenmal meinte sie den Sinn dieser endlosen, leeren Dunkelheit zu verstehen. Sie sann jetzt nicht mehr über Abschied und Tod, sondern dachte nur, wie sie ihm entgegenflüchten und möglichst unauffällig den Kindern und sich die Schande des Aufsehens ersparen könnte. An alle Wege sann sie, von denen sie wußte, daß sie zum Tode führten, dachte alle Möglichkeiten der Selbstvernichtung aus, bis sie sich mit einer Art freudigen Schreckens plötzlich erinnerte, daß der Arzt bei einer schmerzhaften Krankheit, die Schlaflosigkeit im Gefolge hatte, ihr Morphium verschrieben hatte, und sie damals tropfenweise das süß-bittere Gift aus einem kleinen Fläschchen genommen hatte, dessen Inhalt, wie man ihr damals sagte, hinreichend war, einen sanft entschlummern zu lassen. Oh, nicht mehr gejagt zu werden, ruhen können, ruhen ins Unendliche, nicht mehr den Hammer der Angst auf dem Herzen zu spüren! Der Gedanke dieses sanften Entschlummerns reizte die Schlaflose unendlich, schon meinte sie den galligen Geschmack auf den Lippen zu fühlen und die weiche Umnachtung der Sinne. Eilig raffte sie sich auf und entzündete das Licht. Das Fläschchen, das sie bald fand, war nur mehr halbvoll und sie befürchtete, es möchte nicht genügen. Fieberhaft durchforschte sie alle Laden, bis sie schließlich das Rezept fand, das die Bereitung größerer Quantitäten ermöglichte. Wie eine kostbare Banknote faltete sie es lächelnd zusammen: Nun hielt sie den Tod in der Hand. Kühl durchschauert und doch beruhigt wollte sie wieder zurück ins Bett, aber jetzt, wie sie am beleuchteten Spiegel vorbeischritt, sah sie plötzlich aus dem dunklen Rahmen sich selbst entgegentreten, gespenstig, bleich, hohlen Auges und vom weißen Nachtgewand wie in ein Leichenlaken gehüllt.

Grauen fiel sie an, sie löschte das Licht, flüchtete frierend in das verlassene Bett und lag wach bis in den dämmernden Tag.

Am Vormittag verbrannte sie ihre Briefschaften, brachte Ordnung in allerhand kleine Dinge, aber sie vermied nach Möglichkeit, die Kinder zu sehen und alles überhaupt, was ihr lieb war. Sie wollte das Leben jetzt nur abhalten, sich an sie mit Lust und Verlockung anzuklammern und ihr den gefaßten Entschluß durch ein nur vergebliches Zögern noch zu erschweren. Dann ging sie noch einmal auf die Straße, zum letztenmal das Schicksal zu versuchen und der Erpresserin zu begegnen. Sie ging wieder rastlos die Straßen ab, aber nicht mehr mit jenem gesteigerten Gefühl der Spannung. In ihr war schon etwas müde geworden, und sie verzagte, weiterkämpfen zu können. Sie ging und ging wie aus Pflichtbewußtsein zwei Stunden. Nirgends war die Person zu sehen. Es tat ihr nicht mehr weh. Fast wünschte sie nicht mehr die Begegnung, so kraftlos fühlte sie sich. Sie sah in die Gesichter der Menschen hinein, und alle schienen ihr fremd, alle tot und irgendwie abgestorben. Das alles war irgendwie schon fern und verloren und gehörte ihr nicht mehr.

Nur einmal schrak sie zusammen. Ihr war, als hätte sie beim Umblicken auf der anderen Seite der Straße aus dem Gewühl plötzlich den Blick ihres Mannes gefühlt, jenen merkwürdigen, harten, stoßenden Blick, den sie erst seit kurzem an ihm kannte. Ärgerlich starrte sie hinüber, aber die Gestalt war rasch hinter einem vorbeifahrenden Wagen verschwunden, und sie beruhigte sich mit dem Gedanken, daß er zu dieser Zeit immer bei Gericht beschäftigt sei. Das Gefühl für die Stunde wurde ihr unsicher in der spähenden Erregung, und sie kam verspätet zum Mittagsmahl. Aber auch er war noch nicht zur Stelle wie sonst, sondern kam erst zwei Minuten später und, wie ihr dünkte, ein wenig erregt.

Sie zählte jetzt die Stunden bis zum Abend und erschrak, wie viele es noch waren, wie wunderlich das war, wie wenig Zeit man brauchte zum Abschiednehmen, wie wenig wert alles schien, wenn man wußte, daß man es nicht mitnehmen könne. Etwas wie Schläfrigkeit kam über sie. Mechanisch ging sie wieder die Straße hinab, aufs Geratewohl, ohne zu denken oder zu schauen. An einer Kreuzung riß ein Kutscher im letzten Augenblick die Pferde zurück, schon hatte sie die Deichsel des Wagens knapp vor sich hinstoßen gesehen. Der Kutscher fluchte gemein, sie wandte sich kaum um: das wäre Rettung gewesen oder Aufschub. Ein Zufall hätte ihr den Entschluß erspart. Müde ging sie weiter: es war wohltuend, so gar nichts zu denken, nur wirr ein dunkles Gefühl vom Ende innen zu spüren, einen Nebel, der sacht niederstieg und alles verhüllte.

Als sie zufällig aufblickte, nach dem Namen der Straße zu sehen, schauerte sie zusammen: in ihrem verworrenen Wandeln war sie durch Zufall bis beinahe vor das Haus ihres einstigen Geliebten gekommen. War das ein Zeichen? Er könnte ihr vielleicht noch helfen, er mußte die Adresse jener Person wissen. Sie zitterte beinahe vor Freude. Wie hatte sie dies nicht bedenken können, dies Einfachste? Mit einem Male spürte sie die Glieder wieder reg, die Hoffnung beschwingte die trägen Gedanken, die jetzt wirr durcheinanderstoben. Er müßte jetzt hingehen mit ihr zu jener Person und ein für allemal ein Ende machen. Er müßte sie bedrohen, diese Erpressungen einzustellen, vielleicht genügte eine Summe sogar, sie aus der Stadt zu entfernen. Es tat ihr plötzlich leid, den Armen jüngst so schlecht behandelt zu haben, aber er würde ihr helfen, sie war dessen gewiß. Wie seltsam, daß diese Rettung jetzt erst kam, jetzt, in letzter Stunde.

Hastig eilte sie die Treppen hinauf und läutete. Niemand öffnete. Sie horchte: es war ihr, als hätte sie vor-

sichtige Schritte hinter der Tür gehört. Sie läutete nochmals. Wieder ein Schweigen. Und wieder ein leises Geräusch von innen. Da riß ihr die Geduld: sie läutete ohne
Unterlaß, es galt ja ihr Leben.

Endlich rührte sich etwas hinter der Tür, das Schloß
knackte, und ein schmaler Spalt tat sich auf. »Ich bin es«,
hastete sie rasch.

Wie mit einem Erschrecken öffnete er jetzt die Tür.
»Du bist ... Sie sind es ... gnädige Frau«, stammelte er,
sichtlich verlegen. »Ich war ... verzeihen Sie ... ich war
... nicht darauf vorbereitet ... auf Ihren Besuch ... verzeihen Sie meinen Aufzug.« Dabei deutete er auf seine
Hemdärmel. Sein Hemd war halb offen, und er trug keinen Kragen.

»Ich muß Sie dringend sprechen ... Sie müssen mir
helfen«, sagte sie nervös, weil er sie noch immer im Flur
stehen ließ wie eine Bettlerin. »Wollen Sie mich nicht
eintreten lassen und mich eine Minute anhören«, fügte sie
gereizt hinzu.

»Bitte«, murmelte er verlegen und mit einem seit-
lichen Blick, »ich bin nur jetzt ... ich kann nicht
recht ...«

»Sie müssen mich hören. Es ist ja Ihre Schuld.
Sie haben die Pflicht, mir zu helfen ... Sie müssen
mir den Ring schaffen, Sie müssen ... Oder sagen Sie
mir wenigstens die Adresse ... Sie verfolgt mich
immer, und jetzt ist sie fort ... Sie müssen, hören Sie,
Sie müssen.«

Er starrte sie an. Jetzt merkte sie erst, daß sie ganz
zusammenhanglos die Worte keuchte.

»Ach so ... Sie wissen nicht ... Also, Ihre Geliebte,
Ihre frühere, die Person hat mich damals von Ihnen fort-
gehen sehn, und seitdem verfolgt sie mich und erpreßt
von mir ... sie foltert mich zu Tode ... Jetzt hat sie mir
den Ring genommen, und den, den muß ich haben. Bis

heute abend muß ich ihn haben, ich habe es gesagt, bis heute abend ... Wollen Sie mir also helfen.«

»Aber ... aber ich ...«

»Wollen Sie oder nicht?«

»Aber ich kenne doch keine Person. Ich weiß nicht, wen Sie meinen. Ich habe nie Beziehungen gehabt zu Erpresserinnen.« Er war beinahe grob.

»So ... Sie kennen sie nicht. Sie sagt das so aus der Luft. Und sie kennt Ihren Namen und meine Wohnung. Vielleicht ist es auch nicht wahr, daß sie erpreßt. Vielleicht träume ich das nur.«

Sie lachte grell. Ihm wurde unbehaglich. Einen Augenblick fuhr es ihm durch den Sinn, sie könnte wahnsinnig sein, so funkelten ihre Augen. Ihr Gehaben war verstört, die Worte sinnlos. Ängstlich sah er sich um.

»Bitte beruhigen Sie sich doch ... gnädige Frau ... ich versichere Ihnen, Sie täuschen sich. Es ist ganz ausgeschlossen, das muß ... nein, ich verstehe es selbst nicht. Ich kenne Frauen dieser Sorte nicht. Die beiden Beziehungen, die ich hier seit meinem, wie Sie wissen, doch kurzen Aufenthalt hatte, sind nicht derart ... ich will keinen Namen nennen, aber ... aber es ist so lächerlich ... ich versichere Ihnen, es muß ein Irrtum sein ...«

»Sie wollen mir also nicht helfen?«

»Aber gewiß ... wenn ich kann.«

»Dann ... kommen Sie. Wir gehen zusammen zu ihr ...«

»Zu wem ... zu wem denn?« Er fühlte wieder das Grauen, sie sei wahnsinnig, als sie ihn jetzt beim Arm faßte.

»Zu ihr ... Wollen Sie oder wollen Sie nicht?«

»Aber gewiß ... gewiß« – sein Verdacht wurde immer mehr bestärkt durch die Gier, mit der sie ihn drängte – »gewiß ... gewiß ...«

»So kommen Sie ... es geht mir um Leben und Tod!«

Er hielt an sich, um nicht zu lächeln. Dann wurde er mit einem Male förmlich.

»Verzeihung, gnädige Frau ... aber es ist mir momentan nicht möglich ... ich habe eine Klavierstunde ... ich kann jetzt nicht unterbrechen ...«

»So ... so ...«, grell lachte sie ihm ins Gesicht, »so geben Sie Klavierstunden ... in Hemdärmeln ... Sie Lügner.« Und plötzlich, gepackt von einer Idee, stürmte sie vorwärts. Er suchte sie zurückzuhalten. »Hier ist sie also, die Erpresserin, bei Ihnen? Am Ende spielt ihr gemeinsames Spiel. Vielleicht teilt ihr alles, was ihr aus mir herausgepreßt habt. Aber ich will sie mir fassen. Jetzt habe ich vor nichts mehr Angst.« Sie schrie laut. Er hielt sie fest, aber sie rang mit ihm, riß sich los und stürzte zur Tür des Schlafzimmers.

Eine Gestalt fuhr zurück, die offenbar an der Tür gelauscht hatte. Irene starrte entgeistert eine fremde Dame in etwas unordentlicher Toilette an, die ihr Gesicht hastig abwandte. Ihr Geliebter war ihr nachgestürmt, um Irene zu halten, die er für wahnsinnig hielt, und ein Unglück zu verhüten, aber schon trat sie wieder aus dem Zimmer zurück .»Verzeihen Sie«, murmelte sie. Es war ihr ganz wirr. Sie verstand nichts mehr, nur Ekel fühlte sie, unendlichen Ekel, und eine Müdigkeit.

»Verzeihen Sie«, sagte sie noch einmal, als sie ihn unruhig ihr nachschauen sah. »Morgen ... morgen werden Sie alles begreifen ... das heißt, ich ... ich verstehe selbst nichts mehr.« Wie zu einem Fremden sprach sie zu ihm. Nichts erinnerte sie, daß sie jemals diesem Menschen angehört hatte, und kaum spürte sie noch den eigenen Körper. Es war alles jetzt noch viel wirrer als zuvor, sie wußte nur, daß irgendwo eine Lüge sein müßte. Aber sie war zu müde, noch zu denken, zu müde, zu schauen. Mit geschlossenen Augen stieg sie die Treppe hinab wie ein Verurteilter zum Schafott.

Dunkel war die Straße, als sie hinaustrat. Vielleicht, flog es ihr durch den Sinn, wartet sie jetzt drüben, vielleicht kommt jetzt im letzten Augenblick noch Rettung. Es war ihr, als müßte sie die Hände falten und beten zu einem vergessenen Gott, Oh, nur noch ein paar Monate sich kaufen können, die paar Monate bis zum Sommer, und dann dort friedlich leben, unerreichbar für die Erpresserin, leben zwischen Wiesen und Feldern, nur einen Sommer, aber ihn so ganz und voll, daß er mehr zählt wie ein ganzes Menschenleben. Gierig spähte sie auf die schon dunkle Straße. Drüben in einem Haustor vermeinte sie eine Gestalt lauern zu sehen, aber jetzt, wie sie näher trat, schwand sie tiefer in den Flur zurück. Einen Augenblick glaubte sie, Ähnlichkeit mit ihrem Mann zu entdekken. Zum zweitenmal kam ihr heute diese Angst, ihn und seinen Blick auf der Straße plötzlich zu spüren. Sie zögerte, um sich zu überzeugen. Aber die Gestalt war verschwunden im Schatten. Unruhig ging sie weiter, ein seltsam gespanntes Gefühl im Nacken wie von einem rückwärts brennenden Blick. Einmal wandte sie sich noch um. Aber da war niemand mehr zu sehen.

Die Apotheke war nicht weit. Mit einem leisen Schauer trat sie ein. Der Provisor nahm das Rezept und machte sich an die Bereitung. Alles sah sie in dieser einen Minute, die blanke Waage, die zierlichen Gewichte, die kleinen Etiketten, und oben in den Schränken die Reihen der Essenzen mit den fremdartigen lateinischen Namen, die sie unbewußt alle mit den Blicken buchstabierte. Sie hörte die Uhr ticken, spürte den eigentümlichen Duft, diesen fettig-süßlichen Geruch der Arzneien, und erinnerte sich mit einem Male, als Kind ihre Mutter immer gebeten zu haben, die Besorgungen für die Apotheke übernehmen zu dürfen, weil sie diesen Geruch liebte und den fremdartigen Anblick der vielen blinkenden Tiegel. Dabei entsann sie sich entsetzt, daß sie es verabsäumt habe, von ihrer Mutter Abschied zu nehmen, und die arme Frau tat ihr furchtbar leid. Wie sie erschrecken würde, dachte sie entsetzt, aber schon zählte der Provisor aus einem bauchigen Gefäß die hellen Tropfen in ein blaues Fläschchen. Starr sah sie zu, wie der Tod aus diesem Gefäß in das kleine wanderte, von dem er bald in ihre Adern strömen sollte, und ein Gefühl von Kälte rieselte durch ihre Glieder. Sinnlos, in einer Art von Hypnose, starrte sie auf seine Finger, die jetzt den Pfropfen in das gefüllte Glas bohrten und jetzt mit Papier die gefährliche Rundung überklebten. Alle ihre Sinne waren gefesselt und gelähmt von dem grausigen Gedanken.

»Zwei Kronen, bitte«, sagte der Provisor. Sie wachte auf aus ihrer Starre und sah fremd um sich. Dann griff sie mechanisch in die Tasche, um das Geld hervorzuholen. Noch traumhaft war alles in ihr, sie sah die Münzen an, ohne sie gleich zu erkennen, und verzögerte sich unwillkürlich im Zählen.

In diesem Augenblick fühlte sie ihren Arm erregt beiseite geschoben und hörte Geld auf die gläserne Schüssel klingen. Eine Hand streckte sich neben ihr aus und griff nach dem Fläschchen.

Unwillkürlich wandte sie sich herum. Und ihr Blick erstarrte. Es war ihr Mann, der da stand mit hart zugepreßten Lippen. Sein Gesicht war fahl, und auf der Stirn funkelte ihm feuchter Schweiß.

Sie fühlte sich einer Ohnmacht nahe und mußte sich am Tisch festhalten. Mit einem Male begriff sie, daß er es gewesen, den sie auf der Straße gesehen und der eben noch im Haustor gelauert; etwas in ihr hatte ihn schon dort ahnend erkannt und besann sich wirr in der einen Sekunde.

»Komm«, sagte er mit einer dumpfen, würgenden Stimme. Sie sah ihn starr an und verwunderte sich im Innern, in einer ganz dumpfen, tiefen Welt ihres Bewußtseins, daß sie ihm gehorchte. Und ihr Schritt ging mit, ohne daß sie es selber wußte.

Sie gingen nebeneinander über die Straße. Keiner blickte den andern an. Er hielt das Fläschchen noch immer in der Hand. Einmal blieb er stehen und wischte sich die feuchte Stirn. Unwillkürlich hemmte auch sie den Schritt, ohne es zu wollen, ohne es zu wissen. Aber sie wagte nicht, hinüberzublicken. Keiner sprach ein Wort, der Lärm der Straße wogte zwischen ihnen.

Auf der Stiege ließ er sie vorausschreiten. Und sofort, wie er nicht neben ihr ging, geriet ihr Schritt ins Wanken. Sie blieb stehen und hielt sich an. Da stützte er ihren Arm. Bei der Berührung schrak sie zusammen und hastete die letzten Stufen rascher hinauf.

Sie trat ins Zimmer. Er folgte ihr. Dunkel glänzten die Wände, kaum waren die Gegenstände zu unterscheiden. Noch immer sprachen sie kein Wort. Er riß das Papier der Umhüllung ab, öffnete das Fläschchen, goß den Inhalt fort. Dann schleuderte er es heftig in eine Ecke. Sie zuckte zusammen bei dem klirrenden Laut.

Sie schwiegen und schwiegen. Sie fühlte, wie er sich bändigte, fühlte es, ohne hinzusehen. Endlich trat er auf sie zu. Nahe und nun ganz nah. Sie konnte seinen schweren Atem spüren und sah mit ihrem starren und wie verwölkten Blick den Glanz seiner Augen funkelnd aus dem Dunkel des Raumes treten. Seinen Zorn wartete sie schon losbrechen zu hören und schauerte starr dem harten Griff seiner Hand entgegen, der sie erfaßte. Irenen stand das Herz still, nur die Nerven vibrierten wie hochgespannte Saiten; alles wartete auf die Züchtigung, und beinahe ersehnte sie seinen Zorn. Aber er schwieg noch immer, und mit einem unendlichen Staunen spürte sie, daß sein Nahetreten ein sanftes war. »Irene«, sagte er, und seine Stimme klang merkwürdig weich. »Wie lange sollen wir uns noch quälen?«

Da brach es aus ihr, plötzlich, konvulsivisch, mit einem übermächtigen Stoß, wie ein einziger, sinnloser tierischer Schrei, endlich stürzte es vor, das aufgesparte, niedergerungene Schluchzen all dieser Wochen. Eine zornige Hand schien sie von innen zu fassen und gewalttätig zu rütteln, sie schwankte wie eine Trunkene und wäre umgesunken, hätte er sie nicht festgehalten.

»Irene«, beruhigte er, »Irene, Irene«, immer leiser, immer beschwichtigender den Namen sprechend, als könnte er den verzweifelten Aufruhr der gekrampften Nerven durch die immer zärtlichere Tönung des Wortes glätten. Aber nur Schluchzen antwortete ihm, wilde Stöße, Wogen von Schmerz, die den ganzen Körper durchrollten. Er führte, er trug den zuckenden Körper zum Sofa und bettete ihn hin. Aber das Schluchzen wurde nicht still. Wie mit elektrischen Schlägen schüttelte der Weinkrampf die Glieder, Wellen von Schauer und Kälte schienen den gefolterten Leib zu überrinnen. Seit Wochen auf das Unerträglichste gespannt, waren die Nerven nun zerrissen, und fessellos tobte die Qual durch den fühllosen Leib.

Er hielt in höchster Erregung ihren durchschauerten Körper, faßte die kalten Hände, küßte zuerst beruhigend und dann wild, in Angst und Leidenschaft, ihr Kleid, ihren Nacken, aber das Zucken fuhr immer wie ein Riß über die hingekauerte Gestalt, und von innen rollte die aufstürzende, endlich entfesselte Welle des Schluchzens empor. Er fühlte das Gesicht an, das kühl war, von Tränen gebadet, und spürte die hämmernden Adern an den Schläfen. Eine unsägliche Angst überkam ihn. Er kniete hin, näher zu ihrem Antlitz zu sprechen.

»Irene«, immer wieder faßte er sie an, »warum weinst du ... Jetzt ... jetzt ist doch alles vorbei ... Warum

quälst du dich noch ... Du mußt dich nicht ängstigen
mehr ... Sie wird nie mehr kommen, nie mehr ...«

Ihr Körper zuckte wieder auf, mit beiden Händen hielt
er ihn fest. Eine Angst war in ihm, als er diese Verzweiflung fühlte, die den gefolterten Leib zerriß, als hätte er sie
gemordet. Immer wieder küßte er sie und stammelte
wirre Worte der Entschuldigung.

»Nein ... nie mehr ... ich schwöre es dir ... ich habe
es ja nicht ahnen können, daß du so sehr erschrecken
würdest ... nur rufen wollte ich dich ... zurückrufen zu
deiner Pflicht ... nur daß du von ihm weggehst ... für
immer ... und zurück zu uns ... ich hatte doch keine
andere Wahl, als ich es durch Zufall erfuhr ... ich konnte
es dir selbst doch nicht sagen ... ich dachte ... dachte
immer, du würdest kommen ... darum habe ich sie ge-
sandt, diese arme Person, daß sie dich treiben sollte ...
ein armes Ding ist sie, eine Schauspielerin, eine entlasse-
ne ... sie hat sich ja ungern hergegeben, aber ich wollte
es ... ich sehe, es war unrecht ... aber ich wollte dich
doch zurück ... ich habe dir doch immer gezeigt, daß ich
bereit bin ... daß ich nichts will als verzeihen, aber du
hast mich nicht verstanden ... aber so ... so weit wollte
ich dich nicht treiben ... ich habe ja mehr gelitten, alles
das zu sehen ... jeden Schritt habe ich dich beobachtet
... nur wegen der Kinder, weißt du, wegen der Kinder
mußte ich dich doch zwingen ... aber jetzt ist doch alles
vorbei ... jetzt wird alles wieder gut ...«

Sie hörte dumpf aus einer unendlichen Ferne Worte,
die nah klangen, und verstand sie doch nicht. Ein Rauschen wogte ihr innen, das alles übertönte, ein Tumult
der Sinne, in dem jedes Gefühl verging. Sie fühlte Berührung an ihrer Haut, Küsse und Liebkosungen, und die
eigenen, nun schon erkaltenden Tränen, aber innen war
das Blut voll Klingen, voll eines dumpfen, dröhnenden
Getöns, das gewaltsam schwoll und nun donnerte wie

rasende Glocken. Dann schwand ihr alle Deutlichkeit. Sie spürte, wirr aus ihrer Ohnmacht erwachend, daß man sie entkleidete, sah wie durch viele Wolken das Antlitz ihres Mannes, gütig und besorgt. Dann fiel sie tief ins Dunkel hinab, in den lang entbehrten, schwarzen, traumlosen Schlaf.

Als sie am nächsten Morgen die Augen aufschlug, war es schon hell im Zimmer. Und Helligkeit spürte sie in sich, entwölkt und wie durch Gewitter gereinigt das eigene Blut. Sie versuchte sich zu besinnen, was ihr geschehen war, aber alles schien ihr noch Traum. Unwirklich, leicht und befreit, so wie man im Schlaf durch die Räume schwebt, dünkte ihr dies hämmernde Empfinden, und um der Wahrheit des wachen Erlebens gewiß zu werden, tastete sie die eigenen Hände prüfend ab.

Plötzlich schrak sie zusammen: an ihrem Finger funkelte der Ring. Mit einem Male war sie ganz wach. Die wirren Worte, aus halber Ohnmacht gehört und doch nicht, ein ahnungsvoll dumpfes Gefühl von vordem, das nur nie gewagt hatte, Gedanke und Verdacht zu werden, beides verflocht sich jetzt plötzlich zu klarem Zusammenhang. Alles verstand sie mit einem Male, die Fragen ihres Mannes, das Erstaunen ihres Liebhabers, alle Maschen rollten sich auf, und sie sah das grauenvolle Netz, in dem sie verstrickt gewesen war. Erbitterung überfiel sie und Scham, wieder begannen die Nerven zu zittern, und fast bereute sie, erwacht zu sein aus diesem traumlosen, angstlosen Schlaf.

Da klang Lachen von nebenan. Die Kinder waren aufgestanden und lärmten wie erwachende Vögel in den jungen Tag. Deutlich erkannte sie die Stimme des Knaben und spürte erstaunt zum erstenmal, wie sehr sie der seines Vaters glich. Leise flog ein Lächeln auf ihre Lippen und rastete dort still. Mit geschlossenen Augen lag sie, um all dies tiefer zu genießen, was ihr Leben war und nun auch ihr Glück. Innen tat noch leise etwas weh, aber es war ein verheißender Schmerz, glühend und doch lind, so wie Wunden brennen, ehe sie für immer vernarben wollen.

Nachbemerkung des Herausgebers

».. . daß unser Leben tiefere Sinne hat als die äußerlichen Geschehnisse, die uns zusammenführen und trennen, und daß eine tiefe Magik des Lebens, nur dem Gefühle zugänglich und nicht den Sinnen, Schicksale beherrscht, selbst dann, wenn wir sie selbst zu lenken glauben«, veranschaulichen Stefan Zweigs erste, zu einem Buch zusammengefaßte Erzählungen fast alle noch »intuitiv«. So hat er selbst es in einer Einschrift in ein Exemplar von ›Die Liebe der Erika Ewald‹ – 1904 »mit Buchschmuck von Hugo Steiner–Prag« im Verlag Egon Fleischel & Co. in Berlin erschienen – »für die Bibliothek des Herrn James Carleton Young« dargestellt. Der Welt des Unbewußten galt von Anfang an sein erzählerisches Interesse. »Ist es Bequemlichkeit, Feigheit oder ein zu kurzes Gesicht, daß sie – unsere Schriftsteller und Dichter – alle immer nur den obern erhellten Lichtrand des Lebens zeichnen, wo die Sinne offen und gesetzhaft spielen, indes unten in den Kellergewölben, in den Wurzelhöhlen und Kloaken des Herzens phosphorhaft funkelnd die wahren, die gefährlichen Bestien der Leidenschaft umfahren, im Verborgenen sich paarend und zerfleischend in allen phantastischen Formen der Verstrickung?« fragte er 1926, als er einer der meistgelesenen und meistübersetzten Schriftsteller seiner Zeit geworden war, in ›Verwirrung der Gefühle‹.

Wußte Stefan Zweig 1900, kurz nach der Niederschrift der ersten Fassung von ›Die Liebe der Erika Ewald‹, »von den meisten meiner Sachen, daß sie flüchtig und übereilt sind«, und glaubte er, »ich kann nach dem letzten Worte nichts mehr ändern«, so war dies eher eine Art Trotzreaktion des Neunzehnjährigen auf die Ablehnung durch Karl Emil Franzos, den Herausgeber der ›Deutschen Dichtung‹, dem er sie eingesandt hatte. »Es ist dies eine leichtsinnige und eigensinnige Arbeitsweise, aber ich bin mir vollkommen klar darüber, daß sie mich verhindern wird, jemals etwas Größeres zu leisten. Ich kenne nicht die Kunst, gewissenhaft und fleißig zu sein . . . habe . . . schon Hunderte von Mcpt. selbst verbrannt, geändert oder umgearbeitet noch nie eine Zeile. Das ist ein Unglück, das man nicht gut ändern kann, weil es keine Äußerlichkeit ist, sondern vielleicht in den Charakter hineingreift.« Diese am 3. Juli 1900 spontan geäußerte Auffassung von seiner Arbeitsweise behielt er nicht lange: der Fleiß, mit dem er sich daransetzte, das allzu Flüchtige zu ändern, wurde ihm vier Jahre später durch die Annahme seiner ersten »Novellen« für ein eigenes Buch bestätigt. – »›Novellen‹ ist freilich nicht ganz die richtige Bezeichnung für diese feinen, fast ängstlich sorgfältigen Seelenstudien«, fand Hermann Hesse in seiner Kritik. »Das Erzählerische tritt nicht selbstherrlich und selbstverständlich auf, sondern schmiegt sich, als suche es eine Stütze, an die äußerst zartfühligen psychologischen Lösungen und an die gelegentlich lyrisch verklärte Wärme des Ausdrucks.« Als habe er sich vor allem diese frühe Kritik eines befreundeten Kollegen, die ihn auch jetzt »als Erzähler noch nicht reif und fertig« fand, mehr als nötig zu Herzen genommen (er dankte Hesse, ohne weiter darauf einzugehen) –, als habe er darin – entgegen seiner Hoffnung – bestätigt gefunden, wovor er »Angst« hatte: »Sie möchten mich mißachten, weil die Dinge noch nicht ganz flügge sind und die Eierschalen der ersten Jugend noch nicht ganz abschüttelten«, wartete Stefan Zweig lange, bis er, nach Lyrik, Drama und Monographie, wieder einen Band mit Erzählungen vorlegte. Ja, die

Charakterisierung, die Hermann Hesse von Stefan Zweigs Erzählungen gegeben hatte – »sie verblüffen und erschüttern nicht, aber sie sind verständlich und wirken lange nach« –, verstärkte offensichtlich die Skepsis der eigenen Erzählkraft gegenüber. Sie brach im Laufe seines Lebens trotz aller Erfolge immer wieder durch: »mein Stil ist heute noch nicht einmal sicher, sondern formt sich immer am Gegenstand (so wie ich mich im Gespräch zu viel anpasse, ich bin irgendwie vorausgenommenes Echo)«, notierte er selbstkritisch am 13. September 1912 im Tagebuch. Und dreizehn Jahre später, am 3. August 1925, bekannte er seiner Frau Friderike: ».... ich beschwindle mich nicht mit Unsterblichkeitsträumen, weiß wie relativ die ganze Literatur ist, die ich machen kann, glaube nicht an die Menschheit, freue mich an zu wenigem.«

Bedenkt man Stefan Zweigs Sensibilität seinen Themen und Gestalten gegenüber, so versteht man das vibrierende Pathos vor allem der frühen Erzählungen, denen es noch an stilistischer Sicherheit fehlt. Er hielt sich zunächst noch relativ ungeschickt an einzelnen Worten, Begriffen, (angelesenen) Bildern und Farben geradezu fest, wiederholte sie, weil er glaubte, so sein Empfinden besser vermitteln und intensivieren zu können. Mit der Zeit wuchs die schriftstellerische Erfahrung, und er lernte, Kritik als konstruktiv zu verstehen. Seiner Stoffe aber war er schon früh sicher – ein Thema, die »Verwirrung der Gefühle«, bestimmt die Ordnung dieses Bandes innerhalb der Neuausgabe der Gesammelten Werke; diese bezieht den Nachlass ein sowie bisher in Buchform noch nicht veröffentlichte oder seit längerer Zeit nicht wieder gedruckte Texte. Die Gliederung richtet sich nach der inneren Entwicklung des jeweiligen Themas. Stefan Zweig hat seine Erzählungen nicht, ohne links und rechts zu schauen, Schritt für Schritt nach einem Motivplan

erarbeitet, sondern ist meistens zu einem späteren Zeit-
punkt, nachdem anderes entstanden war, auf ein Detail
aus einer Erzählung zurückgekommen, um es weiterzu-
führen. Er hat – das ist unbezweifelbar – seine Erzählbän-
de systematisch vervollständigt und alle zusammen im
nachhinein zu einer »Kette« geordnet, hat, wenn er einen
neuen Band plante, thematisch Dazugehöriges eigens
geschrieben, zuvor Entstandenes aber, das er bereits in
einen anderen, seinerzeit noch lieferbaren zusammenge-
faßt hatte, *konnte* er – anderes wollte er, warum auch
immer – dort nicht integrieren. Aufgabe einer posthumen
Edition der Werke Stefan Zweigs ist es, z. B. die einzelnen
Themenkomplexe der Erzählungen in ihren Stufen über-
sichtlich zu machen, nicht einer Chronik seines Schrei-
bens zu folgen; dabei hätte konsequenterweise Erzählung
neben Essay, Drama neben Gedicht zu stehen.

Verwirrung – das bedeutet, durch Widersprüche in
eigenen Äußerungen und vor allem im eigenen Verhalten
erschüttert zu werden. Dem Kellner François in Stefan
Zweigs Erzählung ›Der Stern über dem Walde‹ bedeutet
das »Seltsame«, das »nur eine Sekunde währte«, der
ungeahnte Augenblick des Sich-Verliebens in die Gräfin
Ostrowska, das Urteil über sein Leben; »Augenblicke
verändern uns mehr als die Zeit« (Charlotte Wolff);
François steigert sich in der Empfindung für sie, die ihm
unerreichbar erscheint, in einen Exzeß hinein bis in den
Selbstmord; er verfängt sich in seinem Gefühl und findet
keinen andern Ausweg; sein Selbstverständnis, das den
gesellschaftlichen Abstand anerkennt, läßt ihm, bei aller
Liebe zu der Frau, keine andere Wahl. Erika Ewald in ›Die
Liebe der Erika Ewald‹, deren »starke und drängende
Empfindung« ihrem gelegentlichen Partner beim Musi-
zieren gegenüber das Gefühl gibt, »Bilder ... stürmten ... heraus über die Enge der Zeit und des Erlebens«,

so daß sie »in seiner Person alle ihre Traumgestalten liebt«, ist von der Gefahr der Übersteigerung ebenso, wenn auch auf andere Weise, bedroht: sie verstrickt sich, zur Antwort auf sein Begehren gefordert, in einem Widerspruch. »Leidenschaftlichkeit und Sinnlichkeit durchlebten sein Leben wie seine Kunst« – sie aber erfährt sein von anderen lediglich als »pièce de résistance«, als gesellschaftliche wie künstlerische Hauptattraktion verstandenes Violinspiel vor allem sentimental; für sie ist Gefühl etwas jeder Realität Enthobenes, und so will sie auch seinen Antrag lieber nicht zur Kenntnis nehmen, weil sie ahnt, daß, nähme sie ihn an, der Traum verlorenginge. Erika Ewald weicht aus, um sich dann – nach ihrer Flucht –, immer noch gefühlvoll, für *ihn* zu entscheiden; zu spät; er wird nicht zurückkehren, der Moment ist versäumt, sie hat ihn verloren, eine andere ihn gewonnen. Hat Erika Ewald sich erst im Sentimentalen verstiegen, sinnt sie, die immer Gefühlvolle, jetzt auf Rache, »wenn auch in falscher Richtung, die die Spitze gegen sich selbst kehrte«; aber sogar dies ist vergeblich; am Ende bleibt ihr, der Unerfüllten, die Resignation im Alleinsein. Ganz anders reagiert die Frau aus ›Vergessene Träume‹. Der unerwartete Besuch eines Freundes erinnert die reich Verheiratete an ihre »erste halbverschwiegene Jugendliebe« zu ihm, die langsam ausklang. Seine Frage, warum sie dann einen »indolenten, immer erwerben wollenden Mann« geheiratet habe, läßt sie das Früher plötzlich ganz anders sehen, ruft ihr die vergessenen Träume zurück: »Ich war damals in einem Rausch von Kunstschönheit befangen, der mich mein wirkliches Leben verachten ließ … ich, deren schönster Traum es war, allein am weiten Meer zu leben, in einem Eigentum, das prächtig ist und kunstvoll zugleich … fast so wie hier.« Liebe hatte darin keinen Platz. Erst als ihr Jugendfreund gegangen ist, wird ihr deutlich, daß sie sich in ihren Gefühlen damals durch äußere Umstände, durch den materiellen Vorteil, hat verwirren lassen.

Diese ersten drei Erzählungen stammen aus der frühesten Schaffenszeit Stefan Zweigs um die Jahrhundertwende. (Einem Brauch der Zeit folgend sind die beiden in dem Band ›Die Liebe der Erika Ewald‹ aufgenommenen jeweils einem Freund gewidmet: ›Der Stern über dem Walde‹ dem österreichischen Dichter Franz Karl Ginzkey, der 1914 sein Vorgesetzter im Wiener Kriegsarchiv und -Pressequartier werden sollte – ›Die Liebe der Erika Ewald‹ dem Lyriker Camill Hoffmann, mit dem zusammen er 1902 ›Gedichte in Vers und Prosa‹ von Charles Baudelaire übertragen hatte.) Nach dem Erscheinen seines ersten Bandes hat Stefan Zweig bis etwa 1911 kaum Erzählungen geschrieben, sondern sich der Lyrik, dem Drama, der Monographie, dem Essay und der Übersetzung zugewandt. Älter geworden, geübter im Umgang mit unterschiedlichsten Menschen *und* mit der Sprache, dreißigjährig, selbst eine Persönlichkeit, nahm er sein als Erzähler früh begonnenes Thema wieder auf: das Spannungsverhältnis gegensätzlicher Charaktere und daraus erwachsende Komplikationen und Fehlleistungen. Sein eigenes Empfinden tritt nun deutlicher zurück, auch wenn er gelegentlich, um der stärkeren Wirkung willen, die Ich-Form des Erzählens wählt – oder wie in ›Geschichte in der Dämmerung‹ zu einem atmosphärisch einstimmenden Rahmen nutzt. Dort bekennt der Autor zu Beginn: »Ich weiß nicht, wie diese Geschichte zu mir kam . . . Ich träume sie nur von einem jähen farbigen Bild zu einem sanfteren Ende, aber ich fasse sie nicht«, um sie dann dem Leser, den er direkt anspricht, gleichsam exklusiv zu erzählen, so als ließe er ihn tatsächlich am Prozeß des poetischen Findens teilnehmen. »Die poetologische Reflexion schafft eine spielerische Distanz zur märchenhaften Initiationsgeschichte« (Jean-Paul Bier).

Einige »Eierschalen der ersten Jugend« konnte Stefan Zweig jedoch auch hier noch nicht ganz »abschütteln«: ein gewisser sentimentaler Zug kennzeichnet Bob, die Hauptgestalt. Im »verwirrten Gefühl seiner fünfzehn Jahre« hat er einerseits »Scheu« »vor der Nähe der Frauen«, träumt er andererseits aber von ihnen und von »Leidenschaft« und wird, als er dies »Unerhörte« zum erstenmal erlebt, in einen Strudel von Neugier gerissen. Da die ihn wiederholt im Park von hinten umarmende und leidenschaftlich küssende Frau sich ihm nicht zu erkennen gibt, glaubt er bald diese, bald jene seiner Cousinen, »die einander so ähnlich sind«, sei es; schließlich konzentiert er sich, in erster Liebe erwachend, auf Margot – »die Begierde, sie zu bändigen, wird wilder und wilder« – und ist vollends irritiert, als sich ihm das Rätsel löst: »die kleine« Elisabeth ist ihm so unmittelbar begegnet. Dieses »erste Erlebnis« erschüttert Bob derart, daß er »einer jener Menschen« wird, »die kein Verhältnis mehr zur Liebe und zu den Frauen finden können«.

Die möglicherweise im Gedanken an Balzac konzipierte »Conte drôlatique«, die »tolldreiste Geschichte« ›Die gleich-ungleichen Schwestern‹ setzt ebenfalls, jedoch in sehr knappem Rahmen mit einem Erlebnis des Autors selbst ein; viel auffälliger aber ist das hier wieder aufgenommene Motiv von Schwestern, die »so zwiefach ähnlich einander in Gestalt und Anmut der Rede, daß man vermeinte, hier blicke als lebender Spiegel ein liebliches Bild das andere an«. Doch wieviel weiter wagt sich Stefan Zweig jetzt in »die Kellergewölbe, die Wurzelhöhlen und Kloaken des Herzens«, wo es Liebe im Sinne der vorausgegangenen Erzählungen nicht mehr gibt, sondern nur noch Leidenschaften und ihre Wirkungen. Helena und Sophia, in allen »nützlichen und anziehenden Künsten der Frauen« und in den Wissenschaften ihrer Zeit gebildet, haben ein Übermaß an Ehrgeiz, die jeweils andere an Erfolg und Einfluß zu übertreffen; Helena, die »kaum Mannbare«, bricht eines Nachts auf, um als Hetäre möglichst den Triumph über ihre Schwester davonzutragen – Sophia tritt aus gleichem Grund als Novizin in einen Orden ein – jede sucht im Extrem ihren Weg, um die Schwester zu übertreffen. Da sie in der gleichen Stadt leben, verwirren sie aber nur die Bürger, die in den Straßen bald der Buhlerin und bald der Helferin der Armen begegnen, ohne sie recht auseinanderhalten zu können, so daß die eine nicht stärker wirken kann als die andere – bis es Helena durch eine List gelingt, die »Scheinbar-Demütige«, Sophia, in ihren »unziemlichen Lebenswandel« zu ziehen. Als die »Natur, die mitleidlose«, von ihnen beiden die Schönheit nimmt, werden sie sich der Übersteigerung, der Verwirrung ihrer Gefühle und Empfindungen bewußt und gehen in ein »Frauenkloster fremden Landes«. Mit der Schilderung dieser seltsamen Mischung aus Ehrgeiz und Hemmungslosigkeit hat Stefan Zweig seinen Lesern hier den Blick weit unter »den obern erhellten Lichtrand des Lebens« freigegeben – mit der Erzählung ›Untergang eines Herzens‹ wendet er sich gänzlich anderen Emotionen zu, denn »zur entscheidenden Erschütterung eines Herzens bedarf das Schicksal nicht immer mächtigen Ausholens und schroff vorstoßender Gewalt«, wie es im Prolog dazu heißt. Der alte Kaufmann Salomonsohn ist – ähnlich wie Leo Tolstois Iwan Iljitsch –, ohne sich dessen bewußt zu sein oder werden zu wollen, todkrank; er hat Schmerzen und reagiert entsprechend heftig auf jeden von außen dringenden Reiz. So echauffiert er sich über alle Maßen, als er beobachtet, daß seine Tochter, »die kaum neunzehnjährige« Erna gegen Morgen im Hotel aus dem Zimmer eines ihm fremden Mannes kommt. Er hat sie immer nur als »das helle, übermütige«, als »das zarte, wohlerzogene Kind mit den schmeichelnden Augen« gesehen und glaubt jetzt, »eine Hure zur Tochter zu haben«: in der blinden Liebe des Vaters hat er, der sich in Arbeit für seine Familie aufopferte, nicht bemerkt, daß das »Kind« unterdessen eine Frau geworden ist. »Die Tür einschlagen, mit den Fäusten sie zerprügeln, die Schamlose, war sein erstes Gefühl«, aber er kann es nicht tun, kann nicht einmal mit ihr sprechen, um von ihr zu hören, wie sie selbst sich hierzu stellt. Statt dessen kreisen seine Gedanken unaufhörlich, und er glaubt sich von ihnen – eigentlich von seiner Kankheit – »zerfressen wie von Würmern«. Seine Frau mag er nicht fragen, er hat sie nie gefragt – sie hat andere Interessen und würde ihn nicht verstehen. So ist er mit seinen zerrissenen Gefühlen allein, die sich verwirrend wie in Spiralen ins Uferlose winden – ihr Absterben geht seinem physischen Tod voraus.

›Untergang eines Herzens‹ »erschien in Zeitungsform und hat viel Aufsehen gemacht«, die Erzählung ›Verwirrung der Gefühle‹ aber »konnte nicht gut in einer Revue wegen ihres difficilen Problems publiziert werden«, unterrichtete Stefan Zweig am 20. März 1926 den Verlag ›Wremja‹ in Leningrad, der ein Jahr später den ersten Band seiner Gesammelten Werke in russischer Sprache herausbrachte. »Difficil« waren auch die Stoffe, die er sich bisher gewählt hatte, aber sie waren weniger gesellschaftsfremd als die Frage der Homosexualität, die ja noch heute von nicht wenigen, zumindest als Thema, tabuisiert wird. Doch er begegnete ihr – die Behandlung in dieser Erzählung beweist es – und den Menschen, die diesen Weg eingeschlagen hatten, ohne Vorurteil, mit ebensolcher Neugier wie anderen außergewöhnlichen Fragen. Seine Studienzeit in Berlin nutzte er folglich nicht so sehr zur Beschäftigung mit dem akademischen Angebot als vielmehr zur Beobachtung der ihm bislang fremden Szene – »Ich saß am Tisch zusammen mit schweren Trinkern, Homosexuellen und Morphinisten« – und suchte die

Wurzeln zunächst vielleicht äußerlich normal wirkender, in Wahrheit aber extremer Empfindungen zu erkennen. »Nichts ist also unrichtiger darum . . . als die freundliche Behauptung, ich hätte im ersten Berliner Semester dank der Führung verdienstlicher Professoren die Grundlagen der philologischen Wissenschaft gewonnen – was wußte meine ungestüm ausbrechende Freiheitsleidenschaft damals von Kollegien und Dozenten!« Diesem Eingeständnis aus der Erzählung ›Verwirrung der Gefühle‹ steht das Bekenntnis aus ›Die Welt von Gestern‹ gegenüber: »Vielleicht ließ mir gerade die Sphäre der Solidität, aus der ich kam, und die Tatsache, daß ich selbst bis zu einem gewissen Grade mich mit dem Komplex der ›Sicherheit‹ belastet fühlte, alle jene faszinierend erscheinen, die mit ihrem Leben, ihrer Zeit, ihrem Geld, ihrer Gesundheit, ihrem guten Ruf verschwenderisch und beinahe verächtlich umgingen, diese Passionierten, diese Monomanen des bloßen Existierens ohne Ziel, und vielleicht merkt man in meinen Romanen und Novellen diese Vorliebe für alle intensiven und unbändigen Naturen.« Das beweist, daß durchaus autobiographisches Erleben in die Fiktion eingeflossen ist, daß die Bekanntschaft mit »amoralischen, unverläßlichen und wahrhaft kompromittierenden Leuten«, zu der er stand, in gewisser Weise zur Inspiration auch dieser Erzählung beigetragen hat. Der Eindruck wird dadurch verstärkt, daß Stefan Zweig in ›Verwirrung der Gefühle‹ ein »Ich« etwas »von jenem Geheimsten meiner geistigen Lebenserfahrung« aufdecken läßt, etwas von dem, was es, das »Ich«, in jungen Jahren durch Auseinandersetzung unverlierbar geprägt hat. Stefan Zweig mag sich der tatsächlichen Intimität seines Sujets im Augenblick der ersten Niederschrift (– an der er später nur noch sehr wenig, nur Stilistisches änderte –), nicht bewußt gewesen sein, denn er gab ihr den durchaus nicht einschränkenden Untertitel »Aufzeichnungen eines alten

Mannes« – im Druck wurde daraus »Private Aufzeichnungen des Geheimrates R. v. D.«. Eine Festschrift, die
»Schüler und Kollegen von der Fakultät« Roland v. D.
widmen, ruft in ihm diese Erinnerungen wach, und er
läßt sich ein auf das »Abenteuer der Vergegenwärtigung«
(Thomas Mann) des von ihm »verehrtesten Mannes«,
seines Lehrers. Nach dem Abitur soll er auf Wunsch des
Vaters studieren, aber in Berlin wird ihm, ohne die
Universität zu betreten, »das Freiheitsgefühl zu einem
übermächtigen Rausch«: der Neunzehnjährige vibriert
»wie ein Dynamo von Unruhe und Ungeduld«. Der
Vater schickt seinen Sohn, als er – zufällig in der Stadt –
ihn statt im Hörsaal in seiner Studentenbude antrifft, wo
er gerade »ein Mädel zu höchst vertraulichem Besuch«
empfangen hat, in eine »kleine Provinzstadt« mit »wei-
tem akademischen Ruhm«. In der ersten Vorlesung, die
Roland dort hört, erlebt er »Rede als Ekstase, Leidenschaft des Vortrags als elementares Geschehen«; er fühlt
sich »hypnotisch angezogen«; noch weiß er nicht, ob das
Thema – Shakespeares »meteorische« Erscheinung –, die
Kunst des Vortrags oder die Persönlichkeit des Dozenten
ihn fasziniert – »Kann man derartige Verwandlungen
erklären?« Seine Begeisterungsfähigkeit ist angespro-
chen, und bald schon gilt dem »vergötterten Lehrer«
»knabenhaft andächtige Verehrung« –; wenig später, als
er im Schwimmbad unerwartet dessen Frau kennenlernt,
bricht Neugier in ihm auf: er wagt »einen schmeichlerischen Blick in seine (des Lehrers) private Existenz«: »je
undurchdringlicher aber dieses Geheimnis, um so mehr
Verführung für meine leidenschaftliche Ungeduld«;
Rolands Zustand ist: »immer erregt vom Zugriff einer
Ahnung und nie abklingend zu klarem Gefühl«. So
geschieht es wohl unbewußt, daß er seinem Lehrer, der
sich auf seine Arbeit über das Globe-Theater seit Jahren
nicht konzentrieren kann, ermutigt: »So diktieren Sie

mir. Versuchen Sie es einmal. Vielleicht nur den Beginn –
dann werden Sie selbst nicht mehr zurückkönnen.
Versuchen Sie das Diktat, ich bitte Sie darum, mir
zuliebe!« Doch gerade dadurch löst er Verwirrung aus,
durchbricht er bewußt die intellektuellen Schranken
seines Gegenübers für das Werk, ahnungslos aber auch die
bislang zurückgehaltener Gefühle des Homosexuellen –
doch das bemerkt Roland zunächst noch nicht. »Die
Arbeit wuchs, sie wuchs um mich wie ein Wald,
allmählich allen Ausblick in die äußere Welt verschattend;
nur innen lebte ich im Dunkel des Hauses, . . . in der
umfangenden wärmenden Gegenwart dieses Menschen«,
erinnert er sich später. »Diese gesellschaftliche Aussperrung hätte mich nun weiter nicht bekümmert, war doch
meine Aufmerksamkeit ganz dem Geistigen verschworen«, aber das plötzlich veränderte, ihm unerklärliche
Verhalten seines Lehrers fordert ihn heraus, reizt und
verwirrt ihn zugleich: »je leidenschaftlicher ich ihm
diente, um so gleichgültiger schien er meine hilfsbereite
Verehrung zu werten . . . Und dieses Heiß und Kalt,
dieses bald Aufwühlend-Nahe, bald Ärgerlich-Rückstoßende seines Wesens verwirrte vollkommen mein unbändiges Gefühl, das sich sehnte – nein, nie vermochte ich
jemals deutlich zu benennen, was ich eigentlich ersehnte,
was ich wünschte, forderte, anstrebte, welches Zeichen
seiner Teilnahme meine enthusiastische Hingabe sich
erhoffte. Denn ist verehrende Leidenschaft selbst reiner
Weise einer Frau zugewandt, so strebt sie doch unbewußt
einer körperlichen Erfüllung zu, ihr hat die Natur eine
höchste Vereinigung im Besitz des Körpers bildnerisch
zugeformt – Leidenschaft des Geistes aber, von Mann zu
Mann dargeboten, wie will sie, die unerfüllbare, volle
Erfüllung? Ruhelos umwandert sie die verehrte Gestalt,
immer sich aufflackernd zur neuen Ekstase und nie noch
beruhigt durch eine letzte Hingabe . . . ich litt glühend an

seiner Nähe und frostete an seiner Ferne, immer enttäuscht an seiner Verhaltenheit, von keinem Zeichen
beruhigt, von jeder Zufälligkeit verwirrt.« Ein Wissen
außerhalb des Wissens deutet sich an, von der Neugier
gefördert – Roland ringt »um eine Deutung, um ein
Erwachen aus der geheimnisvollen Verwirrung dieser
widerstreitenden Gefühle«. Die Versuche seines Lehrers,
sich seinem Schüler nicht nur geistig, sondern auch
körperlich anzunähern, immer wieder von der Disziplin
zurückgerufen – »Man muß Distanz halten...
Distanz... Distanz« –, bleiben Roland rätselhaft (oder
aber er verdrängt die Ahnung der Wahrheit), weil
derartige Gefühle ihm letztlich fremd bleiben, er ihnen
nicht entsprechen kann. Da reist der »verehrteste Mann«
unerwartet ab. Seine Frau sieht, wie sehr Roland dies
abrupte Verhalten enttäuscht, ihn in Tränen ausbrechen
läßt – »vielleicht haben Sie heute zum erstenmal begonnen, etwas zu verstehen« – und läßt ihn spüren, »daß sie
alles verstand und vielleicht noch mehr als sich selbst...«
Sie vertraut ihm »Geheimstes ihrer Ehe« an, daß ihr Mann
sie seit Jahren körperlich meide – »warum hieß ich sie
nicht herrisch schweigen über dies Geheimste seines
Geschlechts?« Die Frau und Roland suchen und finden
sich. Als der Dozent zurückkehrt beichtet er seinem
Lehrer den Ehebruch – um zu hören, daß dieser ihn,
seinen »Mulus«, selbst liebt, körperlich begehrt. Die
Konzentration auf das zu schreibende Buch war ihm im
Anfang eine Möglichkeit gewesen, die Verwirrung seiner
Gefühle nicht vollends ausbrechen zu lassen, aber mit
dem Wachsen der Arbeit verlor sich durch des Geliebten
ständige Nähe dieser Halt. Roland hat es gespürt; es hat
ihn zuzeiten verwirrt, jedoch nicht unangenehm berührt;
so bleibt ihm, trotz der Erschütterung nach dem Geständnis, neben einer männlichen, von Zwängen und Wünschen freien, dauernden Liebe zu diesem nicht nur in

seiner Leistung bewunderten Lehrer »intimste Verschmelzung mit der Vater-Imago«, wie Thomas Mann solchen Sachverhalt einmal (in anderem Zusammenhang) genannt hat.

Rolands offenes Geständnis des Ehebruchs erleichtert es dem Dozenten, seine Gefühle ihm gegenüber frei zu bekennen und so einen Weg aus der Verwirrung zu finden. Irene Wagner in der Erzählung ›Angst‹ bedarf der »Erpressung als Zwang des Gestehens« (Tagebuch, Ende Februar 1913), um »das grauenvolle Netz, in dem sie verstrickt gewesen war«, zu erkennen. Sie hatte sich während der acht Jahre ihrer Ehe, »träge und zufrieden gebettet«, trotz ihrer zwei Kinder als Individuum, als Frau nicht voll verwirklichen können, denn »nirgends war Widerstand in ihrer Existenz«, persönliche Forderung, die sie jetzt – nur diese – außerhalb in der Liaison mit einem »jungen Menschen, einem Pianisten von Ruf« »als Verstehende und Beratende« sucht. Vor jedem Rendezvous, »mit dem sie sich über den Rand ihrer täglichen Gefühle beugte«, erfährt sie »diese erste Angst, in der doch auch Ungeduld brannte«, um auf dem Heimweg voll Unruhe ein Schuldgefühl zu empfinden, als könne »jeder fremde Blick auf der Straße« ihr ablesen, »woher sie käme, und mit frechem Lächeln ihre Verwirrung erwidern« – die Verwirrung ihrer Gefühle, die sich in ihre außereheliche Beziehung und familiäre Pflicht zu teilen haben. Dabei ist Irene Wagner »eine jener Frauen, ... deren innerliche Bürgerlichkeit so stark ist, daß sie selbst in den Ehebruch eine Ordnung, in die Ausschweifung eine Art Häuslichkeit mitbringen und selbst das seltenste Gefühl mit geduldiger Maske in eine Alltäglichkeit zu verspinnen suchen«. Für die Begegnung mit ihrem Mann »rüstete sie immer im voraus eine sorgfältig ausgeklügelte, allen Möglichkeiten der Überprüfung trotzende Lüge«. Doch da muß sie plötzlich die Erfahrung der

Erpreßbarkeit ihrer Entscheidung zu freier Entfaltung ihrer intimsten Sphäre machen. Wie soll sie, wie kann sie ahnen, daß diese fremde Frau »mit dem massigen Körper«, die sich ihre Mitwisserschaft bezahlen läßt, eine Schauspielerin ist? Woraus soll sie schließen, daß ihr Mann dieses Spektakel inszeniert hat? Irene Wagner verliert ihre Sicherheit, »durchfragt« ständig das Gesicht ihres Mannes, ob er etwas von ihrem Ausscheren weiß, etwas von dieser »brennenden Frage« ahnt – sie kann nichts entdekken; aber sie kann sich auch nicht der »geheimnisvoll magnetischen Anziehung des Abenteuers« entgegenstellen. Die Erpresserin verwirrt sie durch die unablässige Steigerung ihrer Forderungen mehr und mehr. Einmal – Theater im Theater, Assoziationen an den Aufbau von Shakespeares ›Hamlet‹ stellen sich unwillkürlich ein – will ihr Mann ihr entgegenkommen und ihr einen Weg weisen: als er die Tochter eines geringen Vergehens wegen nicht bestraft, weil sie ihre Schuld bekennt. Aber Frau Irene liest aus seinem Blick »eine Gier ... nach dem Geständnis« und unterläßt es. Ihre Gedanken und Empfindungen verwickeln sich weiter, steigern die zunächst als Reiz empfundene Angst dramatisch zu seelischer Not. Im Augenblick, da die Katastrophe unvermeidlich zu werden droht, greift ihr Mann ein: Irene Wagners Verwirrung kann sich lösen, jedoch auch die ihres voyeuristischen Mannes, der, in seinen Gefühlen für seine Frau durch ihr Verhalten bedrängt, als Rechtsanwalt, ohne selbst aufzutreten, kriminell geworden ist, um sie »zurückzurufen ... zurückzurufen zu deiner Pflicht ... nur daß du von ihm weggehst ... für immer und zurück zu uns«.

Der Wechsel von innerem Monolog und Dialog, der die Handlung selbst oft reduziert erscheinen läßt, ihren Kern aber gleichzeitig dramatisch zuspitzt, bringt, nicht zuletzt in den hier vorgelegten Texten, ein besonderes Element der Spannung in Stefan Zweigs Erzählungen. Es vermittelt die Erregung der fiktiven Gestalten und überträgt sie auf den Leser; dies geschieht, wie der Insel-Verlag 1929 einen ungenannten Rezensenten zitierte, besonders dadurch, daß Stefan Zweig sich »die Sphäre erobert« hat, »die sich nur dem aufwühlenden Erleben erschließt; und was dem Dichter in der Erschütterung eines Erlebnisses sich offenbarte, das gestaltet eine meisterliche Schilderung lebendig nach, so daß unser die Erschütterung und unser das Wissen um die Verborgenheiten der Seele wird«.

Knut Beck

Bibliographischer Nachweis

Der Stern über dem Walde. Erste Buchveröffentlichung in ›Die Liebe der Erika Ewald‹, Berlin: Egon Fleischel & Co. 1904.

Die Liebe der Erika Ewald. Erste Buchveröffentlichung in ›Die Liebe der Erika Ewald‹, Berlin: Egon Fleischel & Co. 1904.

Vergessene Träume. Erstmals in ›Berliner Illustrirte Zeitung‹, 1900.

Geschichte in der Dämmerung. Erste Buchveröffentlichung in ›Erstes Erlebnis. Vier Geschichten aus Kinderland‹, Leipzig: Insel-Verlag 1911.

Die gleich-ungleichen Schwestern. Erste Buchveröffentlichung in ›Kaleidoskop‹, Wien–Leipzig–Zürich: Herbert Reichner Verlag 1937.

Untergang eines Herzens. Erste Buchveröffentlichung in ›Verwirrung der Gefühle‹, Leipzig: Insel-Verlag 1927.

Verwirrung der Gefühle. Erste Buchveröffentlichung in ›Verwirrung der Gefühle‹, Leipzig: Insel-Verlag 1927.

Angst. Novelle. Berlin: H. S. Hermann 1920 (= Der kleine Roman. Illustrierte Wochenschrift. Nr. 19). – Gekürzte Fassung, mit einem Nachwort von Erwin H. Rainalter. Leipzig: Reclam 1925 (= Reclams Universal Bibliothek. 6540). – Der von Stefan Zweig offensichtlich selbst gegebene Zusatz »(Geschrieben Wien, 1910)« ist, wie das Tagebuch beweist, nicht richtig. Die Erzählung entstand in den Monaten Februar bis April 1913 zu wesentlichen Teilen in Paris und wurde in Wien lediglich abgeschlossen. Die spätere Kürzung beruht, wenn nicht auf dem Wunsch, die Bogenzahl für eine einzelne Reclam-Nummer nicht zu überschreiten, auf einer ursprünglichen Unsicherheit Stefan Zweigs der Erzählung gegenüber, wie er am 19. April 1913 im Tagebuch vermerkte: »Vorletztes Kapitel der Novelle fertig, Zögern vor dem Schluß. Ich glaube, sie muß dann entweder gedehnt oder gestrafft werden. – Vorläufig bin ich unsicher.« – Der Text in der vorliegenden Ausgabe folgt dem Erstdruck.

Stefan Zweig

Amerigo
Die Geschichte
eines historischen
Irrtums
Band 9241

Der Amokläufer
Erzählungen
Herausgegeben
von Knut Beck
Band 9239

Angst
Novelle
Band 10494

Auf Reisen
Feuilletons
und Berichte
Herausgegeben
von Knut Beck
Band 10164

Balzac
Herausgegeben von
Richard Friedenthal
Band 2183

**Begegnungen
mit Büchern**
Aufsätze und Ein-
leitungen aus den
Jahren 1902-1939
Herausgegeben
von Knut Beck
Band 2292

**Ben Jonsons
»Volpone«**
Band 2293

**Brennendes
Geheimnis**
Erzählung
Band 9311

**Brief einer
Unbekannten**
Erzählung
Band 9323

Briefe an Freunde
Herausgegeben von
Richard Friedenthal
Band 5362

Buchmendel
Erzählungen
Herausgegeben
von Knut Beck
Band 11416

**Castellio gegen
Calvin oder Ein
Gewissen gegen
die Gewalt**
Herausgegeben
von Knut Beck
Band 2295

Clarissa
Ein Romanentwurf
Herausgegeben
von Knut Beck
Band 11150

**Der Kampf
mit dem Dämon**
Hölderlin, Kleist,
Nietzsche
Herausgegeben
von Knut Beck
Band 12186

Fischer Taschenbuch Verlag

Stefan Zweig

**Drei Dichter
ihres Lebens**
Casanova,
Stendhal, Tolstoi
Herausgegeben
von Knut Beck
Band 12187

Drei Meister
Balzac, Dickens,
Dostojewski
Band 2289

Europäisches Erbe
Herausgegeben von
Richard Friedenthal
Band 2284

**Das Geheimnis
des künstlerischen
Schaffens**
Essays
Herausgegeben
von Knut Beck

**Die Heilung
durch den Geist**
Mesmer,
Mary Baker-Eddy,
Freud
Herausgegeben
von Knut Beck
Band 2300

**Die Hochzeit
von Lyon**
und andere Erzäh-
lungen. Band 2281

Joseph Fouché
Bildnis eines poli-
tischen Menschen
Band 1915

Magellan
Der Mann
und seine Tat
Herausgegeben
von Knut Beck
Band 5356

Maria Stuart
Band 1714

Marie Antoinette
Bildnis eines mitt-
leren Charakters
Band 2220

**Menschen
und Schicksale**
Band 2285

**Phantastische
Nacht**
Erzählungen
Herausgegeben
von Knut Beck
Band 5703

Praterfrühling
Erzählungen
Herausgegeben
von Knut Beck
Band 9242

Fischer Taschenbuch Verlag

Stefan Zweig

**Rausch der
Verwandlung**
Roman aus
dem Nachlaß
Herausgegeben
von Knut Beck
Band 5874

Schachnovelle
Band 1522

Die schlaflose Welt
Aufsätze und
Vorträge aus den
Jahren 1909-1941
Herausgegeben
von Knut Beck
Band 9243

**Sternstunden
der Menschheit**
Zwölf historische
Miniaturen
Band 595

Tagebücher
Herausgegeben
von Knut Beck
Band 9238

**Triumph und
Tragik des Erasmus
von Rotterdam**
Band 2279

**Über
Sigmund Freud**
Porträt/
Briefwechsel/
Gedenkworte
Band 9240

**Ungeduld
des Herzens**
Roman. Band 1679

**Verwirrung
der Gefühle**
Erzählungen
Herausgegeben
von Knut Beck
Band 5790

**Die Welt
von Gestern**
Erinnerungen
eines Europäers
Band 1152

**Stefan Zweig
Paul Zech
Briefe 1910-1942**
Herausgegeben von
Donald G. Daviau
Band 5911

**Stefan Zweig -
Triumph
und Tragik**
Aufsätze, Tage-
buchnotizen,
Briefe
Herausgegeben von
Ulrich Weinzierl
Band 10961

Fischer Taschenbuch Verlag

fi 191 / 1 c

Thomas Mann

Fischer Taschenbuch Verlag

Thomas Mann

Fischer Taschenbuch Verlag

Franz Kafka
Brief an den Vater
Faksimileausgabe
Herausgegeben und mit einem Nachwort
von Joachim Unseld
Band 12436

Der sogenannte ›Brief an den Vater‹ ist die wichtigste und um-
fassendste autobiographische Äußerung, die von Franz Kafka
überliefert ist. Der im Original über 100 Seiten lange Brief, der
»Riesenbrief«, wie der Dichter ihn in einem Schreiben an die
Freundin Milena Jesenská nennt, wird heute zur Weltliteratur
gezählt und sollte doch nur das private, ja intime Dokument
einer persönlichen Beziehung sein. Die Briefhandschrift ist ein
einzigartiges Zeugnis: Die Schönheit der Kafkaschen Schriftzüge beeindruckt den Leser und erlaubt zugleich die Wahrneh-
mung eines persönlich-appellativen Moments der Handschrift
als gestischer Sprache.

Fischer Taschenbuch Verlag

fi 199 / 4 a

Liebster Vater,

Du hast mich letzthin einmal gefragt, warum ich behaupte, ich hätte Furcht vor Dir. Ich wußte Dir, wie gewöhnlich, nichts zu antworten, zum Teil eben aus der Furcht, die ich vor Dir habe, zum Teil deshalb, weil zur Begründung dieser Furcht zu viele Einzelheiten gehören, als daß ich sie im Reden halbwegs zusammenhalten könnte. Und wenn ich hier versuche, Dir schriftlich zu antworten, so wird es doch nur sehr unvollständig sein, weil auch im Schreiben die Furcht und ihre Folgen mich Dir gegenüber behindern und weil die Größe des Stoffs über mein Gedächtnis und meinen Verstand weit hinausgeht.

Dir hat sich die Sache immer sehr einfach dargestellt, wenigstens soweit Du vor mir und, ohne Auswahl, vor vielen andern davon gesprochen hast. Es schien Dir etwa so zu sein: Du hast

Erste Seite des ›Brief an den Vater‹,
der wichtigsten und umfassendsten autobiographischen
Äußerung von Franz Kafka.

Franz Kafka
Ein Landarzt
und andere Drucke zu Lebzeiten

Band 12441

Ein Landarzt enthält sämtliche Texte,
die Franz Kafka selbst zur Veröffentlichung gegeben hat,
für Zeitungen und Zeitschriften und als Bücher:
*Betrachtung, Das Urteil, Der Heizer, Die Verwandlung,
In der Strafkolonie, Ein Landarzt, Ein Hungerkünstler*

»Es scheint so arg, Junggeselle zu bleiben, als alter Mann
unter schwerer Wahrung der Würde um Aufnahme zu bitten...
in seinem Zimmer nur Seitentüren zu haben,
die in fremde Wohnungen führen...«

»Kafkas Novellen sind sich ereignende unerhörte
Begebenheiten, im Sinne der Goetheschen Definition.
Ihre klare und schlichte Architektur aber gibt Durchblicke in
alle Heimlichkeiten und Abgründe der Seele.«
Otto Pick

Fischer Taschenbuch Verlag

Franz Kafka
Der Verschollene
Roman

In der Fassung der Handschrift

Band 12442

Thema dieses von Max Brod
in seiner Edition »Amerika« genannten Romans ist die
Einordnung des Einzelnen in die Gemeinschaft.

»Als der siebzehnjährige Karl Roßmann...
in den Hafen von Newyork einfuhr, erblickte er die schon
längst beobachtete Statue der Freiheitsgöttin wie in einem
plötzlich stärker gewordenen Licht.«

»Am schönsten an diesem Werk ist die tiefe
Melancholie, die es durchzieht: hier ist der ganz seltene Fall,
daß einer *das Leben nicht versteht* und recht hat.«
Kurt Tucholsky

Fischer Taschenbuch Verlag

fi 1661 / 1

Franz Kafka
Der Proceß

Roman

In der Fassung der Handschrift

Band 12443

Die Frage der Schuld wurde durch
diesen im August 1914, bei Ausbruch des Ersten Weltkriegs,
begonnenen Roman, in dem sie immateriell bleibt,
geradezu zur Vision des Jahrhunderts.

»Jemand mußte Josef K. verleumdet haben,
denn ohne daß er etwas Böses getan hätte, wurde er
eines Morgens verhaftet.«

»In Kafkas Romanen gehen die exzentrischesten Dinge
vor sich. Aber... es ist alles ganz wirklich, mit einer fast
pedantischen Genauigkeit wirklich, wenn auch wirklich in
einer Wirklichkeit, die sich nicht bezeichnen läßt.
Wirklichkeit ist ja eben nichts anderes, als eine Ahnung,
eine Suggestion, eine Erschütterung von fernsten
Weltzusammenhängen her.«
Willy Haas

Fischer Taschenbuch Verlag

fi 1663 / 1